RELATIVIZANDO

Roberto DaMatta

RELATIVIZANDO

Uma introdução à
Antropologia Social

Rocco

Copyright © by Roberto DaMatta

Direitos mundiais para a língua portuguesa
reservados com exclusividade à
EDITORA ROCCO LTDA.
Av. Presidente Wilson, 231 – 8º andar
20030-021 – Rio de Janeiro – RJ
Tel.: (21) 3525-2000 – Fax: (21) 3525-2001
rocco@rocco.com.br
www.rocco.com.br

Printed in Brazil/Impresso no Brasil

CIP-Brasil. Catalogação na fonte.
Sindicato Nacional dos Editores de Livros, RJ.

D168r   DaMatta, Roberto
         Relativizando: uma introdução à Antropologia
         Social / Roberto DaMatta. – Rio de Janeiro: Rocco,
         2010.

         ISBN 85-325-0154-0

         1. Antropologia Social. I. Título. II. Título: Uma
         Introdução à Antropologia Social.

87-0636   CDD-306
                                          CDU-572:301

Para os meus alunos, que me fizeram professor.

"Não podemos chegar à sabedoria final socrática de conhecer-nos a nós mesmos se nunca deixarmos os estreitos limites dos costumes, crenças e preconceitos em que todo homem nasceu. Nada nos pode ensinar melhor lição nesse assunto de máxima importância do que o hábito mental que nos permite tratar as crenças e valores de outro homem do seu próprio ponto de vista. E mais: nunca a humanidade civilizada precisou dessa tolerância mais do que agora, quando o preconceito, a má vontade e o desejo de vingança dividem as nações europeias, quando todos os ideais estimados e reconhecidos como as mais altas conquistas da civilização, da ciência e da religião são lançados ao vento."

BRONISLAW MALINOWSKI

"Na ciência, como na vida, só se acha o que se procura."

E. E. EVANS-PRITCHARD

"A coragem de conhecer-se e de exprimir-se é a Literatura, é o Humanismo..."

THOMAS MANN

AGRADECIMENTOS

Gostaria de agradecer a todos quantos contribuíram, especialmente ao Museu Nacional que, através do seu Departamento de Antropologia, do Programa de Pós-Graduação em Antropologia Social e do Conselho Nacional de Desenvolvimento Científico e Tecnológico, CNPq., tem me dado o apoio institucional indispensável às minhas atividades como pesquisador e professor. Registro, pois, aqui, minha gratidão aos meus amigos, os Professores Otávio Guilherme Velho e Gilberto Velho, respectivamente, Chefe do Departamento e Coordenador do Programa.

Agradeço também, com satisfação, o encorajamento que recebi de Arno Vogel, Marco Antônio de Silva Mello e Roberto Kant de Lima, meus alunos e companheiros de trabalho, porque de um certo modo eles acreditaram neste livro mais do que eu e, assim fazendo, muito me ajudaram.

Um agradecimento especial vai para a Dra. Rosa Raposo Albé que, com sua dedicação e honestidade, tem me ajudado ao longo desses anos a encontrar uma melhor compreensão de mim mesmo e, consequentemente, de minha Antropologia.

E, finalmente, quero deixar aqui registrado o quanto foi importante para mim, sobretudo nos sábados e domingos em que trabalhava com afinco e cansaço neste livro, o apoio que recebi de minha mulher Celeste e dos meus filhos Rodrigo, Maria Celeste e Renato. Se a Antropologia Social me ensinou a formular como um parente se transforma num afim, minha família tem me ensinado em como transformar parentes em verdadeiros amigos. E eu sou muito grato a minha mulher por tudo isso.

Como de outras vezes, foi Maria Imaculada Cerqueira Leite quem datilografou os originais deste volume. E ela o fez com tanto entusiasmo e dedicação que deixo aqui registrado o meu agradecimento pelo seu excelente trabalho.

ROBERTO DAMATTA

SUMÁRIO

Prefácio 11

PRIMEIRA PARTE
A ANTROPOLOGIA NO QUADRO DAS CIÊNCIAS

1. Ciências naturais e Ciências sociais 19
2. Uma diferença crucial 25
3. Antropologias e Antropologia 31
4. Os planos da consciência antropológica 39
5. O biológico e o social 43
6. O social e o cultural 52
7. Digressão: A fábula das três raças, ou o problema do racismo à brasileira 64

SEGUNDA PARTE
ANTROPOLOGIA E HISTÓRIA

1. Introdução 99
2. História da Antropologia 100
   a) O evolucionismo 103
   b) O funcionalismo 116
3. Uma Antropologia da História? 122
4. Tempo e História 134
5. A lógica do totemismo e a lógica da História 151

TERCEIRA PARTE
TRABALHO DE CAMPO

1. O trabalho de campo na Antropologia Social......... 165
2. O trabalho de campo como um rito de passagem......... 173

EPÍLOGO
HISTÓRIA DE DUAS PESQUISAS

1. A prática da Antropologia: Uma introdução meio biográfica......... 203
2. A pesquisa com grupos tribais......... 212
3. Os aspectos práticos da pesquisa......... 218
4. Os Gaviões e as teorias do contato......... 234
5. Os Apinayé e as teorias sociológicas......... 249
   a) Curt Nimuendaju e a etnologia brasileira......... 250
   b) Lévi-Strauss e os estudos de parentesco......... 256
6. As teorias e os grupos Jê do Brasil Central......... 271

Bibliografia......... 279

PREFÁCIO

Este livro não é um manual de Antropologia, daqueles que começam com a história e terminam com o corpo de conceitos da disciplina apresentados numa ordem canônica, indiscutível. Ele é uma perspectiva e um ponto de vista daquilo que, a meu ver, constitui o coração ou – se quiserem – a alma, da disciplina que chamamos Antropologia Social. Como eu suponho que o básico desta postura não é nenhuma substância ou essência eterna e dada de uma vez por todas, mas um ângulo de visão encontrado todas as vezes que relacionamos o implícito com o explícito e relativizamos o familiar e o exótico, utilizei essas noções no meu título. O "relativizando" que nomeia este livro, portanto, nada tem a ver com uma ideologia substantiva do universo social humano, segundo a qual tudo é variável e tudo é válido. Muito ao contrário, trata-se de uma atitude positiva e valorativa, expressa no meu "relativizando", a cobrir o abraço destemido que damos quando pretendemos entender honestamente o exótico, o distante e o diferente, o "outro".

Na base deste livro, então, busquei revelar como a Antropologia Social é de certo modo uma disciplina onde muito dificilmente se pode armazenar as tais certezas absolutas que, para muitos, ainda hoje devem fazer parte do arsenal destinado a proporcionar uma atitude "científica" diante das sociedades e culturas. Assim sendo, tratei de apresentar e discutir a posição da Antropologia como uma verdadeira "leitura" do mundo social: como um conjunto de normas que visam aprofundar o conhecimento do homem pelo homem; e nunca como certezas ou axiomas indiscutíveis e definitivamente assentados. Por causa disso, muitos irão considerar este livro francamente deficiente e limitado. Mas o fato é que a Antropologia Social contemporânea nos tem ensinado a ser desconfiados e críticos relativamente aos grandes esquemas teóricos do século XIX, frutos de um otimismo desmesurado em relação ao futuro, um futuro que tais esquemas viam sob a atmosfera dourada e promissora das descobertas tecnológicas. Hoje sabemos bem que o uso da eletricidade, do automóvel, do trem, do avião e da energia termonuclear não podem ser mais vistos como itens de melhoria necessária da espécie humana, pois a sociedade não é algo destacável de seus movimentos. E esses movimentos nada têm de lineares e automáticos, como supunham nossos mestres do passado, confiantes na mística e na ideologia do progresso.

Na Antropologia Social, como procuro indicar neste volume, lidamos com organizações onde o todo predomina sobre as partes. Com áreas situadas fora do alcance direto dos grandes "aceleradores de tempo" do nosso sistema. Com formas de vida social fundadas nos fatos do nascimento, do crescimento (com suas crises) e da morte. De tal modo que a sua lição tem sempre sido orientada na direção de uma formidável humildade, posto que aprendemos como é penoso e injusto sacrificar o presente por um futuro que não chega nunca e o quanto é odioso planejar e modificar pelo arbítrio a vida social dos outros. Descobrimos também, pelo estudo destas formas que julgamos "primitivas", "selvagens" ou "simples", que os valores que designamos pelos nomes de "honra", "verdade", "justiça", "dignidade", o sentir-se parte de uma totalidade viva e atuante, são o centro mesmo da sociabilidade humana, presentes onde quer que vivam humanidades, sob quaisquer condições, debaixo de qualquer sol. Nossas diferenciações – eis aqui a mensagem deste livro – são diferenciações externas, de posição relativa a certos temas, problemas e materiais. Elas nada têm de substantivas e não são essenciais ou estão fundadas num tempo histórico reificado, como imaginavam e acreditavam os mestres do passado.

Disso decorre que nós estudamos os chamados "índios" não porque e exclusivamente eles estão desaparecendo, ou só para denunciarmos as injustiças que sofrem, mas para realmente *aprender* com eles as lições que não sabemos e que, por causa disso, ficam implícitas na nossa sociedade. A Antropologia Social autêntica só pode acontecer quando estamos plenamente convencidos da nossa ignorância. É claro que devemos defender os direitos das nossas populações tribais. É evidente que devemos chamar atenção e denunciar as injustiças contra elas. Mas isso não deve ser feito em nome de uma atitude condescendente, superior, como se eles fossem uma espécie de humanidade em extinção, liquidada por seu próprio atraso cultural. Como se eles fossem animais de estimação como o bisão ou o elefante, que nós temos a obrigação estética de defender e proteger. Nada disso. Nosso estudo e nossa atenção para com as sociedades tribais devem estar fundados na troca igualitária de experiências humanas. No fato, como já disse, que podemos realmente *aprender* e *nos civilizar* com elas. É precisamente essa experiência genuinamente humana e equivalente que a Antropologia decidiu recuperar. E é ela que deve ser o centro da motivação ideológica a nos conduzir no sentido da denúncia de todas as injustiças contra os índios e todas as minorias oprimidas.

Daí, a meu ver, a outra lição da Antropologia Social, segundo a qual o conhecimento do homem sobre si mesmo é variado, moral e socialmente equivalente e, por tudo isso, infinito na sua profundidade e sua grandeza. Pois o homem é tudo o que se manifesta na sociedade e na sociabilidade, seu retrato completo sendo altamente problemático e deficiente. Mas nós já sabemos que ele não é aquele ser vitoriano acabado, ponto final de uma escalada evolutiva, toda ela feita de apreciações e conquistas tecnológicas. Pois sabemos muito bem que o homem é mais do que a tecnologia que inventou e isso, como uma palavra de ordem, parece absolutamente fundamental para a reconstrução de um mundo adoentado, perdido e febril.

Sabemos também da falência total dos esquemas evolutivos, restos ideológicos das hierarquias que submetiam sem apelo todos os povos conhecidos aos esquemas de pensamento europeu e norte-americano. Neles, as chamadas "revoluções tecnológicas" movem inapelavelmente o universo social, como se ele fosse como elas: máquinas sem consciência ou espaço de onde as ações e valores pudessem ser apreciados, considerados e modificados. De fato, o que tais "evolucionismos" foram incapazes de enxergar é que a grande revolução do século XX não é tecnológica, mas intelectual, decorrente precisamente das áreas mais criativas do universo tecnológico – aquelas áreas que armazenam, distribuem e inventam informação. Pois é o conhecimento do homem pelo homem e da sociedade humana em suas várias formas de relacionamento interno e externo que constitui a "grande transformação" e a "grande esperança" deste final de milênio. Transformação que através do conhecimento profundo dos "outros" e com a modesta ajuda da Antropologia Social redescobrirá a tolerância, a humildade, a esperança e a generosidade de um viver em escala planetária, mantendo o delicado e essencial equilíbrio entre o universal e o específico, o cósmico e o local, o sentido do planeta e a identidade comunitária. Dialética sem a qual a sociedade não pode escavar sua mensagem e sua contribuição singular à totalidade da espécie humana. Porque se a Antropologia Social tem algo a ensinar, esse algo é precisamente isso: que o homem, afinal, pode aprender e mais que o intelecto e a ordenação do mundo é a grande arma de todos os homens em todos os tempos. Ora, se tais instrumentos têm sido usados para a opressão, serão eles mesmos que obrigarão a criar uma nova ordem onde os valores falados acima: humildade, renúncia, generosidade e tolerância deixarão de ser ideais impostos pela moralidade. Eles passarão a ser uma necessidade absoluta, instrumentos que são de uma convivência universal aberta e informada pela prática antropológica em todos os seus níveis. Em outras palavras, o próprio intelecto nos fará enxergar nossa humanidade no "outro"; e o "outro" dentro de nós mesmos.

Esta, numa cápsula, a medida deste "relativizando".

Ao lado desta visão mais abrangente do homem em sociedade, procurei construir este livro com uma linguagem simples, remetendo a todo momento a exemplos e ilustrações tirados diretamente da minha experiência pessoal e da nossa sociedade. O resultado disso poderá ser limitador, mas tem pelo menos dois aspectos que vejo como produtivos. De um lado, poderá habituar o leitor jovem, sem maiores familiaridades com o pensamento antropológico, a pensar praticamente sua própria realidade. Do outro, tal postura inicia um processo de uso concreto das teorias. Como eu estou convencido que fazer antropologia é realizar essa transformação do familiar em exótico e do exótico em familiar (como mostro na Terceira Parte), o uso de exemplos brasileiros é um modo talvez eficaz de colocar isso em prática.

Do mesmo modo, não separei no livro – a não ser em momentos em que isso me era impossível – a teoria da prática. Ao contrário, busco indicar como a teoria está ligada à biografia e a biografia às limitações do meio social. Tudo isso permite a crítica positiva às teorias e ideologias de uma época, permitindo que o intelecto venha eventualmente superar os impasses e gerar novas formas de conhecimento. Para mim – e eu espero que isso fique claro neste livro – o conhecimento é uma forma, e uma forma das mais legítimas, de atuação sobre o mundo. Porque entre teoria e prática no sentido trivial e rudimentar em que atualmente as pessoas utilizam esses termos há sempre a mediação de mais "teorias" e mais "práticas", de modo que, na realidade concreta e histórica da vida e não em algum livro teórico velho, ultrapassado e mal digerido, há sempre uma prática a se erguer dentro de uma "prática", do mesmo modo que numa teoria existem sempre aspectos "teóricos". O que quero dizer é que não é muito fácil traçar uma linha divisória nesta oposição tradicional; e mais, que existe sempre uma teoria da teoria e uma prática da prática, caso não se queira abrir mão da racionalidade e capacidade de discernimento da história e do mundo real.

Nesta perspectiva, procuro mostrar como o uso das teorias deve ser realizado quando ele serve como um instrumento para desvendar o mundo, no caso, o mundo social. Finalmente, desejo acentuar que este livro não é um trabalho considerado como acabado. É muito mais um oferecimento do conhecimento que juntei ao longo de alguns anos de prática do ofício de etnólogo e, mais, é também uma perspectiva da matéria e do instrumento que, no meu caso particular, constituem-se numa das mais fortes razões de viver.

ROBERTO DAMATTA
Jardim Ubá, Niterói
(fevereiro-agosto de 1979).
Lisboa e Santa Rosa, Niterói
(junho-setembro de 1980).

PRIMEIRA PARTE

A antropologia no Quadro das Ciências

1. Ciências naturais e Ciências sociais

Nenhum filósofo ou teórico da ciência deixou de se preocupar com as semelhanças e diferenças entre as chamadas "ciências da natureza" ou "ciências naturais", com a Física, a Química, a Biologia, a Astronomia etc., e as disciplinas voltadas para o estudo da realidade humana e social, as chamadas "ciências da sociedade", "ciências sociais", ou, ainda, as "ciências humanas". Como tais diferenças são legião, não caberia aqui arrolá-las ou indicá-las de um ponto de vista histórico. Isso seria uma tarefa para um historiador da ciência e não para um antropólogo. Apenas desejaria ressaltar, já que o ponto me parece básico quando se busca situar a Antropologia Social (ou Cultural) no corpo das outras ciências, que elas em geral tocam em dois problemas fundamentais e de perto relacionados. Um deles diz respeito ao fato de que as chamadas "ciências naturais" estudam fatos simples, eventos que presumivelmente têm causas simples e são facilmente isoláveis. Tais fenômenos seriam, por isso mesmo, recorrentes e sincrônicos, isto é, eles estariam ocorrendo agora mesmo, enquanto eu escrevo estas linhas e você, leitor, as lê. A matéria-prima da "ciência natural", portanto, é todo o conjunto de fatos que se repetem e têm uma constância verdadeiramente sistêmica, já que podem ser vistos, isolados e, assim, reproduzidos dentro de condições de controle razoáveis, num laboratório. Por isso se diz repetidamente que o problema da ciência em geral não é o de desenvolver teorias, mas o de testá-las. E o teste que melhor se pode imaginar e realizar é aquele que pode ser repetido indefinidamente, até que todas as condições e exigências dos observadores estejam preenchidas satisfatoriamente. Além disso, a simplicidade, a sincronia e a repetitividade asseguram um outro elemento fundamental das "ciências naturais", qual seja: o fato de que a prova ou o teste de uma dada teoria possa ser feita por dois observadores diferentes, situados em locais diversos e até mesmo com perspectivas opostas. O laboratório assegura de certo modo tal condição de "objetividade", um outro elemento crítico na definição da "ciência" e da "ciência natural". Assim, um cientista natural pode presenciar os modos de reprodução de formigas (já que pode ter um formigueiro no seu laboratório), pode estudar os efeitos de um dado conjunto de anticorpos em ratos e pode, ainda, analisar o quanto quiser a composição de um dado raio luminoso.

Em contraste com isso, as chamadas "ciências sociais" estudam fenômenos complexos, situados em planos de causalidade e determinação complicados. Nos eventos que constituem a matéria-prima do antropólogo, do sociólogo, do historiador, do cientista político, do economista e do psicólogo, não é fácil isolar causas e motivações exclusivas. Mesmo quando o "sujeito" está apenas desejando realizar uma ação aparentemente inocente e basicamente simples, como o ato de comer um bolo. Pois um bolo pode ser comido porque se tem fome e pode ser comido por "motivos sociais e psicológicos": para demonstrar solidariedade a uma pessoa ou grupo, para comemorar uma certa data (como ocorre num aniversário), para revelar que o bolo feito por mamãe é melhor do que o bolo feito por D. Yolanda, para indicar que se conhecem bolos, para justificar uma certa atitude e, ainda, por todos esses motivos juntos. Para que se tenha uma prova clara destas complicações, basta parar de ler esse trecho e perguntar a uma pessoa próxima: "Por que se come um bolo?" Verá o leitor que as respostas em geral colocam toda essa problemática na superfície, sendo difícil desenvolver uma teoria que venha a determinar com precisão uma causa única ou uma motivação exclusiva.

A matéria-prima das "ciências sociais", assim, são eventos com determinações complicadas e que podem ocorrer em ambientes diferenciados tendo, por causa disso, a possibilidade de mudar seu significado de acordo com o ator, as relações existentes num dado momento e, ainda, com a sua posição numa cadeia de eventos anteriores e posteriores. Um bolo comido no final de uma refeição é algo que denominamos de "sobremesa", tendo o significado social de "fechar" ou arrematar uma refeição anterior, considerada como principal, constituída de pratos salgados. O salgado, assim, antecede o doce, sendo considerado por nós separado e mais substancial que os doces. Agora, um bolo que é comido no meio do dia pode ser sinal (ou sintoma) de um desarranjo psicológico, como acontece com as pessoas que comem compulsivamente. Finalmente, um bolo que é o centro de uma reunião, que serve mesmo como motivação para o convite quando se diz: "venha comer um bolo com o Serginho", é um bolo com um significado todo especial. Aqui, ele se torna um símbolo importante, cuja análise pode revelar ligações surpreendentes com a passagem da idade, com as relações entre gerações, identidades sexuais etc.

Mas, além disso, os eventos que servem de foco ao "cientista social" são fatos que não estão mais ocorrendo entre nós ou que não podem ser reproduzidos em condições controladas. De fato, como poderemos nós reproduzir a festa do aniversário do Serginho? Ou o ritual do carnaval que ocorreu em 1977 no Rio de Janeiro? Mesmo que possamos reunir os mesmos personagens, músicas, comidas, vestes e mobiliário do passado, ainda assim podemos dizer que está faltando alguma coisa: a atmosfera da época, o clima do momento. Enfim, o conjunto criado pela ocasião social que de certo modo decola dela e, recaindo sobre ela, provoca o que podemos chamar de "sobredeterminações", como a imagem projetada numa tela ou num espelho. Diferentemente de um rato reagindo a um anticorpo num laboratório, o aniversário (e todas as ocasiões sociais fechadas) cria o seu próprio plano social, podendo ser diferenciado de todos os outros, embora guarde com ele semelhanças estruturais. Esse plano do reflexo, da circularidade e da sobredeterminação me parece essencial na definição do objeto da Antropologia Social (e da Sociologia) e eu voltarei a ele inúmeras vezes no decorrer deste volume. Agora, basta que se acentue o seu caráter de modo ligeiro, somente para revelar como as situações sociais são complexas e de difícil controle, quando as comparamos com os laboratórios onde os biólogos, químicos e físicos realizam suas experiências. Realmente, tudo indica que entre as Ciências Sociais e as Ciências Naturais temos uma relação invertida, a saber: se nas "ciências naturais" os fenômenos podem ser percebidos, divididos, classificados e explicados dentro de condições de relativo controle e em condições de laboratório, objetivamente, existem problemas formidáveis no que diz respeito à aplicação e até mesmo na divulgação destes estudos. Na maioria dos casos, o cientista natural resolve um problema simplesmente para criar tecnologias indesejáveis e, a longo prazo, mortíferas e daninhas ao próprio ser humano. Isso para não falarmos em descobertas que podem trazer ameaças diretas à própria vida e à dignidade do homem por seu uso inescrupuloso na área militar. Nada mais simples e bem-vindo do que o isolamento de um vírus e nada mais complexo do que esse próprio isolamento permitindo a realização de guerras bacteriológicas e de contaminação.

No caso do cientista social, as condições de percepção, classificação e interpretação são complexas, mas os resultados em geral não têm consequências na mesma proporção da "ciência natural". São poucas as teorias sociais que acabaram tornando-se credos ideológicos, como o racismo e a luta de classes, adotados por nações e transformados em valores nacionais. As mais das vezes, as chamadas teorias sociais são racionalizações ou perspectivas mais acuradas para problemas que percebemos, ainda que tais problemas não sejam realmente "objetivados" com muita clareza. Neste sentido, o cientista social tende a reduzir problemas correndo mesmo o risco de simplificar demais as motivações de certos eventos observáveis numa sociedade ou época histórica. Mas raramente seus resultados podem ser transformados em tecnologia e, assim, podem atuar diretamente sobre o mundo. Em geral, o resultado prático do trabalho do cientista social é visto fora do domínio científico e tecnológico, na região das "artes": nos filmes, peças de teatro, novelas, romances e contos, onde as ideias de certas pesquisas podem ser "aplicadas", produzindo modificações no comportamento social. Mas é preciso observar que é mais fácil trocar de automóvel ou de televisão e aceitar inovações tecnológicas (tais inovações fazem parte do nosso sistema de valores), do que trocar de valores simbólicos ou políticos.

Mas voltemos ao ponto já colocado. Vimos que uma das diferenças básicas entre os dois ramos de conhecimento era que os fatos sociais são, geralmente, irreproduzíveis em condições controladas. É claro que ações sociais podem ser reproduzidas no teatro e no cinema, mas aqui a distância que existe entre o ator e o personagem recriado é um dado que vem modificar substancialmente a situação. Além disso, os atores seguem um texto explicitamente dado, enquanto que nós, atores fora do palco, seguimos um texto implicitamente dado que a pesquisa por causa disso mesmo deseja descobrir. O problema básico, assim, continua: os fatos sociais são irreproduzíveis em condições controladas e, por isso, quase sempre fazem parte do passado. São eventos a rigor históricos e apresentados de modo descritivo e narrativo, nunca na forma de uma experiência. Realmente, não posso ver e certamente jamais verei uma expedição de troca do tipo *kula*, tão esplendidamente descrita por Malinowski; ou um rito de iniciação dos Canela do Brasil Central que Nimuendaju narrou com tanta minúcia. Do mesmo modo, não posso saber jamais como se sente alguém diante dos eventos críticos da Revolução Francesa ou como foram os dias que antecederam a proclamação da República no Brasil. Podemos, obviamente, reconstruir tais realidades (ou pedaços de realidade), mas jamais clamar que nossa reconstrução é a "verdadeira", que foi capaz de incluir todos os fatos e que compreendemos perfeitamente bem todo o processo em questão.

Tal totalização é impossível, embora possa ser um alvo desejável para muitos cientistas sociais. Mas nós sabemos muito bem a diferença que existe entre a teoria das ondas hertzianas e um rádio transmissor e receptor, que são aparelhos que um físico conhece totalmente e os pode fabricar. Por isso é que existe uma ligação direta entre ciências naturais e tecnologia. E a nossa relação com um evento complexo como a Revolução Russa ou mesmo o problema do incesto, fatos sociais que nós podemos conhecer bem, mas com que mantemos sempre uma relação complicada, como se, entre o acontecimento e nós, existissem zonas conhecidas e áreas profundas, insondáveis. Nossas reconstruções, assim, diferentemente daquelas realizadas pelos cientistas naturais, são sempre parciais, dependendo de documentos, observações, sensibilidade e perspectivas. Tudo isso que pode utilizar os dados disponíveis ou solicitar novos dados ainda não vistos. É por causa disso que nossas teorias, digamos, do incesto, não são capazes de gerar uma tecnologia do incesto. Podem gerar terapias, mas, mesmo aqui, nosso conhecimento continua fundado num processo complexo, nunca numa relação como aquela que existe entre um químico e as drogas que pode fabricar.

Os fatos que formam a matéria-prima das "ciências sociais" são, pois, fenômenos complexos, geralmente impossíveis de serem reproduzidos, embora possam ser observados. Podemos observar funerais, aniversários, rituais de iniciação, trocas comerciais, proclamações de leis e, com um pouco de sorte, heresias, perseguições, revoluções e incestos; mas, além de não poder reproduzir tais eventos, temos de enfrentar a nossa própria posição, história biográfica, educação, interesses e preconceitos. O problema não é o de somente reproduzir e observar o fenômeno, mas substancialmente o de *como* observá-lo. Todos os fenômenos que são hoje parte e parcela das chamadas ciências sociais são fatos conhecidos desde que a primeira sociedade foi fundada, mas nem sempre existiu uma ciência social. Assim, classes de homens diversos observaram fatos e os registraram de modo diverso, segundo os seus interesses e motivações; de acordo com aquilo que julgavam importante. O processo de acumulação que tipifica o processo científico é algo lento em todos os ramos do conhecimento, mas muito mais lento nas chamadas ciências do homem.

2. Uma diferença crucial

Mas de todas essas diferenças a que considero mais fundamental é a seguinte: nas ciências sociais trabalhamos com fenômenos que estão bem perto de nós, pois pretendemos estudar eventos humanos, fatos que nos pertencem integralmente. O que significa isso?

Tomemos um exemplo. Quando eu estudo baleias, estudo algo radicalmente diferente de mim. Algo que posso perceber como distante e com quem estabeleço facilmente uma relação de "objetividade". Não posso imaginar o universo interior de uma baleia, embora possa tomar as baleias para realizar com elas um exercício humanizador, situando-as como ocorre nos desenhos animados e nos contos de fadas, como uma réplica da sociedade humana. Embora possa incorporar as baleias ao reino do humano, poderei imaginar o que sentem realmente esses cetáceos? É claro que não. Essa distância irremediável dada ao fato de que jamais poderei tornar-me uma baleia é que permite jogar com a dicotomia clássica da ciência: aquela entre sujeito (que conhece ou busca conhecer) e objeto (a chamada realidade ou o fenômeno sob escrutínio do cientista). As teorias e os métodos científicos são, nesta perspectiva, os mediadores que permitem operar essa aproximação, construindo uma ponte entre nós e o mundo das baleias.

Mas, ao lado disso, há um outro dado crucial. É que eu posso dizer tudo o que quiser em relação às baleias sabendo que elas jamais irão me contestar. Poderei, é claro, ser contestado por um outro estudioso de baleias, mas jamais pelas baleias mesmas. Estas continuarão a viver no imenso oceano de águas frias, nadando em grupos e borrifando espuma independentemente das minhas deduções e teorias. Isso significa simplesmente que o meu conhecimento sobre as baleias não será jamais lido pelas baleias que jamais irão modificar o seu comportamento por causa das minhas teorias de modo direto. Minhas teorias poderão ser usadas por mim mesmo ou por terceiros para modificar o comportamento das baleias, mas elas nunca serão usadas diretamente pelas baleias. Em outras palavras, nunca me tornarei um cetáceo, do mesmo modo que um cetáceo nunca poderá virar um membro da espécie humana. É por causa disso que teorias sobre baleias e sapos são teorias, isto é, conhecimento objetivo, externo, independente de baleias, sapos e investigadores.

Mas como se passam as coisas no caso das "ciências sociais"?

Ora, aqui é tudo muito mais complexo. Temos, em primeiro lugar, a interação complexa entre o investigador e o sujeito investigado, ambos – como disse Lévi-Strauss – situados numa mesma escala. Ou seja, tanto o pesquisador quanto sua vítima compartilham, embora muitas vezes não se comuniquem, de um mesmo universo das experiências humanas. Se entre nós e os ratos as diferenças são irredutíveis, homens e ratos pertencem a espécies diferentes, sabemos que os homens não se separam por meio de espécies, mas pela organização de suas experiências, por sua história e pelo modo com que classificam suas realidades internas e externas. Por causa disso ninguém pode virar baleia, rato ou leão, mas todos podemos nos transformar em membros de outras sociedades, adotando seus costumes, categorias de pensamento e classificação social, casando com suas mulheres e socializando seus filhos. Rezando aos seus espíritos e deuses, aplacando a ira e agradecendo as bênçãos dos seus ancestrais, obedecendo ou modificando suas leis, falando bem ou mal sua língua. Apesar das diferenças e por causa delas, nós sempre nos reconhecemos nos outros e eu estou inclinado a acreditar que a distância é o elemento fundamental na percepção da igualdade entre os homens. Deste modo, quando vejo um costume diferente é que acabo reconhecendo, pelo contraste, meu próprio costume.

Quando estudei os nomes pessoais entre os Apinayé do Norte do Estado de Goiás e vi que, entre eles, os nomes eram mecanismos para estabelecer relações sociais, foi que pude reconhecer imediatamente o papel dos nomes entre nós. Aqui, percebi, os nomes servem para individualizar, para isolar uma pessoa das outras e, assim fazendo, individualizar um grupo (uma família) de outro. O nome caracteriza o indivíduo, pois os nomes são únicos e exclusivos, com o termo *xará* demonstrando a surpresa que dois ou mais nomes idênticos podem causar. Lembro que a palavra xará é de origem tupi e significava originalmente "meu nome". Ela tem assim a virtude de relacionar dois indivíduos cujos nomes são comuns, indicando, junto com a boa surpresa, algo que talvez não devesse ocorrer, pois o nome tem um caráter exclusivo na nossa sociedade. Entre os Apinayé e os Timbira em geral, porém, os nomes não individualizam mas, muito ao contrário, estabelecem relações muito importantes entre um tio materno e o sobrinho, já que ali os nomes são sistematicamente transmitidos dentro de certas linhas de parentesco. Os genitores jamais devem dar os nomes aos seus filhos que sempre os devem receber de parentes situados em certas posições genealógicas, entre as quais se destaca a do tio materno. De acordo ainda com essa lógica, os nomes sempre devem passar de homem para homem e de mulher para mulher, algo bem diferente do que ocorre em nosso meio, onde eles são transmitidos obedecendo a uma lógica pessoal e fundada numa livre escolha. Se tirarmos o sobrenome, o nome de família, que legitima direitos a propriedade, o nome próprio ou primeiro nome é algo que pode variar muito quando é escolhido e dado. De fato, falamos em "dar um nome à criança"; quando na sociedade Timbira é muito mais apropriado falar-se em transmissão de nomes, ato que revela melhor o sistema de nominação vigente naquela sociedade. Mas, além disso, os nomes Timbira dão direitos a pertencer a certos grupos cerimoniais muito importantes, pois são grupos que atuam durante os rituais e também nas corridas carregando toras, esporte nacional destas tribos. Assim, papéis sociais são transmitidos com os nomes próprios e grupos de pessoas com os mesmos nomes desempenham os mesmos papéis. Um sistema de nomes próprios, tão coletivo como esse dos Timbira, nos faz pensar de imediato nas possibilidades de um sistema oposto, isto é, num sistema de nominação em que os nomes fossem absolutamente privados e individualizados de tal modo que a cada indivíduo não só correspondesse um só nome, mas que tal nome fosse mesmo como que a expressão de sua essência individual. Pois bem, tal sistema parece existir entre os Sanumá do Norte da Amazônia (cf. Ramos, 1977) onde os nomes próprios são segredo. Temos, pois, neste exemplo, o modo característico de proceder a comparação em Antropologia Social e, por meio dela, descobrir, relativizar e pôr em relação o nosso sistema (ou parte dele), pelo estudo e contato com um sistema diferente. Pois se os nomes dos Timbira são coletivos e os dos Sanumá absolutamente individualizados (até mesmo ao limite de tornarem-se sigilosos), o nosso sistema fica como que numa posição intermediária, como um conjunto que, ao mesmo tempo que individualiza, também permite a apropriação e a expressão do coletivo. Mas é preciso observar que o nosso sistema – como o dos Sanumá – parece contrastar violentamente com o Timbira, na medida em que o seu eixo está em acentuar indivíduos e grupos exclusivos. Sem o contraste e a distância que o sistema de nominação dos Timbira coloca, seria difícil tomar consciência do nosso sistema, num primeiro passo, para poder relativizá-lo apropriadamente. A história da Antropologia Social, aliás, como veremos um pouco mais adiante, é a história de como esses diferentes sistemas foram percebidos e interpretados como formas alternativas – "soluções" e "escolhas" para problemas comuns colocados pelo viver numa sociedade de homens. E como esse tipo de encaminhamento se constitui num momento importante no sentido de unir o particular com o universal pela comparação sistemática e criativa: relacional e relativizadora.

Mas além da problemática colocada pelo deslocamento dos sistemas (ou subsistemas), deslocamento que permite a comparação e uma percepção sociológica, relativizada ou de viés, existe uma outra questão crítica nestas diferenças entre as "ciências sociais" e as "ciências naturais". Trata-se do seguinte:

Quando eu teorizo sobre os nomes Apinayé, isto é, quando construo uma interpretação para esse subsistema da sociedade Apinayé (ou Timbira), eu crio uma área complexa porque ela pode atuar em dois sistemas diferentes: o meu e o deles. Em outras palavras, quando eu interpreto o sistema de nominação Apinayé, eu entro numa relação de reflexividade com o meu sistema e também com o sistema Apinayé. Posso ir além da minha comunidade de cientistas, para quem estou evidentemente criando e procurando apresentar minha teoria, discutindo minhas hipóteses e teorias com os próprios Apinayé! Esse é um dado fundamental e revolucionário, pois foi somente a partir do início deste século que nós antropólogos sociais temos procurado testar nossas interpretações nesses dois níveis: no da nossa sociedade e cultura e também no nível da sociedade estudada, com o próprio nativo. Esta atitude, que certamente um evolucionista vitoriano do tipo Frazer consideraria uma verdadeira heresia acadêmica, é que tem servido – como veremos no decorrer deste livro – para situar a Antropologia Social no centro epistemológico de todo um movimento relativizador que eu reputo como o mais fundamental dos últimos tempos. Porque quando apresento minha teoria ao meu "objeto" eu não só estou me abrindo para uma relativização dos meus parâmetros epistemológicos, como também fazendo nascer um plano de debate inovador: aquele formado por uma dialética entre o fato interno (as interpretações Apinayé para os seus próprios nomes), com o fato externo (as minhas interpretações dos nomes Apinayé). E essa dialética acaba por inventar um plano comparativo fundado na reflexividade, na circularidade e na crítica sociológica, o que é radicalmente diferente da comparação bem-comportada, onde a consciência do observador fica inteiramente de fora, como uma espécie de computador cósmico, a ela sendo atribuída a capacidade de a tudo dar sentido sem nunca se colocar no seu próprio esquema comparativo.

É essa possibilidade de dialogar com o nativo (informante) que permite ultrapassar o plano das conveniências preconceituosas interessadas em desmoralizar o "outro". É ela que também impede a Antropologia Social contemporânea de utilizar aqueles esquemas evolucionistas fáceis, que situam os sistemas sociais em degraus de atraso e progresso, colocando sempre o "nosso sistema" como o mais complexo, o mais adiantado e o que, por tudo isso, tem o direito sagrado (dado pelo tempo histórico legitimador) de espoliar, explorar e destruir – tudo em nome do chamado "processo civilizatório". Podemos então dizer que é nesta avenida aberta pela possibilidade do diálogo com o informante que jaz a diferença crítica entre um saber voltado para as coisas inanimadas ou passíveis de serem submetidas a uma objetividade total (os objetos do mundo da "natureza") e um saber, como o da Antropologia Social, constituído sobre os homens em sociedade. Num caso, o objeto de estudo é inteiramente opaco e mudo; noutro, ele é transparente e falante. No caso das "ciências sociais" o objeto é muito mais que isso, ele tem também o seu centro, o seu ponto de vista e as suas interpretações que, a qualquer momento, podem competir e colocar de quarentena as nossas mais elaboradas explanações.

A raiz das diferenças entre "ciências naturais" e "ciências sociais" fica localizada, portanto, no fato de que a natureza não pode falar diretamente com o investigador; ao passo que cada sociedade humana conhecida é um espelho onde a nossa própria existência se reflete.

3. Antropologias e Antropologia

Procurando definir um "lugar" para a Antropologia Social, é preciso não esquecer as relações da Antropologia com seus outros ramos. Sabemos que nossa disciplina tem pelo menos três esferas de interesse claramente definidas e distintas. Uma delas é o estudo do homem enquanto ser biológico, dotado de um aparato físico e uma carga genética, com um percurso evolutivo definido e relações específicas com outras ordens e espécies de seres vivos. Esse é o domínio ou o campo da chamada Antropologia Biológica, outrora confinada, como Antropologia Física, às famosas medições de crânios e esqueletos, muitas vezes no afã de estabelecer sinais diacríticos que pudessem servir como diferenciadores das "raças" humanas. Felizmente, como iremos ver com mais vagar adiante, a noção de "raça" como um tipo acabado está totalmente superada, de modo que é um absurdo pretender tirar do conceito qualquer implicação de caráter sociocultural como se fazia antigamente. Hoje, o especialista em Antropologia Biológica dedica-se à análise das diferenciações humanas utilizando esquemas estatísticos, dando muito mais atenção ao estudo das sociedades de primatas superiores (como os babuínos ou gorilas), à especulação sobre a evolução biológica do homem em geral – apreciando, por exemplo, a evolução do cérebro ou do aparato nervoso e ósseo utilizado e mobilizado para andar; ou está dedicado ao entendimento dos mecanismos e combinações genéticas fundamentais que permitam explicar diferenciações de *populações* e não mais de raças!

Claro está que a Antropologia Biológica lança mão de métodos e técnicas comuns aos outros ramos da Biologia, da Genética e da Zoologia, além da Paleontologia, de modo que o cientista a ela dedicado deve ter familiaridade com todas essas outras disciplinas, sendo um biólogo especializado no estudo do homem. Na história da Antropologia, grande parte da popularidade da disciplina decorre de achados científicos vindos desta esfera de estudo.

A segunda esfera de trabalho da Antropologia Geral diz respeito ao estudo do homem no tempo, através dos monumentos, restos de moradas, documentos, armas, obras de arte e realizações técnicas que foi deixando no seu caminho enquanto civilizações davam lugar a outras no curso da História. Essa esfera de trabalho antropológico é conhecida como Arqueologia e, como tal, é uma subdisciplina da Antropologia Geral e, mais especificamente, da Antropologia Cultural (ou Social), já que seu objetivo é chegar ao estudo das sociedades do passado. De fato, o arqueólogo está interessado em pedaços de cerâmica, cemitérios milenares, cacos de pedra e restos de animais, enquanto tais resíduos permitem deduzir modos concretos de relações sociais ali existentes. A Arqueologia, assim, é uma Antropologia Social, só que está debruçada em cima do estudo de um sistema de ação social já desaparecido. Para chegar até ele, a disciplina desenvolveu uma série de métodos e técnicas destinados ao estudo preciso e detalhado dos restos de uma sociedade ou cultura: aquilo que foi cristalizado e perpetuado pelos seus membros, enquanto atualizavam certos padrões de comportamento específicos daquele sistema. Todo sistema social humano precisa de instrumentos e artefatos materiais para sobreviver. Na realidade, artefatos, instrumentos e objetos materiais são elementos definidores do homem, já que eles definem a própria condição e sociedade humana em oposição a sociedades animais. Mas esses instrumentos, embora tendo o objetivo de permitir a exploração da natureza, multiplicação da força e do poderio do homem ou a realização de alguma tarefa especial, estão determinados pelos modos através dos quais o grupo se autodefine e concebe. Daí a sua variabilidade. Assim, embora a agricultura seja uma técnica comum a muitas sociedades, nem todas a praticam do mesmo modo, utilizando os mesmos instrumentos, dentro do mesmo ritmo, ou plantando os mesmos produtos. Mesmo em áreas geográficas comuns, como o Brasil Central, por exemplo, encontramos grupos de língua Tupi, como os Tenetehara, praticando uma agricultura fundada na mandioca e baseada em técnicas avançadas; ao passo que as populações de fala Jê, na mesma região, operavam (e ainda operam) técnicas agrícolas diferentes, com o seu produto cultivado principal sendo uma grande variedade de inhames. O arqueólogo estuda esses resíduos deixados por uma sociedade, depois que seus membros pereceram. E sua tarefa é a de reconstruir o sistema agora que ele somente existe por meio de algumas de suas cristalizações.

Quando pensamos em Arqueologia, pensamos frequentemente nos especialistas dedicados ao estudo das chamadas grandes civilizações (Egito, Índia, Mesopotâmia, Grécia e Roma), estudiosos que têm como material de estudos, não só instrumentos de exploração da natureza, mas formas de sociedade bem cristalizadas como os monumentos e os palácios. Mas é preciso não esquecer o arqueólogo devotado ao estudo de pequenos grupos de pessoas que também deixaram sua marca em algum ambiente geográfico, cuja reconstrução correta é muito mais difícil mas igualmente básica para uma visão completa da história do homem na Terra. E é curioso e importante saber como se pode "fazer falar" esses resíduos pela técnica arqueológica. Assim, uma aldeia antiga, cujas casas já foram consumidas pelo tempo e pelas intempéries, pode fornecer um padrão de habitabilidade que denota um tipo especial de aldeamento, pois as casas podem ser grandes ou pequenas; estar dispostas de modo aleatório ou seguindo um desenho geométrico preciso, como um quadrado ou um círculo. E a informação é básica porque existem sociedades, como as de língua Jê do Brasil Central (cf. Melatti, 1978; DaMatta, 1976), que constroem aldeias redondas, com um pátio no centro e as casas situadas ao redor. Tal divisão representa um esquema básico e revela como a disposição em círculo pode indicar algum aspecto básico da mundivisão daquela sociedade. Além disso, toda a aldeia pode ter um depósito comum de lixo e isso permitirá descobrir o tipo de alimentação da população, bem como o tipo de material que era mais usado por ela nos seus afazeres cotidianos. Restos de alimentos podem significar esqueletos de animais e isso permitirá descobrir as espécies mais consumidas e até mesmo a quantidade da alimentação e o modo como os animais foram mortos. Por outro lado, esta informação poderá ser crítica no equilíbrio da dieta alimentar da aldeia e no peso que a caça, a coleta e a agricultura teriam tido na sua vida econômica e social. Ao lado destes resíduos de animais, pode o arqueólogo deduzir muito sobre a estrutura social se descobrir planos de casas intactos com o que restou de suas divisões internas e externas. Tipos de família poderão vir à luz destes dados e a população da aldeia poderá ser até mesmo calculada por meio deles. Cemitérios que fazem parte da imagem popular do arqueólogo com sua roupa cáqui e chapéu de explorador são básicos. Um cemitério relativamente intocado pode indicar muito sobre população, distribuição sexual desta população, fornecer dados sobre tipos de morte e formas de doença, explicar padrões de casamento e migração (pelo estudo de esqueletos diferentes). Esqueletos enterrados em conjunto e com certos enfeites e aparato funerário lançariam luz sobre a vida religiosa e política de uma aldeia, pois ao lado de mortos enterrados com simples enfeites poder-se-iam encontrar também pessoas enterradas sós e com muita riqueza de aparato funerário, o que faz suspeitar de uma sociedade com hierarquias e diferenciações religiosas, políticas ou econômicas.

O arqueólogo trabalha por meio de especulações e deduções, numa base comparativa, balizando sistematicamente seus achados do passado com o conhecimento obtido pelo conhecimento contemporâneo de sociedades com aquele mesmo grau de complexidade social. Seu trabalho segue, então, em linhas gerais, o mesmo ritmo daquele realizado pelo etnólogo ou antropólogo social (ou cultural), só que ele estuda uma população que somente existe pelo que foi capaz de ter cristalizado em materiais não perecíveis.[1] Como o homem é o único animal

---

[1] Para uma introdução ao modo de proceder arqueológico, na concepção de um profissional, veja-se a notável introdução de V. Gordon Childe, *Evolução social* (Zahar, 1961).

que tem essa fantástica capacidade projetiva, pois ele efetivamente se projeta (projeta seus valores e ideologias) em tudo o que concretiza materialmente, toda sociedade humana deixa sempre algum vestígio das suas relações sociais e valores naquilo que usou, negociou, adorou e entesourou com ganância, sabedoria ou generosidade ao longo dos tempos. É porque os homens são assim que a esfera do conhecimento arqueológico é possível.

Quando falamos em Arqueologia, já tivemos que utilizar a ideia de mecanismos sociais sistematizados – que chamei de projetivos – para exprimir o campo de estudos desta disciplina dedicada à análise das formas que os homens inventam, copiam e constroem de modo a poderem operar suas vidas individual e coletivamente segundo certos valores. Quando o tigre-dentes-de-sabre desapareceu, foi-se com ele todo o seu aparato adaptativo, do qual o dente-de-sabre era obviamente uma peça fundamental. Mas quando a sociedade Tupinambá desapareceu, ela deixou atrás de si todo um conjunto de objetos que havia elaborado, copiado, inventado, construído e fabricado, elementos que eram soluções para desafios universais e, mais que isso, constituíam expressões particulares dos Tupi resolverem tais desafios.

Agora que desejo definir a terceira esfera do conhecimento Antropológico, preciso conceituar melhor esses mecanismos projetivos que permitem atualizar valores sociais. Tradicionalmente eles têm sido chamados de *cultura* e é deles que precisamos falar quando pretendemos localizar o campo da Antropologia Social, Cultural ou Etnologia. De fato, os nomes (que estão relacionados às tradições de estudos de certos países) não nos devem ofuscar, pois todos denotam a mesma coisa: o estudo do Homem enquanto produtor e transformador da natureza. E muito mais que isso: a visão do Homem enquanto membro de uma sociedade e de um dado sistema de valores. A perspectiva da sociedade humana enquanto um conjunto de ações ordenadas de acordo com um plano e regras que ela própria inventou e que é capaz de reproduzir e projetar em tudo aquilo que fabrica. A esfera da Antropologia Cultural (ou Social) é, assim, o plano complexo segundo o qual a *cultura* (e o seu irmão gêmeo a *sociedade*) não é somente uma resposta específica a certos desafios; resposta que somente o Homem foi capaz de articular. Não. Essa visão instrumentalista da cultura como um tipo de reação de um certo animal a um dado ambiente físico deve ser substituída por uma noção muito mais complexa e generosa, por uma visão realmente muito mais dialética e humana. A de que a *cultura* e a consciência que a visão sociológica nela contida deve implicar situam o homem muito mais do que um animal que inventa objetos, chamando atenção para o fato crítico de que ele é um animal capaz de pensar o seu próprio pensamento. Em outras palavras, somente o homem é capaz de criar uma linguagem da linguagem, uma regra-de-regras. Um plano de tal ordem reflexivo que ele pode ver-se a si próprio neste plano. Se alguns animais podem inventar objetos, o homem é o único que inventa as regras de inventar os objetos. E assim fazendo pode definir-se enquanto um ser que usa a linguagem, mas que também tem consciência da linguagem. Seja porque a língua articulada permite uma multiplicidade de propósitos práticos, seja porque sabe que sua língua é particular e por causa disso permite uma individualização diante de outras sociedades. O ponto essencial é que o homem não inventa uma canoa só porque deseja cruzar o rio ou vencer o mar, mas inventando a canoa ele toma consciência do mar, do rio, da canoa e de si mesmo. Se o homem faz-se a si próprio, é preciso também não esquecer que ele assim procede porque pode ver-se a si mesmo em todos os desafios que enfrenta e em todos os instrumentos que fabrica.

A Antropologia Social (ou Cultural), ou Etnologia, permite descobrir a dimensão da cultura e da sociedade, destacando os seguintes planos:

a) *Um plano instrumental*, dado na medida em que um sujeito responde a um desafio de um ambiente ou de um outro grupo. Se a temperatura da Terra mudou, vários animais apenas desenvolveram defesas para esse novo fato. Mas os animais apenas desenvolvem respostas internas, parte e parcela do seu próprio organismo, como peles, garras e dentes. Sua resposta é instrumental, direta, não permitindo tomar conhecimento reflexivo da resposta mesma. Numa palavra, a resposta não se destaca do animal, fazendo parte do seu próprio corpo e a ele estando intimamente ligada sem reflexão ao estímulo.

O *plano instrumental* é um plano das coisas feitas ou dadas e a sua concepção e importância estão muito ligadas à perspectiva segundo a qual o homem foi feito aos poucos: primeiro o plano físico, depois o plano social (ou cultural). Primeiro o plano individual, depois o coletivo. Primeiro os sons que imitavam a natureza, depois a linguagem articulada. Hoje sabemos que tal visão que Geertz (1978) chamou de "estratificada" não é mais válida. Muito mais importante é tomar consciência de um plano francamente cultural.

b) *No plano cultural ou social*, que a Etnologia, Antropologia Social e Antropologia Cultural permitem tomar conhecimento, o mundo humano forma-se dentro de um ritmo dialético com a natureza. Foi respondendo à natureza que o homem modificou-se e assim inventou um plano onde pôde simultaneamente reformular-se, reformulando a própria natureza. Neste nível, estamos na região das regras culturais (ou sociais, a distinção será estabelecida mais tarde), quando nós temos uma resposta e também um reflexo desta resposta no sujeito. Assim, se a temperatura da Terra mudou, os homens inventaram cobertas e abrigos. Mas é fundamental considerar de uma vez por todas que isso não é tudo. *Porque tais cobertas e abrigos variam.* Não porque existisse alguma razão interna (de natureza genética ou biológica), mas porque a resposta foi pensada em termos de regras, como algo externo e percebido como tal. Apenas podemos dizer que o homem deverá responder, mas não podemos prever efetivamente como será essa resposta. O homem, assim, é o único animal que fala de sua fala, que pensa o seu pensamento, que responde a sua própria resposta, que reflete seu próprio reflexo e que é capaz de se diferenciar mesmo quando está se adaptando a causas e estímulos comuns. Realmente, pode-se mesmo dizer que um tigre está ficando cada vez mais tigre, na medida em que se adapta a um certo ambiente natural e desenvolve certas características biológicas. Mas com o homem as coisas são muito diferentes. Aqui, a noção de adaptação é muito complicada, porque ela não indica um caminho de mão única, indo apenas na direção de um mínimo de atrito com a natureza, como é o caso dos animais. No caso das sociedades, adaptações podem significar destaques do ambiente, pelo uso de uma tecnologia avançada e que busca dominar e controlar a natureza; o uso de um estilo neutralizador, quando uma sociedade busca integrar-se no ambiente.

Vê-se, deste modo, que a resposta cultural é muito diferente da instrumental. Ela permite a superação da necessidade e também o estabelecimento de uma diferenciação por causa mesmo da necessidade. E esse ponto é crítico. Os homens se diferenciaram porque tornaram-se homens, e tornaram-se homens porque responderam de modo específico a estímulos universais. Por isso é que o estudo da Antropologia Social será sempre o estudo das diferenças, plano efetivo e concreto em que a chamada Humanidade se realiza e torna-se visível.

Tomar a cultura (e a sociedade) como sendo uma espécie de elaborada resposta ao desafio natural é um modo muito comum de colocar em foco o objeto da Antropologia. Creio que minha visão é mais complexa e, melhor que isso, mais adequada ao conhecimento moderno das sociedades e dos homens. Por outro lado, ela abandona, como vimos, a perspectiva evolucionista muito simplificadora, segundo a qual a existência social foi realizada em etapas: primeiro o físico, depois o social; primeiro o grito, depois a fala; primeiro o indivíduo, depois o grupo. A visão aqui apresentada, na medida mesmo em que íamos revelando os planos de atuação de cada antropologia, foi a de mostrar como a sociedade nasceu de uma dialética complexa e, por isso mesmo, reflexiva, onde o desafio da natureza engendrava uma resposta que, por sua vez, permitia tomar consciência da consciência (com suas possibilidades de responder), da natureza e da própria resposta dada. A plasticidade humana é que permite descobrir sua variabilidade, já que ela apenas indica o caminho de alguma reação, mas não pode determinar com precisão a resposta. De fato, neste sentido, o homem é realmente livre.

4. Os planos da consciência antropológica

Do que ficou colocado acima, segue que temos em Antropologia pelo menos três planos de consciência. Incluiríamos com satisfação um quarto plano, o mais fundamental de todos, caso ele não fosse tão especializado e nosso conhecimento com ele tão superficial. Quero me referir ao plano da linguística, do estudo da língua, esfera de consciência absolutamente básico na transmissão, invenção e produção de todo o conhecimento e cultura. Elemento ou *meio* sem o qual todos os outros não poderiam existir, já que sem uma linguagem articulada seria impossível apreender o mundo, torná-lo conhecido e manipulável por meio de um esquema de categorias ordenadas.

Mas dentro dos três planos que destacamos e nos quais incluímos indiretamente a linguagem será preciso destacar os seguintes pontos:

O estudo da Antropologia Biológica situa a questão de uma consciência física no estudo do Homem. Ela remete aos parâmetros biológicos de nossa existência, revelando como estamos ligados ao mundo animal e aos mecanismos básicos da vida no planeta. Neste plano, trabalhamos num eixo temporal de caráter verdadeiramente planetário e cósmico, numa escala de milhões de anos, onde é praticamente impossível discutir com alguma precisão o surgimento de eventos bem marcados. No plano da consciência que faz parte da Antropologia Biológica, especulamos sobre mudanças intrínsecas do corpo e cérebro humanos, apreciando por comparação com os animais as conquistas realizadas por esse primata superior que acabou tão diferenciado.

O fato de o homem ter descido de uma árvore, de ter desenvolvido o bipedalismo pode ser o ponto de partida para uma série de transformações correlatas, todas ocorridas num espaço de tempo inteiramente inconcebível para a nossa consciência frequentemente confinada a uma experiência verdadeiramente diminuta da duração temporal. Assim, o bipedalismo está associado a uma diferenciação entre os pés e as mãos, especialização verdadeiramente única, já que os primatas superiores não deram um passo tão decisivo nesta direção, sendo suas mãos e pés órgãos com uma mesma estrutura anatômica. Tal diferenciação entre a parte de cima do corpo e sua parte de baixo (uma oposição clara no homem entre alto e baixo) levou a mudanças na estrutura do rosto (com os olhos vindo um pouco mais à frente e o crânio tomando uma parte bem maior da cabeça), com as modificações típicas nas curvaturas da coluna vertebral (são três no homem) e posição do *foramen magnum* (orifício na parte inferior da cabeça, na sua articulação com a espinha dorsal), nas articulações da bacia e do fêmur, com as suas implicações básicas para todo o conjunto funcional e anatômico relacionado ao andar bipedal.

Tais transformações na estrutura anatômica são acompanhadas de mudanças na estrutura do cérebro, visão, olfato e audição, mudanças que, sabemos hoje, estão intimamente ligadas ao uso de instrumentos e do fogo, mesmo quando se tratava de um pré-homem (um hominídio), vivendo na África do Sul há cerca de três milhões de anos. É, pois, importante discutir tais modificações em suas associações diretas com alguma forma de cultura ou projeção no meio ambiente, atividade que está acompanhada de uma complexa dialética.

Mas é importante notar que aqui estamos observando e conhecendo resíduos de homens ancestrais, pedaços de estruturas que estavam a meio caminho entre uma forma animal, situada dentro das determinações naturais e geográficas, e formas mais desenvolvidas, com uma capacidade única de reagir a tais determinações. De fato, inventando suas próprias determinações sociais e históricas, pelo uso e abuso dos instrumentos. Estamos, portanto, situados num reino congelado – ou como colocou Lévi-Strauss (1970) no reinado de uma "história fria", onde os acontecimentos só aparecem em espaços de tempo extraordinariamente longos. Entre a "descoberta" do bipedalismo ou, digamos, a perspectiva desta possibilidade e a descoberta da primeira arma ou instrumento, quantos milhões de anos não se teriam passado? E entre a domesticação do fogo e dos animais, quantos outros milhares de anos não teriam decorrido? Ou será que tudo foi vislumbrado num só momento, uma espécie de "queda do Paraíso biológico", quando o animal que viria a ser o homem rompeu com as cadeias que o prendiam às determinações biológicas e ambientais, construindo um primeiro ato projetivo: uma arma, uma alavanca, um instrumento capaz de prolongar o braço, ou de multiplicar a força? Sabemos que tais problemas nos colocam, por sua própria dificuldade até mesmo de verbalização adequada, no limiar entre o científico e o religioso (ou o filosófico), naquela fronteira onde o tempo – por ter que ser contado na escala dos milhões de anos – deixa de operar como uma categoria significativa, perdendo todo o sentido classificatório. A Antropologia Biológica, assim, nos coloca diante dos espaços primordiais, dos gestos decisivos, do tempo que corre numa escala fria, lenta, infinita. Ela nos permite especular sobre aquele momento mágico quando o milagre do significado deve ter se realizado e todas as coisas se juntaram num primeiro sistema de classificação.

    O estudo da Antropologia Cultural e/ou Social (ou Etnologia) abre as portas de realidades diversas. A Arqueologia nos remete ao mundo de um tempo em escala de milhares de anos, mas onde os acontecimentos passam a ser decisivos não mais em escala da espécie humana como uma totalidade, mas como elementos que permitem diferenciar civilizações, sistemas produtivos e regimes políticos específicos. Ela nos coloca diante de uma espécie de arrancada posterior: depois de uma diferenciação ao nível universal (e portanto da espécie), o homem realizou simultaneamente as suas variadas diferenciações internas, inventando formas sociais diferentes. O movimento é simultâneo, parece-me, embora seja difícil colocá-lo assim, sobretudo utilizando um meio como a escrita que é, acima de tudo, linear. De qualquer modo, a "consciência arqueológica" é aquela que nos toca com temporalidades infinitas e com uma história igualmente fria, onde os espaços entre os acontecimentos são enormes. Mas aqui a noção de *espaço* começa a se insinuar, já que o tempo por si só não é suficiente para localizar as diferenças. No ano 3000 antes de Cristo, tínhamos civilizações diferenciadas em algumas regiões da Terra: a minoana, a egípcia, a sumeriana, a indiana e a chinesa. Tais formações sociais já permitem vislumbrar especificidades verdadeiramente demarcadoras em vários domínios sociais, embora se possa, para propósitos didáticos, tornar todas essas sociedades semelhantes. De qualquer modo, sabemos que as escalas que nos remetem à Arqueologia e à Antropologia Biológica são escalas de tempo milenares, onde a biografia tem que ceder lugar à história das técnicas que, por sua vez, é mais significativa do que qualquer especulação sobre o nascimento e desenvolvimento das instituições sociais, domínio intrinsecamente relacionado à história política, econômica e social. Em outras palavras, numa escala de um milhão de anos, apenas vejo mudanças no nível da estrutura anatômica e o surgimento de alguns instrumentos essenciais, como o fogo. Mas, no nível de milhares de anos, percebo o nascimento e o aperfeiçoamento de técnicas mais elaboradas como a domesticação de animais, o uso técnico do fogo, com a metalurgia, as diferentes técnicas de tecelagem e com elas algumas instituições sociais. De fato, na medida em que deixo o tempo biológico e penetro no tempo arqueológico, começo a vislumbrar a sociedade e a cultura. Numa escala de mil anos, posso perceber nitidamente algumas instituições sociais e até mesmo certas biografias. Mas é visível a possibilidade de especular sobre uma "história institucional", sobretudo quando se deseja penetrar no campo das conquistas, guerras e etnias, o que remete à guerra e ao comércio: a uma história econômica e política das sociedades. Finalmente, na escala secular, estou no tempo da história propriamente dita, quando minha consciência deve desenvolver uma noção muito mais complexa e dialética das determinações múltiplas dos eventos sobre os homens e as sociedades. Mas esse tipo de consciência já pertence à nossa Antropologia: a Antropologia Social (ou Cultural).

5. O biológico e o social

É claro que as diferenças entre as Antropologias e a Antropologia Social dizem respeito fundamentalmente à descoberta do social (e do cultural) como um plano dotado de realidade, regras e de uma dinâmica própria. Em outras palavras, e como já colocou Durkheim no seu clássico *As regras do método sociológico* (em 1895), como uma "coisa", isto é, um fato capaz de exercer coerção externa (de fora para dentro) como qualquer outra "realidade" do mundo exterior. Como, por exemplo, a chuva ou esta mesa, elementos que no nosso sistema classificatório têm mais *realidade* que as outras coisas. Curioso, como veremos em todo o decorrer deste livro, que o *social* tenha sido formulado de modo tão tardio e até hoje não tenha sido ainda bem percebido como tal em muitas discussões a respeito da sociedade. Mas é possível interpretar este fato e, interpretando-o, certamente lançar luz sobre os nossos modos de conceber o mundo e nele ordenar os fenômenos, perspectiva que permitirá apreciar a importância da consideração do social como "coisa" no seu sentido correto e, paralelamente, a importância da formidável descoberta que foi a formulação de Durkheim e seus colaboradores.

Nesta parte, desejo apenas chamar atenção para algumas das especificidades correntes dos chamados fatores biológicos em oposição aos sociais, no intuito de demarcar um pouco melhor o objeto de estudo da Antropologia Social (ou Cultural). Creio que esta discussão é necessária, ainda que venha a correr o risco da repetição, porque entendo que o "social" e o "cultural" sejam conceitos-chaves na perspectiva sociológica do conhecimento social, mas que estão correndo sempre o risco de esvaziamento e da reificação pelo seu uso inapropriado. Por outro lado, esta primeira formulação das oposições entre o biológico e o social/cultural permitirá clarificar a discussão seguinte, devotada ao entendimento da Antropologia no Brasil.

Nas páginas anteriores, vimos que tudo que é biológico era intrínseco, isto é, fazia parte da natureza ou, no caso de um animal concreto, *de sua natureza*, do seu organismo. O biológico, então, tem seu lugar em transformações internas de uma estrutura orgânica, sofrendo por causa disso mesmo uma lenta modificação, em escalas de tempo verdadeiramente cósmicas. Fatores biológicos e fatores naturais são utilizados muitas vezes como sinônimos, designando o "mundo natural" como uma realidade separada e, às vezes, em oposição à chamada "realidade humana" ou "social". Em muitas formulações, essa "natureza" é a "realidade externa", objetiva, independente de um sujeito que sobre ela se debruça e a questiona. Nesta perspectiva é que temos a oposição entre consciência e matéria (realidade) que segue paralela à dicotomia real/ideal e, junto com ela, o dogma segundo o qual a matéria é anterior à consciência. E sendo anterior é naturalmente a parcela que a engloba e emoldura. Sabemos que nesta posição o natural é visto como anterior ao biológico que, por sua vez, é anterior ao social que, por sua vez, é anterior ao individual. Temos uma verdadeira cadeia hierarquizada, numa ordem específica que vai do natural num sentido totalizador, ao biológico, ao instrumental, ao institucional, ao social, ao grupal e ao individual, forma que é tomada como a mais desenvolvida e complexa. Claro está que aqui temos, numa cápsula, o desenvolvimento da "ciência", tal como ela é concebida no nosso mundo social. Temos também, aqui repetido, o dogma da criação, quando Deus inventa primeiro a natureza começando do seu plano físico (a invenção da luz) e a partir daí, chegando ao plano dos animais, do homem, da mulher e, finalmente, das regras sociais, quando Ele se retira de cena, deixando o homem entregue a seu próprio destino.

Também na Bíblia as relações são visivelmente hierarquizadas, com a natureza existindo antes do homem e o indivíduo preexistindo à invenção do universo social que é, permitam-me dizer, visto em todo o relato como a fonte de todos os problemas e discórdias.

A questão não é só a de revelar que a conceituação é um ponto pacífico para nós, já que ela é sempre vista como parte e parcela do "mundo real", o mundo exterior, a realidade intransponível etc. Mas de mostrar também como o natural é classificado em oposição ao social e ao cultural. Numa palavra, na nossa ideologia e sistemas de valores, o homem está em oposição à natureza numa atitude que não é nada contemplativa, mas ativa. Ele visa o seu domínio e controle, o seu comando. Assim, na orientação ideológica popular, a dialética é a do homem saindo da natureza e, depois, voltando-se contra ela, com o intuito de dominá-la pelo progresso. Essa é a dialética do senso comum, dialética que evidentemente entra em choque com a visão que apresenta homem e natureza; ou melhor, sociedade e natureza como duas entidades que se formam de modo simultâneo e que podem ter entre si relações marcadas por outros dinamismos.

Mas isso não é tudo. Essa percepção "naturalista" de senso comum tende fatalmente a cair numa atitude *instrumentalista* ou *utilitarista* das regras e instituições sociais. Nesta atitude, como já alumbramos páginas atrás, todos os atos humanos diferenciadores ou instauradores de diferenças entre as sociedades acabam sendo reduzidos a respostas ou meras adaptações a um conjunto de desafios tomados como universais. De acordo com tal posição, ainda hoje defendida por muitos cientistas sociais, temos uma cadeia de processos que se passam mais ou menos assim:

Primeiro Ato: A natureza hostil e ameaçadora reina absoluta (como nas gravuras dos livros sobre pré-história); o mundo é povoado e povoado intensamente por todo o tipo de animais monstruosos e fenômenos naturais perigosos: vendavais, vulcões, tempestades, glaciações.

Segundo Ato: Neste mundo aparece o homem. Ele é apresentado, mesmo nos livros de Antropologia Biológica, como ser único e universal – como o homem da Declaração dos Direitos Humanos, nu e fraco. Solitário. O homem é um indivíduo dotado de inteligência superior.

Terceiro Ato: Pelo exercício de sua inteligência que é *estimulada* pelo mundo exterior hostil, o homem – como um verdadeiro empiricista no melhor estilo britânico – começa a aprender pela experiência. O fogo descoberto ao acaso nas lavas vulcânicas, por exemplo, permite-lhe descobrir o seu uso. O ódio contra um animal mais forte faz com que aprenda a utilizar um pedaço de pedra ou árvore como arma. E assim o homem descobre a tecnologia.

Comentário Importante: Volto a chamar atenção para o fato de que a nossa mitologia científica da origem do homem tenha que conceber necessariamente o ambiente pré-histórico como hostil, quando ele poderia ser perfeitamente calmo e dadivoso. E ainda que o homem primitivo, o Adão da nossa Antropologia Biológica e dos esquemas vitorianos, seja forçado a descobrir e a inventar pela força do ambiente. Ou seja: o homem não poderia inventar sem o impulso de uma força a ele exterior, como o pecado, a mudança ambiental ou o próprio Deus. E é isso que provoca (arranca, seria melhor dizer) dele uma resposta! Não é, pois, ao acaso que a Antropologia de Lévi-Strauss tenha causado polêmica quando ela sugere a possibilidade de imaginar a espécie humana tendo a capacidade de inventar, contemplar e especular sobre o mundo e sobre si própria, do mesmo modo que faz um filósofo da Sorbonne ou de Harvard! Por que não seria possível imaginar o nosso Adão da Ciência como um ser fundamentalmente contemplativo e filosófico, vivendo num mundo natural dadivoso e com facilidades para encontrar todo o tipo de alimentos? É que, no nosso sistema ideológico, a ação é mais importante como mediação do que o pensamento. E este, sem dúvida, é um dos nossos mais importantes paradoxos. Como, pergunta-se, pode-se privilegiar a ação, num universo social no qual o indivíduo é tão fundamental?

Quarto Ato: Descoberto um modo de *intervir* na natureza, e conhecendo a magnitude e o poder destrutivo das forças naturais, o homem passa a se conhecer como fraco e solitário. Decide então agrupar-se e formar a sociedade.

Quinto Ato: Uma vez em sociedade, mas mantendo dentro dele todos os impulsos antissociais individualistas, como a fome, a agressividade e o sexo, o homem se vê novamente obrigado, pela força da experiência negativa, a inventar as instituições. Deste modo, a agressividade engendra as leis, a política e o direito; o apetite sexual provoca a invenção da família, do incesto, do casamento e do parentesco; a fome conduz à descoberta do trabalho e do valor dos alimentos pela lei da escassez. Os eventos anormais, como a coincidência, a morte, o sonho e a desgraça, levam à religião.

– Pano –

Nosso teatro da Origem do Homem revela (e creio que sem muitos erros) uma visão *utilitarista* da cultura e da sociedade corrente. Nela, como vimos, o social é um fenômeno secundário: uma resposta aos elementos naturais (internos e externos) que de fato cercam a vida humana e para ele colocam problemas e estímulos.

Quais os enganos deste teatro?

O primeiro é que ele fala do homem quando, na verdade, o que temos são sociedades e culturas. O homem é uma invenção ocidental e, ainda que possa ser um conceito generoso e útil em muitos contextos, não se pode esquecer que é uma invenção social determinada, parte importante de um sistema social que se concebe como formado de indivíduos e no qual são esses átomos sociais – os indivíduos – que se constituem nos seus elementos mais básicos.

O segundo é que, falando do homem e deixando de lado as sociedades e culturas, fala-se de universalidades e de generalidades, jamais chegando perto das diferenças. É curioso observar essa ambiguidade diante do diverso e do específico, sobretudo em sociedades marcadas como é o caso da brasileira, por uma tendência hierarquizante. Tomando o homem como um ser da "resposta instrumental", deixamos de lado a tarefa realmente básica de explicar as diferenças.

O terceiro é que, deixando de focalizar as diferenças, inventamos uma mentalidade ecológica, segundo a qual o homem não contempla nem pensa: ele apenas reage ao ambiente natural, como uma espécie de cão de Pavlov. E nesta mentalidade, essa resposta é tanto mais clara, quanto mais primitiva for a sociedade. Entre os índios brasileiros, que os antropólogos da "ciência ecológica" percebem como primitivos, pois têm uma capacidade muito baixa de acumular energia, a sociedade somente reage de modo direto. Em tais sociedades não se contempla a possibilidade de o pensamento analítico existir de fato, de modo que o processo se passe ao contrário: com a sociedade provocando a mudança do ambiente em sua volta; ou pensando e experimentando com uma nova forma de organização social. Não! Só na nossa sociedade e no nosso sistema é que novas formas de relacionamento social podem ser descobertas e inventadas. Em outras palavras, o ponto de partida da mentalidade instrumental e ecológica é a de que os índios e nativos em geral são mesmo primitivos e não podem experimentar com suas formas sociais. Eles também não têm a capacidade de reformar suas instituições políticas e religiosas, realizando revoluções e inovações. Apenas se constata, no caso das sociedades tribais, a capacidade duvidosa e nada imaginativa de responder a problemas colocados pela natureza. O que tal perspectiva jamais se coloca é a possibilidade de respostas diversas para os mesmos desafios. Se realmente existe uma dicotomia tão definitiva entre mente e matéria, real e ideal, e natureza e cultura, por que então existem respostas diferentes para problemas considerados como semelhantes? Porque o que é real aqui, é ideal lá, naquela outra sociedade; e o que é considerado civilizado entre nós é tido como selvagem entre os selvagens. Caso o mundo social fosse realmente regido por leis utilitárias; ou melhor, por forças cuja lógica fosse realmente – como querem os antropólogos adeptos desta perspectiva instrumentalizante – redutível a uma racionalidade, por que haveríamos de ter diferenças? E mais, respostas realmente antieconômicas. Nós voltaremos a tais problemas críticos das diversas possibilidades de interpretação sociológica. Por enquanto, porém, basta acentuar mais uma vez que o problema sociológico nunca será resolvido adequadamente pela visão utilitarista da cultura, mas de uma posição onde a consciência terá que ser discutida e levada em consideração.

Finalmente, como quarto ponto, temos que a visão do social ancorada no biologismo ou no naturalismo (e materialismo vulgar), e atualizada na Antropologia moderna sob a forma de Antropologia Ecológica ou visão instrumentalista, utilitarista ou evolucionista da cultura e sociedade, reduz as diferenças sociais a respostas culturais, deixando de inquirir sobre a diversidade humana, ponto fundamental da perspectiva antropológica.

E aqui voltamos à questão inicial. O biológico não permite explicar ou interpretar diferenças porque o homem é uma só espécie no planeta. Assim, tomar instituições culturais e sociais e tratá-las como um biólogo, em termos de conceitos como adaptabilidade, estímulo etc. a mudanças supostamente ocorridas no meio exterior, é evitar penetrar na razão crítica das diferenças entre as sociedades e penetrar nesta área é estar começando a ficar preparado para discutir o mundo social e cultural – o mundo da diversidade, da história e da especificidade.

Podemos, então, dizer que o biológico diz respeito ao interno, ao intrínseco, ao que não é controlado pela consciência e pelas regras inventadas ou descobertas pela sociedade. O social, entretanto, é o oposto. Como colocou M. Levy Jr., um destacado sociólogo americano, a ação social é toda a ação que não pode ser adequadamente explicada em termos de: a) fatores de hereditariedade e b) do ambiente não humano (cf. Levy Jr., 1952: 7-8). O que Levy está querendo dizer é que a ação social só pode ser analisada, interpretada e eventualmente explicada por seus próprios termos. Ela não pode ser reduzida, como pretendem os antropólogos favoráveis a uma visão utilitarista da cultura, nem a fatores genéticos (ou a nossa natureza interior) nem a fatores externos, como a ideia de natureza concebida como mundo real, exterior com suas forças e ameaças. Como já havia demonstrado Durkheim, o social é algo que está ligado a uma forma de consciência específica e a consciência é uma modalidade de ser não automática e sobredeterminada. Por outro lado, um fato social, uma instituição humana, uma classificação de um pedaço do mundo, implica determinações múltiplas, sobre outras instituições, fatos e sobre o próprio mundo. De fato, eu não posso ter uma classificação dos animais, por exemplo, pela metade; ou melhor, abrindo mão de certos animais e apenas classificando um terço da minha fauna. Se eu classifico dois mamíferos, já classifiquei residualmente todos os outros, embora não tenha realizado isso de modo explícito. Trata-se, neste caso, da classificação pelo silêncio ou pelo vazio que os estudiosos de semântica reconhecem como tão importante, pois que às vezes o "clamor do silêncio" é bem maior e mais eloquente que os gritos de quem discursa.

Como ponto básico, podemos dizer, numa formulação que será ampliada nos próximos capítulos, que o *social* (e cultural) é tudo aquilo que independe da natureza interna (genética ou quadro genético) ou externa (fatores ambientais, naturais).

Ou seja, todos aqueles fatos que não podem ser razoavelmente resolvidos por estes fatores, sendo mais adequadamente tratados quando são estudados uns *em relação* aos outros. Se tal formulação não é definitiva, deixando em aberto muitos problemas, ela pelo menos tem a enorme vantagem de situar, à maneira de Durkheim, um campo (ou um objeto) dentro do qual podemos trabalhar com essa realidade que estamos tomando como sociológico e que é o nosso alvo deslindar. Ela também expõe claramente a perspectiva a meu ver crítica, de acordo com a qual o mundo social é um fenômeno coletivo, globalizante, múltiplo e dependente para sua compreensão correta, de uma abordagem capaz de percebê-lo e estudá-lo nestes termos. O social não decorre de um impulso natural (como o chamado "instinto gregário"), nem de uma resposta a um estímulo externo (como um terremoto), nem de uma reação à condição básica de que os homens têm uma existência individual. Ele não é uma estrada de mão única, com diretrizes bem traçadas e domínios bem demarcados, exceto na nossa cabeça, nos sistemas de classificação e nas nossas teorias. O social, nesta perspectiva, é muito mais um caminho amplo, com muitas direções e zonas de encontro e espaços de choque e conflito. E aqui poderia, sem nenhuma dúvida, lembrar uma elaboração de Marx frequentemente esquecida nestes dias de sequiosa busca de certezas, quando uma visão totalitária do mundo social é marcante: "Os homens fazem sua própria história, mas não a fazem como querem; não a fazem sob circunstâncias de sua escolha e sim sob aquelas com que se defrontam, diretamente legadas e transmitidas pelo passado. A tradição de todas as gerações mortas oprime como um pesadelo o cérebro dos vivos. E justamente – continua Marx numa outra passagem básica – quando parecem empenhados em revolucionar-se a si e às coisas, em criar algo que jamais existiu, precisamente nestes períodos de crise revolucionária, os homens conjuram ansiosamente em seu auxílio os espíritos do passado, tomando-lhes emprestado os nomes, os gritos de guerra e as roupagens, a fim de apresentar-se nessa linguagem emprestada" (cf. Marx, 1974: 334). Neste estudo, que deveria ser lido por todos quantos se interessam por uma visão realmente *sociológica* e generosa da vida social, Marx simplesmente revela que a conspiração e a revolução – ou seja, os momentos em que a ação determinada, planificada e direta seria possível – não são absolutamente momentos vazios, mas situações altamente dramáticas, em que o passado e o presente se confundem e homens e valores são, muitas vezes, trocados, realizando precisamente o inverso daquilo que intentavam fazer. Esta visão da totalidade social como *drama*, ponto fundamental deste estudo genial de Marx, informa esta minha visão do social como um plano capaz de formar-se a si próprio, tendo suas próprias regras e, por tudo isso, possuindo um dinamismo especial que é vantajoso para o observador interpretar e compreender nos termos de suas múltiplas determinações e ambiguidades.

6. O social e o cultural

Até agora estive considerando o social e o cultural como categorias que revelam uma parcela semelhante da condição humana. É tempo de buscar indicar suas diferenças, embora a tarefa carregue consigo o risco da visão parcial e a consequente discordância de outros especialistas. Isso, porém, não deve nos desiludir visto que é possível indicar caminhos parciais, práticos e teóricos, pelos quais o estudante possa refletir sobre a realidade social humana de forma fecunda.

Iniciemos nossa visão das diferenças entre *sociedade* e *cultura* descartando a visão eclética segundo a qual os dois fenômenos são parte de uma mesma coisa, a realidade humana, com suas diferenças ocorrendo a nível de angulação, como se tudo dependesse apenas da posição do investigador. É claro que a posição do investigador é fundamental, mas, sob pena de incorrermos num idealismo paralisante, colocar tudo nela não resolve nossos problemas. O fato concreto é que existe, no plano mesmo da prática antropológica erudita ou ingênua, uma noção destas diferenciações. Um exemplo simples tornará mais claro o que digo: posso ver uma sociedade de formigas em funcionamento. Mas formigas não falam e não produzem obras de arte que marquem diferenças entre formigueiros específicos. Em outras palavras, embora a ação das formigas modifique o ambiente – sabemos que elas são, em muitos casos, uma praga – esse ambiente é modificado sempre do mesmo modo e com o uso das mesmas matérias químicas, caso se trate de uma mesma espécie de formigas. Essa constância e uniformização diante do tempo permite que se explicite um primeiro postulado importante: *entre as formigas (e outros animais sociais) existe sociedade, mas não existe cultura.* Ou seja, existe uma totalidade ordenada de indivíduos que atuam como coletividade. Existe também uma divisão de trabalho, de sexos e idades. Pode haver uma direção coletiva e uma orientação especial em caso de acidentes e perigos – tudo isso que sabemos ser essencial nas definições de sociedade. Mas não há cultura porque não existe uma *tradição viva*, conscientemente elaborada que passe de geração para geração, que permita individualizar ou tornar singular e única uma dada comunidade relativamente às outras (constituídas de pessoas da mesma espécie).

Sem uma tradição, uma coletividade pode viver ordenadamente, mas não tem consciência do seu estilo de vida. E ter consciência é poder ser socializado, isto é, é se situar diante de uma lógica de inclusões necessárias e exclusões fundamentais, num exaustivo e muitas vezes dramático diálogo entre o que *nós somos* (ou queremos ser) e aquilo que os outros são e, logicamente, nós não devemos ser. A consciência de regras e normas é, pois, uma forma de presença social, sempre dada num dialogar com posições bem marcadas pelo grupo. Quando eu tenho consciência de que devo escrever ou dar minha opinião sobre um determinado assunto, estou sempre realizando a ação depois de um diálogo com minha consciência. E minha consciência é um "armazém" de paradigmas e regras de ação, todas colocadas ali pelo meu grupo e minha biografia neste grupo. Não é pois, por acaso, que a consciência é sempre materializada entre nós como uma zona de diálogos, onde constantemente se digladiam um Anjo Bom e um Demônio.

Como consequência disto, a tradição viva e a consciência social subentendem responsabilidade. E responsabilidade significa excluir possibilidades e isso diz respeito a formas de escolhas entre muitos modos de pensar, perceber, classificar, ordenar e praticar uma ação sobre o real. Uma tradição viva é, pois, um conjunto de escolhas que necessariamente excluem formas de realizar tarefas e de classificar o mundo. Dançamos deste modo e não daquele; tomamos a colheita do milho e não o final do inverno como ponto crítico para demarcar o tempo; assumimos o incesto como o pecado mais infernal que alguém possa cometer, deixando de lado o adultério; tomamos a mulher como elemento de mediação entre homens e deuses enquanto que nossos vizinhos escolheram a criança para a mesma função; não comemos animais de sangue quente na sexta-feira, mas comemos porco em todos os outros dias não santificados – e a lista de exclusões (e inclusões) seria verdadeiramente infinita...

Ter tradição significa, por tudo isso, mais do que viver ordenadamente certas regras plenamente estabelecidas. Significa, isso sim, vivenciar as regras de modo consciente (e responsável), colocando-as dentro de uma forma qualquer de temporalidade. Quando nós vivemos regras sobre as quais sentimos que não temos nenhum controle, pois são normas inflexíveis, classificamos a situação de modo especial: ou estamos jogando ou estamos vivendo um contexto dramático, como o aprisionamento numa cela. Realmente, nestas condições, são as regras que nos vivem e somos nós quem por elas passamos, sem nenhuma condição de modificá-las. Um bom jogador é aquele que é capaz de atualizar com precisão as regras do jogo que joga. E um prisioneiro passa pela prisão sem poder devolver ao sistema suas vivências mais básicas, pois a punição numa sociedade histórica é precisamente colocar alguém diante do inferno de uma situação cujas normas não estão no tempo, sendo imutáveis.

Mas no caso das tradições culturais autênticas, o processo é dialético e existe uma interação complexa, recíproca, entre regras e o grupo que as realiza na sua prática social. Pois se as regras vivem o grupo, o grupo também vive as regras. É precisamente esse duplo vivenciar e conceber que permite a singularização, valorização e preenchimento do tempo, tornando-o visível, significativo e, muitas vezes, precioso. Ocasiões socialmente valorizadas pelo grupo fazem com que sua duração (seu tempo) se torne rara, "passe depressa demais", transforme-se em ouro puro quando um artista o preenche com seu virtuosismo e o arranca das periodizações diárias. Situações socialmente negativas inventam durações temporais ambíguas, onde o tempo fica paralisado e horas parecem dias.

A tradição, assim, torna as regras passíveis de serem vivenciadas, abrigadas e possuídas pelo grupo que as inventou e adotou, de tal modo que, numa sociedade humana, seus membros acabam por perceber sua tradição como algo inventado especialmente para eles, como uma coisa que lhes pertence. Assim dizem: "fazemos deste modo porque assim diz *nossa tradição*" e a "nossa tradição" é uma realidade (e uma realização) dinâmica. Que está dentro e fora do grupo; que pertence aos ancestrais e espíritos; que a legitimam e a nós mesmos (pobres mortais), que a atualizamos e honramos no espaço atual, no momento presente.

Sociedades sem tradição são sistemas coletivos sem cultura. Mas além de estarem submetidas a leis e normas universais, impermeáveis à passagem do tempo e das gerações, as sociedades de formigas e abelhas nada deixam que as individualize. Quando desaparecem, sobra apenas sua ação mais violenta sobre um dado ambiente natural. Mas, destas sobras, é impossível reconstruir o comportamento de seus indivíduos e dos seus grupos. Em outras palavras, formigas e outros animais sociais estão sujeitos a uma apreensão sincrônica do seu comportamento. Caso a sociedade desapareça no tempo, sua reconstrução é impossível – ficando o animal representado individualmente, como os dinossauros que nunca são representados em grupo. Os animais não deixam nada comparável a uma tradição quando desaparecem. Sua sociedade é um conjunto de mecanismos dados numa estrutura genética, contidos na própria espécie, não se destacando dela e, por isso mesmo, jamais permitindo inovações que poderiam consagrar espaços especiais para diferenciações de quaisquer tipos. Podemos assim dizer que sociedades sem cultura apenas acontecem no caso das "animais sociais" (uma expressão, sem dúvida, contraditória). No caso do homem, a cada sociedade corresponde uma tradição cultural que se assenta no tempo e se projeta no espaço. Daí o seguinte postulado básico: dado o fato de que a cultura pode ser reificada no tempo e no espaço (através de sua projeção e materialização em objetos), ela pode sobreviver à sociedade que a atualiza num conjunto de práticas concretas e visíveis. Assim, *pode haver cultura sem sociedade, embora não possa existir uma sociedade sem cultura.*

Em outras palavras, posso ter resíduos daquilo que foi a sociedade do Egito Antigo na forma de restos de monumentos arquitetônicos, estátuas, campos de cultivo, decretos reais, selos comemorativos, obras de arte e tratados científicos e filosóficos, embora a sociedade do Antigo Egito tenha desaparecido diante dos meus olhos. Dito de outro modo, não tenho mais um sistema de ação entre grupos, categorias, classes sociais, estamentos e indivíduos que fizeram a coletividade do Egito Antigo e atualizaram um certo conjunto de valores, expressivos de uma dada tradição. Apenas tenho certas cristalizações (ou materializações) deste sistema de ação, objetificações que são tanto um reflexo direto deste sistema de práticas concretas, quanto esse próprio sistema. Mas tudo isso dado através de uma forma indireta de suas representações. Vale dizer: por meio de um espelho que é a cultura ou a tradição reificada. Mas como nem tudo que pertence a uma tradição pode ser reificado ou o grupo deseja ver reificado em coisas materiais, sabemos que é impossível ter todo o sistema de ação social reproduzido em objetos, do mesmo modo que nem todos os valores são igualmente concretizados. Daí também a distinção entre sociedade e cultura como dois segmentos importantes da realidade humana: o primeiro indicando conjuntos de ações padronizadas; o segundo expressando valores e ideologias que fazem parte da outra ponta da realidade social (a cultura). Uma se reflete na outra, uma é o espelho da outra, mas nunca uma pode reproduzir integralmente a outra. Daí, novamente, a implicação de que o germe da mudança, da transição e da própria morte, já escondido no vasto espaço existente entre as práticas (com sua lógica organizatória) e teoria com suas asas de anjo e idealizações que permitem enxergar o mundo transformado. De fato, se a sociedade do Antigo Egito fosse uma reprodução exata dos valores e ideologias do Antigo Egito (vale dizer: de sua cultura), seria impossível aos seus membros distinguir e atribuir valores a pedaços de suas ações sociais. Porque nem tudo no Antigo Egito foi feito de pedra ou de ouro; e nem tudo foi cercado de objetos materiais indicativos do seu valor excepcional e de sua pompa verdadeiramente sagrada. É pela cristalização material que, muitas vezes, nós podemos separar, distinguir e atribuir significado às nossas ações. O domínio do sagrado (e do poder que, em muitos sistemas, se mistura com ele) é frequentemente uma esfera interdita, segregada, secreta, próxima da morte que, como nos diz Thomas Mann, inspira respeito e nos faz andar na ponta dos pés. Aqui nestas regiões, as ações sociais concretas e que devem obedecer às constrições da força da gravidade, da lógica da comunicação, das restrições especiais e dos mecanismos grupais, são cercadas de uma parafernália material que lhes transforma e empresta poder. É precisamente essa moldura material ao redor de conjuntos de ações humanas que as distingue de outros conjuntos. O que resta de uma sociedade é, pois, em geral, aquilo que era sagrado e altamente significativo, transformador, precioso. Mas, além disso, é preciso indicar que a realidade cultural remete a um plano especulativo, ideal e idealizado, sempre resistente a uma atualização perfeita e integral em termos de ações humanas e de personagens humanos. Eu me pergunto secretamente quantos sacerdotes egípcios não teriam ficado decepcionados com o porte de seu Faraó, distante das suas representações ideais do que deveria ser o deus-homem. A cultura, portanto, trabalha sempre com formas puras, perfeitas, que se ajustam ou não à sua reprodução concreta no mundo da sociedade, o mundo expressivo das realizações e realidades concretas. Devo observar, entretanto, que isso não significa de modo algum que estou endossando uma visão conhecida entre nós, segundo a qual o ideal é melhor do que o real. Não! O que cada sociedade faz desta distinção é um problema social significativo. Eu apenas afirmo que a distinção deve ser universal e importante. Mas não sei como cada grupo humano situa o real e o ideal em seus esquemas conceituais. Temos sociedades, como a nossa, onde o ideal é básico, tomado como o mais importante. Às vezes como a verdadeira realidade. Temos sociedades como a Apinayé (cf. DaMatta, 1976), onde o real é considerado como muito mais "forte" e melhor do que o ideal. E temos também grupos onde real e ideal formam uma só "realidade", sendo impossível distinguir a prática da teoria. Isso, porém, não invalida a distinção que estamos buscando estabelecer entre sociedade e cultura, posto que ela tem uma vigência fundamental em muitos sistemas e, pela comparação, pode ser colocada sob foco analítico e relativizada.

Desta posição vemos que não há possibilidade de uma reprodução de "um-para-um" entre o domínio da cultura e o domínio da sociedade. Eles buscam se reproduzir, é certo, mas de um modo complexo, imperfeito, sobrando sempre muitas esferas sem encaixe perfeito e muitos resíduos que devem depois ser aproveitados pela totalidade. Essa distância – que, na nossa sociedade, é, de fato, a distância entre o céu e a terra – é um foco poderoso de mudança social e de transformação. Por causa disso, é sempre bom usar – quando buscamos essa distinção – a comparação com o teatro para expressar claramente a diferenciação entre sociedade e cultura.

Realmente, no teatro temos sempre um problema fundamental de ajustamento interpretativo entre *um texto*, digamos, *Romeu e Julieta* de Shakespeare, e um sistema de ações concretamente dados num dado local (o palco e o teatro). Ou seja, estão aqui colocados os ingredientes básicos do fenômeno social: temos valores e ideias que devem ser vistos e ouvidos (e não lidos) e o problema de como atualizá-los em um conjunto de ações dramáticas, práticas. Sabemos que raras vezes poderemos atualizar perfeitamente um texto tão rico e complexo como o de Romeu e Julieta de modo perfeito. A busca dos atores já é algo difícil. Sua interpretação é outro problema. A discussão de suas roupas, ambientação histórica e a própria consideração de tudo isso, constituem nova dificuldade. Por que não realizar um Romeu e Julieta moderno?

Mas, além de todas essas questões, temos uma dicotomia fundamental entre um texto escrito numa outra era (mas que faz parte de nossa tradição cultural) e um sistema de ações concretas, visíveis, que se deseja montar. Creio que o texto serve bem como uma metáfora da cultura, tal como estou apresentando aqui; ao passo que a sociedade é o plano representado pelo espetáculo teatral na sua prática dramática e cênica. Um não vive sem o outro, embora o texto possa sobreviver às várias interpretações do drama. Mas o texto por si só é como a cultura do Egito Antigo. Transforma-se em mero objeto deslocado, virando peça de museus e coleções. É uma espécie de fantasma, entidade sem corpo, em busca de um grupo de pessoas imperfeitas, mas reais e capazes de lhe restituir a vida. Texto e dramatização têm sua realidade e oferecem seus problemas.

Um deles é que a dramatização do texto põe problemas concretos. É preciso um local, um cenário, uma divisão de trabalho por tarefas, por sexos, por idades. É necessário um maquilador que ajude a disfarçar as distâncias entre as exigências do texto e a realidade física dos atores. A presença de um ordenador de conflitos e de ações é crítica, pois o diretor serve de ponte entre ações individuais e o texto que coletiviza e sistematiza tudo coerentemente numa história etc. Tal como ocorre no plano social, a peça cria suas necessidades próprias, dentro de uma lógica do concreto que lhe diz respeito e, ao mesmo tempo, faz restrições ao texto. Algumas são passíveis de superação; outras não. A síntese de tudo isso é o espetáculo e permite também – pela comparação sistemática – dizer qual a representação de Romeu e Julieta que foi mais feliz ou mais sincera...

A sociedade, portanto, traz problemas de ordem concretos, práticos. Ela conduz quase que mecanicamente ao conjunto, à totalidade, pois uma ação individual remete a outra e um grupo de pessoas se liga a outro. Por outro lado, ações requerem necessariamente espaços e instrumentos e tudo isso implica mobilizar, esmagar, controlar e colocar pessoas lado a lado. Enquanto o texto pode ignorar elos pessoais e sociais concretos, processos emocionais formados ao longo dos ensaios da peça, a sua representação não pode deixar de presenciar essas formas de relações entre atores e seus papéis; os personagens entre si, dentro do texto da peça; entre os atores como pessoas uns com os outros; e, ainda, entre atores e personagens e todas as pessoas encarregadas de "dirigirem" o show. Isso apresenta um paradoxo, pois para termos um sistema implementado é preciso criarmos posições fora dele; gente que ficará situada ao longo e mesmo fora da peça, mas que vigia sua representação. E isso ocorre nas sociedades concretas, na figura das pessoas que controlam o poder e têm a obrigação de situar os desviantes e os criminosos – os que, no drama da vida, não querem ou não podem desempenhar os seus papéis...

A perspectiva da realidade humana a partir da noção de sociedade remete inevitavelmente a uma orientação sincrônica, integrada, sistêmica e concreta de pessoas, grupos, papéis e ações sociais que são muitas vezes vistos como um organismo ou uma máquina. Ela como que conduz a uma visão da vida humana como algo que acontece aqui e agora, diante dos nossos olhos. Daí, certamente, ter sido o conceito de sociedade o último a surgir no campo das Ciências Sociais e da Antropologia Social, pois não é fácil ter-se uma perspectiva do universo humano como constituído de categorias e grupos necessariamente relacionados, todos tendo relações com todos num jogo complexo que constitui a dinâmica da vida coletiva. Durkheim e sua "escola sociológica" desenvolveram esta posição, mas, como veremos com mais vagar na próxima parte, os inventores da Antropologia Social, gente como Tylor, por exemplo, preferiu elaborar suas teorias ao redor da noção de cultura, pois era mais fácil perceber a realidade humana como feita de camadas estáticas, isoladas entre si, do que coisas dinâmicas, interligadas num sistema. Assim, na definição de Tylor (de 1871), a cultura é privilegiada como um conceito fundamental da Antropologia, mas dentro de uma visão voltada para "traços", "itens", "complexos", "objetos" e "costumes" percebidos e estudados como elementos isolados, individualizados. Esse ponto de vista da realidade humana como um conjunto de elementos isolados persiste na antropologia americana, e até teóricos importantes como Robert H. Lowie oscilavam entre perceber o social como um sistema de relações ou um conjunto confuso de coisas individuais de sentido duvidoso. Como uma "colcha de retalhos", como ele mesmo colocou.[2]

O conceito de sociedade (e de social) parece prestar-se mais a uma percepção mecânica do mundo humano, pois ele põe claramente problemas de inter-relação entre grupos, segmentos, pessoas, papéis sociais etc., já que é virtualmente impossível estudar uma sociedade concreta, em pleno funcionamento, sem buscar interligar seus domínios e segmentos entre si. São, pois, abundantes, os trabalhos que se orientam para a especulação dos "requisitos funcionais" da sociedade humana, ou seja: dos traços ou mecanismos que uma coletividade humana deve necessariamente criar e desenvolver para tranformar-se numa so-

---

[2] Para uma visão analítica do conceito de cultura, veja-se Velho e Viveiros de Castro, 1978. Este trabalho é uma introdução às transformações sofridas pelo conceito de cultura e sugere sua aplicação para o estudo de "sociedades complexas".

ciedade. E se pensamos, como fizeram tais teóricos, em termos de totalidades e relações, não será difícil perceber que uma sociedade requer um palco (um ambiente geográfico), um texto (valores e papéis sociais fixos), uma linguagem comum a "atores, dramaturgos e espectadores", formas diversas de dividir o trabalho e as tarefas requeridas pela peça que deseja encenar, domínios que assegurem sua reprodução e sua produção, estruturas de dominação que assegurem o controle das disputas e as zonas de ambiguidade que o drama por ele encarnado possa engendrar; além de especialistas que possam escrever e reescrever suas peças. A perspectiva da peça, com seus requisitos e mecanismos institucionais, não é todo o drama, pois esse mesmo conjunto pode exprimir dramas diversos e nós sabemos como um mesmo texto tem interpretações distintas. Assim, na discussão da realidade humana, o conceito de sociedade deve ser sempre complementado pela sua outra face, a noção de cultura que remete ao texto e aos valores que dão sentido ao sistema concreto de ações sociais visíveis e percebidos pelo pesquisador. A noção de cultura permite descobrir uma série de dimensões internas ligadas ao modo como cada papel é vivenciado, além de indicar as "escolhas" que revelam como este grupo difere daquele na sua atualização como uma coletividade viva. Em outras palavras, não basta só dizer que toda a sociedade tem uma infraestrutura que diz respeito às relações dos homens com a natureza e instrumentos destinados a explorá-la e modificá-la (os meios de produção); e uma superestrutura que engloba as relações dos homens com os homens e dos homens com as ideias, espíritos e deuses. Pretender descrever uma coletividade humana utilizando desta visão é o mesmo que objetivar estudar uma peça de teatro, dizendo que o teatro tem que necessariamente ter uma plateia conivente e passiva, que assiste e um grupo de atores num palco, ativos e atuantes. A colocação nada tem de errada. É apenas insuficiente, já que ela jamais poderá exprimir por que alguns espetáculos são bem-sucedidos e outros não. Do mesmo modo que ela não poderá penetrar na razão do teatro como algo dinâmico, vivo, onde o que existe de determinativo são relações, elos, interligações. Como já foi dito anteriormente, o problema não é só explicar um conjunto no seu plano formal, mas também dar conta de como estas instituições são vividas e concebidas pelas pessoas que as inventaram, que as sustentam e que as reproduzem. Não há sociedade humana sem uma noção de paternidade e de maternidade, sem ideias a respeito da filiação e do comportamento ideal das suas crianças. Esse é o fator formal, dado na visão "sociológica" do mundo. Mas essa visão não consegue explicar o conteúdo destes papéis sociais que variam enormemente de grupo para grupo, de sociedade para sociedade. Esse conteúdo que é dado pelas ideologias e valores contidos nas relações sociais observáveis de um dado grupo e são eles que irão nos ajudar a compor aquilo que é coberto pela noção de cultura. Não existe, pois, coletividade humana que não se utilize substantivamente de uma noção de sociedade ou de cultura para exprimir partes de sua realidade social. Assim, muitas vezes um costume é justificado dentro de uma moldura social: "fazemos isso porque é mais econômico", "temos aquilo porque existe uma ligação entre X, Y e Z", "o chefe mandou realizar aquela tarefa porque estava com raiva de X" etc. Mas também utilizamos a moldura cultural para exprimir e englobar condutas, racionalizando-as e legitimando-as. Quando, por exemplo, falamos: "O rei mandou matar porque isso faz parte de nossa concepção de realeza"; "comemoramos o carnaval porque isso faz parte de nossa tradição", "rezamos a Deus porque é Ele quem informa todos os nossos costumes". Num caso, o apelo é para uma lógica direta, externa, aparentemente visível. No outro, a sugestão é a de que a conduta é legitimada pelos valores e conjuntos de ideias que o grupo atualiza, honra e que, por isso mesmo, servem para distingui-lo como uma singularidade exclusiva.

Na perspectiva em que estamos situando a realidade social e a realidade cultural, pode-se dizer que o arqueólogo tem a cultura e, por meio do seu estudo detalhado, espera chegar à sociedade. Ao passo que o antropólogo social tem o sistema social (ou a sociedade), e, observando-o e entendendo por meio de entrevistas e conversas as motivações que o sustentam, espera poder chegar aos seus valores e ideologias. Há, pois, entre os especialistas que não percebem bem essa peculiaridade da existência humana uma tendência a reduzir o universo social exclusivamente à cultura ou a sistemas de ações observáveis. Assim, os arqueólogos (e os historiadores da sociedade e da cultura) tendem a enxergar tudo numa perspectiva diacrônica, como se a sociedade não fosse realmente básica com suas determinações funcional-estruturais. Já os antropólogos sociais, que observam sistemas de ações concretas e de práticas vividas por um dado grupo num certo período de tempo, tendem a minimizar o papel dos objetos materiais que o grupo cristaliza em sua trajetória, objetos que concretizam sua história e o modo pelo qual ele pode se perpetuar enquanto coletividade. Daí, como estamos vendo, a importância dos dois conceitos que, tudo indica, exprimem aspectos fundamentais da vida social das coletividades humanas e nos ajudam a perceber sua especificidade.

7. Digressão: A fábula das três raças, ou o problema do racismo à brasileira

Termino esta parte com uma digressão para revelar ao leitor como a perspectiva sociológica encontra resistências no cenário social brasileiro. De fato, ela tem sido sistematicamente relegada a um plano secundário, dado que são as doutrinas deterministas que sempre lhe tomam a frente. Destas, vale destacar o nosso racismo contido na "fábula das três raças" que, do final do século passado até os nossos dias, floresceu tanto no campo erudito (das chamadas teorias científicas), quanto no campo popular. Mas o nosso pendor para determinismos não se esgota nisso, pois logo depois do "racismo" abraçamos o determinismo dado pelas teorias positivistas de Augusto Comte, teorias básicas para muitos movimentos sociais abraçados por nossas elites, enquanto que modernamente assistimos ao surgimento do marxismo vulgar como a moldura pela qual se pode orientar muito da vida social, política e cultural do país. Estamos, pois, novamente às voltas com um outro determinismo, agora fundado numa definição abrangente do "econômico" e das "forças produtivas", e temos outra vez a possibilidade de totalizar o mundo e a vida social num tempo que não é o da vontade e consciência dos agentes históricos, mas em forças e energias que se nutrem em outras esferas, incontroladas pela vontade e desejos humanos. Num certo sentido, retornamos a um começo, recusando a discussão aberta e generosa de nossa realidade enquanto um fato social e histórico específico.

Nesta digressão, pois, apresento o caso do "racismo à brasileira" como prova desta dificuldade de pensar socialmente o Brasil e ainda como uma tentativa de especular sobre as razões que motivam as relações profundas entre credos científicos supostamente eruditos e divorciados da realidade social e as ideologias vazadas na experiência concreta do dia a dia. Observo, então, nesta parte, como o nosso sistema hierarquizado está plenamente de acordo com os determinismos que acabam por apresentar o todo como algo concreto, fornecendo um lugar para cada coisa e colocando, complementarmente, cada coisa em seu lugar. Mas é preciso começar do começo.

E o começo aqui é a perspectiva de senso comum relativamente à Antropologia. Tomando tal posição como ponto de partida, assinalo minha convicção segundo a qual é sempre menor do que supomos a famosa distância que deve separar as teorias eruditas (ou científicas) da ideologia e valores difundidos pelo corpo social, ideias que, como sabemos, formam o que podemos denominar de "ideologia abrangente" porque estão disseminadas por todas as camadas, permeando os seus espaços sociais. Por tudo isso, gostaria de começar rememorando uma experiência social corriqueira para o profissional de Antropologia.

Quando alguém descobre que somos "antropólogos" – e os amigos, observo, dizem isso pronunciando a palavra como se ela fosse uma fórmula, posto que é, na maioria das vezes, desconhecida, supondo uma atividade misteriosa – a primeira pergunta é sempre dirigida ao nosso trabalho com ossos, crânios, túmulos e esqueletos fósseis. Outra indagação frequente pode igualmente surgir no conjunto de perguntas sobre as "raças formadoras do Brasil", com todas aquelas indagações já conhecidas desde o tempo da escola primária, mas que misteriosamente persistem no nosso cenário ideológico, perguntas que dizem respeito a uma confirmação científica da "preguiça do índio", "melancolia do negro" e a "cupidez" e estupidez do branco lusitano, degredado e degradado. Tais seriam ainda hoje os fatores responsáveis, nesta visão tão errônea quanto popular, pelo nosso atraso econômico-social, por nossa indigência cultural e da nossa necessidade de autoritarismo político, fator corretivo básico neste universo social que, entregue a si mesmo, só poderia degenerar-se. Ouvindo tais opiniões tantas vezes, eu sempre me pergunto se o racismo do famoso conde de Gobineau está realmente morto!

A resposta de que somos antropólogos sociais (ou culturais) e que estamos interessados no estudo da vida social dos grupos humanos ou, como é o meu caso, em índios de verdade, faz o interlocutor calar-se ou então provoca o enterro do assunto com o comentário de que os índios estão sendo destruídos e perdendo suas terras. Mas a essa altura temos uma conversa séria, aproximando o leigo de certos problemas políticos e econômicos atuais, questões das quais ele deseja ardentemente fugir, o que conduz à decepção final de que o antropólogo social é mais um desses especialistas em problemas contemporâneos. Não é aquele senhor grisalho e de roupas cáqui que com seus óculos finos e capacete de explorador, descobre esqueletos datados de três mil anos antes de Cristo em algum lugar do mundo, provavelmente no Antigo Egito. Do mesmo modo, ele não é também o sagaz contador de casos, capaz de alinhavar historietas de negros escravos, lendas de índios idealizados ou episódios históricos de damas, duques e príncipes portugueses, na nossa graciosa fábula das três raças.

Disto tudo, fica a imagem do antropólogo social como um medidor de crânios, um confirmador de teorias sobre as raças humanas ou um arqueólogo clássico, romanticamente perdido nas misteriosas discussões das crenças iniciáticas egípcias, arena privilegiada onde se encontram todas as nossas crenças na reencarnação, no Carma indiano e nas curas mágicas. Traços que se ligam às nossas mesas do alto espiritismo kardecista, aos terreiros poeirentos de Umbanda e às teorias "científicas" da Parapsicologia. E tudo isso, como sabemos bem, faz parte do mundo ideológico brasileiro dominante, generalizado e abrangente.

Ou seja, nos nossos valores, o lugar do antropólogo é sempre junto à Biologia (medindo caveiras ou discutindo raças) ou com a Arqueologia Pré-Histórica, perdido na madrugada dos tempos. Ora estamos na História do Brasil vista, a meu ver, pelo seu prisma mais reacionário: como uma "história de raças" e não de homens; ora estamos fora do mundo conhecido: no Antigo Egito, na velha Grécia ou junto com os homens das cavernas. Em todo o caso, observo novamente, sempre com o conhecimento social sendo reduzido a algo natural como "raças", "miscigenação" e traços biologicamente dados de que tais "raças" seriam portadoras. Na melhor das hipóteses, estaríamos tratando da pré-história, ou seja: de um tempo situado antes do mundo social, no seu limiar. Um tempo que marca justamente o surgimento da sociedade, da cultura e da história. Essa é, numa penada, a posição onde somos sempre colocados.

O fato social (e ideológico) fundamental, que precisa ser discutido e denunciado, é que, na consciência social brasileira, o antropólogo surge na sua versão acabada de *cientista natural*. Como tal, tem suas unidades de estudo bem determinadas: são as raças. E o fio que deve conduzir o seu pensamento: é o plano de evolução destas raças. Tem também o domínio no qual se faz o drama brasileiro: é o modo pelo qual tais "raças" entram em relação para criar um povo ambíguo no seu caráter. Nesta visão de mundo e de ciência nada há que os homens e os grupos aos quais pertençam possam realizar concretamente. Tudo é uma questão de "tempo biológico", nunca de tempo social e historicamente determinado. Assim, o "tempo biológico" tem suas razões que o tempo dos homens concretos e históricos desconhece, de nada valendo qualquer rebelião contra ele. Como um cientista natural desumanizado o antropólogo social fica, nesta postura, preso e sujeito ao estudo das coisas dadas, jamais daquilo que é realizado pelo homem em sociedade. Sua "estória", assim, sempre corre o risco de ser ordenadamente pessimista e indisfarçadamente elitista, embora surja mascarada em tantos livros como um grito de libertação. De fato, não é uma narrativa de possibilidades e alternativas, atitude que sempre faz nascer o otimismo, mas de derrotas e fechamentos, num universo onde a vontade e o espaço para a esperança são muito reduzidos.

Mas nem sempre o antropólogo surge na consciência popular como cientista natural preocupado com medidas de ossos e com a biologia do homem como espécie animal. Ele também surge como uma espécie de economista, produzindo um discurso onde conceitos básicos como "modo de produção", "sobre-trabalho", "unidade produtiva" etc. são relevantes, num conjunto quase sempre mais preocupado com a forma do que com a substância mesma destas relações que os conceitos implicam diretamente. Questões tais como: de que modo se desenvolve o capitalismo no Brasil; como se dão concretamente as relações de produção e trabalho entre nós; como todo esse edifício é percebido pelos que nele estão envolvidos e muitas outras são raramente realizadas. Responder a essas questões seria fundamental para perceber aquilo que Marx denominou de "éter" das relações sociais; ou seja: os valores e as motivações que – como *cultura* e ideologia – emolduram e dão sentido às próprias relações sociais e de produção. Deste modo, quando deixamos de perceber quando as ideias passam a ser atores em certas situações sociais, seja porque atuam para desencadear a ação, seja para impedir certas condutas, deixamos de penetrar no mundo social propriamente dito e, assim fazendo, corremos o risco de cair na postura teórico-formal e, com ela, no plano abstrato das determinações. Sejam as de caráter biológico, sejam as de caráter econômico que hoje tendem a substituir essas determinações mais antigas, fornecendo o quadro que permite encontrar novamente uma totalidade abrangente e superior que tudo submete e explica, enquanto esconde as possibilidades de resgatar o humano dentro do social, já que ele jamais pode ser contido em "leis", "fórmulas", "regras" ou determinações, a menos que o jogo das forças sociais assim o deseje. O ponto destas reflexões é fundamental e terei que retomá-lo mais adiante, sob pena de ser acusado de superficialidade ou ignorância. Agora, porém, é preciso prosseguir na especulação do sentido psicológico da nossa fábula das três raças e de suas implicações para uma antropologia brasileira que se deseja realmente libertadora.

Tomemos esse plano como ponto focal de nossas indagações. Essa fábula é importante porque, entre outras coisas, ela permite juntar as pontas do popular e do elaborado (ou erudito), essas duas pontas de nossa cultura. Ela também permite especular, por outro lado, sobre as relações entre o vivido (que é frequentemente o que chamamos de popular e o que nele está contido) e o concebido (o erudito ou o científico – aquilo que impõe a distância e as intermediações).

É impressionante também observar a profundidade histórica desta fábula das três raças. Que os três elementos sociais – branco, negro e indígena – tenham sido importantes entre nós é óbvio, constituindo-se sua afirmativa ou descoberta quase que numa banalidade empírica. É claro que foram! Mas há uma distância significativa entre a presença empírica dos elementos e seu uso como recursos ideológicos na construção da identidade social, como foi o caso brasileiro. Mas, devo lembrar, não foi o caso norte-americano, mexicano e de muitos outros países da América do Sul e Central, onde sabemos bem – branco colonizador, índio e negro formavam elementos visíveis empiricamente. Mas em muitas outras sociedades, como, por exemplo, nos Estados Unidos, o recorte social da realidade empiricamente dada foi inteiramente diverso, com negros e índios sendo situados nos polos inferiores de uma espécie de linha social perpendicular, a qual sempre situava os brancos acima. Naquele país, como tem demonstrado sistematicamente muitos especialistas, não há escalas entre elementos étnicos: ou você é índio ou negro ou não é! O sistema não admite gradações que possam pôr em risco aqueles que têm o pleno direito à igualdade. Em outras palavras, nos Estados Unidos não temos um "triângulo de raças" e me parece sumamente importante considerar como esse triângulo foi mantido como um dado fundamental na compreensão do Brasil pelos brasileiros. E mais, como essa triangulação étnica, pela qual se arma geometricamente a fábula das três raças, tornou-se uma ideologia dominante, abrangente, capaz de permear a visão do povo, dos intelectuais, dos políticos e dos acadêmicos de esquerda e de direita, uns e outros gritando pela mestiçagem e se utilizando do "branco", do "negro" e do "índio" como as unidades básicas através das quais se realiza a exploração ou a redenção das massas.

O que parece ter ocorrido no caso brasileiro foi uma junção ideológica básica entre um sistema hierarquizado real, concreto e historicamente dado e a sua legitimação ideológica num plano muito profundo. Observo que as hierarquias sociais do "antigo regime", isto é, o regime anterior à Revolução Francesa, eram ideologicamente fundadas nas leis de Deus e da Igreja. Era o fato de Deus ter armado uma pirâmide social com os nobres lá em cima e com o Imperador e o Papa legitimando seus poderes no plano temporal e espiritual que respondia às questões neste sistema. No caso brasileiro, a justificativa fundada na Igreja e num Catolicismo formalista, que chegou aqui com a colonização portuguesa, foi o que deu direito à exploração da terra e à escravização de índios e negros. No nosso caso, tal legitimação estava fundada numa poderosa junção de interesses religiosos, políticos e comerciais, numa ligadura que era ao mesmo tempo moral, econômica, política e social e que tendia a mexer-se como uma totalidade. Não temos companhias particulares explorando a terra com o olho apenas na atividade produtiva e com leis individualizadas, semi-independentes da Coroa, como aconteceu nos Estados Unidos. Mas, ao contrário, era a Coroa portuguesa que, legitimada pela religião, pela política e pelos seus interesses econômicos, explorava soberanamente o nosso território com sua gente, fauna e flora. O jogo político estava submetido ao comercial – mas até um certo ponto, pois no fundo era básico que o Rei tivesse todo o controle moral sobre os empreendimentos coloniais e tal "controle moral" era o motor que impulsionava a consciência da colonização portuguesa, estando motivado pela religião e pela política civilizatória. Em outras palavras, as atividades comerciais logo dominavam o mundo colonial português e estavam por trás de sua arrancada colonizadora, mas o suporte consciente deste empreendimento era a fé e o império. Era na religião que Portugal encontrava a moldura através da qual podia justificar o seu movimento expansionista.

Tais favores, que podem ser lidos com o vagar que merecem na obra de Raymundo Faoro (1975) e de Vitorino Magalhães Godinho (1971), entre outros, fortaleceram aqui o sistema vigente em Portugal, realizando um perfeito transplante de ideologias de classificação social, técnicas jurídicas e administrativas de modo a tornar a colônia exatamente igual em estrutura à Metrópole. Deste modo, em que pese as especulações sobre nossa formação social (tingida, como desejam os nossos ideólogos, pelo sangue negro e indígena), o fato social crítico e socialmente significativo é que era Portugal quem nos dominava, abrangia e totalizava. Em outras palavras, a Colônia brasileira nunca foi um campo para experiências sociais ou políticas inovadoras, onde se pudessem implementar a fundo diferenças radicais e individualidades. Muito pelo contrário, apesar das diferenças regionais, de clima, de desenvolvimento econômico e experiência política, todo o nosso território foi sempre fortemente centralizado e governado por meio de decretos e leis universalizantes, ditadas na sede do Governo. Nosso modo de expressão como sociedade, como uma totalidade socialmente significativa e diferenciada, sempre foi por meio de leis altamente generalizadoras, dentro do formalismo jurídico que é a pedra de toque das sociedades hierarquizadas modernas. Em outras palavras, o nosso sistema colonial estava fundado numa "hierarquia moderna", sistema cujos pés eram o comércio mundial, os braços eram as leis e uma administração colonial baseada numa larga experiência mundial, o corpo era uma sociedade ideologicamente muito bem estruturada internamente, com seus "estados sociais", e a cabeça era o Rei. Aliás, vale a pena abrir um parêntesis para mostrar como as hierarquias sociais se davam em Portugal, sobretudo porque temos uma imagem de Portugal como um país imaginário, atrasado, onde não existe uma sociedade. Na realidade, porém, a sociedade portuguesa à época da colonização do Brasil é um todo social altamente hierarquizado, com muitas camadas ou "estados" sociais diferenciados e complementares. Tão hierarquizada que até as formas nominais de tratamento, isto é, o modo de uma pessoa se dirigir a outra, estavam reguladas em lei desde 1597 e foram reguladas novamente em lei de 1739. Como nos diz Magalhães Godinho, "proibia-se não só dar o tratamento, como mesmo aceitá-lo, às pessoas a que não era devido". Ou seja, a igualdade está rigorosamente proibida. E continua Godinho: "o alvará de 29 de janeiro de 1739 reserva a Excelência aos Grandes, tanto eclesiásticos como seculares, ao Senado de Lisboa e às damas do Paço; a Senhoria pertence aos bispos e cônegos, aos viscondes e barões, aos gentis-homens de Câmara e moços fidalgos do Paço, abaixo, há só direito a Vossa Mercê" (Godinho, 1971: 73). Tais formas de tratamento altamente reguladas dão-nos uma ideia dos "estados" sociais de um corpo social altamente complexo, sociedade onde "as pessoas inscrevem-se imediatamente em categorias que as distinguem pelo nome, pela forma de tratamento, pelo traje e pelas penas a que estão sujeitas" (cf. Godinho, 1971: 74). E continua nosso Autor, agora especificando as divisões internas de Portugal: "na Crônica de D. João I enumeram-se quatro estados do reino: prelados, fidalgos, letrados, cidadãos – abaixo dos cidadãos, ou povo no sentido político (homens bons), há a grande massa, sem representação em cortes. O Rei, quando se dirige às categorias sociais-jurídicas, escreve por ordem: juízes e oficiais (é a categoria dos letrados), fidalgos, cavaleiros, escudeiros, homens bons e, por derradeiro, o povo" (Godinho, 1971: 74-75). Do mesmo modo, há uma ordem rígida de aparecimento nos rituais ou cerimoniais, onde em primeiro lugar surgem os prelados (que emolduram e totalizam a festividade legitimando a ocasião perante a ordem Divina), depois os "grandes senhores de título" que são seguidos de outros fidalgos que, por sua vez, antecedem os cidadãos e o povo em último lugar. A cada uma dessas categorias sociais correspondem direitos e deveres bem marcados, inclusive direitos de terem punição diferenciada para seus crimes. Nesta sociedade, cujo modelo nos é familiar, ninguém é mesmo igual perante a lei![3]

Temos em Portugal uma sociedade complexa, ou melhor, complicada. Sua economia é mercantilista e portanto moderna. Estava fundada num mercado e em trocas comerciais. Mas toda ela era controlada por leis e decretos que rigidamente impediam que o "econômico" se estabelecesse como atividade dominante. No dizer de Godinho, tínhamos em Portugal um Estado mercantil – com uma economia moderna operando em escala mundial,

---

[3] Elaborei este mesmo ponto, embora partindo de outros domínios sociais quando analisei a expressão brasileira, "Você sabe com quem está falando ?", no meu *Carnavais, malandros e heróis*, Rio: Rocco, 6ª ed., 1997. Neste contexto, vale recordar que Portugal conhecia muito bem a instituição da escravidão negra e moura, como o prova uma citação de Clenardo, referida por Wilson Martins na sua monumental *História da inteligência brasileira*. É conveniente citar o texto em pauta: "Os escravos pululam, diz Clenardo, por toda a parte. Todo o serviço é feito por negros e mouros cativos. Portugal está a abarrotar com essa raça de gente. Estou quase a crer que só em Lisboa há mais escravos e escravas do que portugueses livres de condição..." (cf. Martins, 1976: 1º vol.: 81)

mas sem as suas instituições concomitantes: uma burguesia comercial com individualidade e interesses próprios (cf. Godinho, 1971: 93). Ao contrário, em Portugal havia um sistema onde imperava o mercantilismo, mas sem uma mentalidade burguesa, isto é, sem uma classe comercial com ideias igualitárias, individualistas e acreditando no poder definidor total do mercado e do dinheiro. Temos, pois, uma sociedade singular neste Portugal moderno. Um sistema onde as hierarquias tradicionais são mantidas, o todo sempre prevalece (na forma da Coroa, do Catolicismo, da Igreja e do Rei) sobre as partes, e é o próprio Rei que é o principal capitalista. Se o Rei não controla totalmente o comércio, ele – por outro lado – também não deixa que o grupo que tem nesta atividade sua principal meta desenvolva um plano de valores a ela adequado. Deste modo, o comerciante português em vez de operar numa classe social horizontalizada, com forte consciência de sua individualidade (consciência de classe, no sentido clássico que Marx empresta a este termo) e interesses *vis-à-vis* o Rei e a nobreza dona da terra e de outros privilégios tradicionais, funciona como uma categoria social. Como uma camada complementar aos nobres e ao Rei, integrada nas hierarquias sociais do sistema. Temos, pois, em Portugal (e, diríamos, também no Brasil), a figura ímpar do aristocrata-comerciante ou fidalgo-burguês, personagem de um drama social e político ambíguo, cujo sistema de vida sempre esteve fundado nos ideais da hierarquia e da igualdade, na espada e no dinheiro.

    Nesta sociedade dominada pelas hierarquias sociais abrangentes tudo tem um lugar. A categorização social é geral, incluindo obviamente grupos étnicos diferenciados, sobretudo mouros e judeus. Não se sustenta a tese de Gilberto Freyre (apresentada sistematicamente em *Casa Grande & Senzala*), segundo a qual o contato com o mouro (e com a mulher moura) havia predisposto o "caráter nacional" do lusitano a uma interação aberta e igualitária com índios e negros. Muito ao contrário, o que se sabe de comunidades mouras e judias em Portugal, permite dizer que o controle social e político de etnias alienígenas era agudo, senão brutal, como foi o caso dos judeus. Temos aqui uma sociedade já familiarizada com formas de segregação social, cuja legitimidade seria marcada, na expressão de Godinho, pela origem "rácica" e religiosa. Fica, assim, demonstrado que o português colonizador não chegou ao Brasil como um indivíduo degredado e degradado. Como um elo solto de uma corrente que ele próprio era incapaz de reconstruir. Muito ao contrário, as engrenagens do Império Colonial Português eram muito complexas e se mexiam com extrema eficiência, considerando sua extensão, diversidade e dificuldades de transporte. Reconstruiu-se aqui, obedecendo-se naturalmente às características históricas dos povos indígenas que habitavam nossas praias, a sociedade portuguesa original. E tal reconstrução foi tanto mais fácil, quanto maior e mais abrangente foi o comando dos colonizadores relativamente aos nativos. Assim, a colonização do Brasil não foi uma empresa realizada por meros criminosos, indivíduos sem eira, beira ou ideologia social. Se ela não foi obra de grupos altamente religiosos, coesos e determinados, como foi o caso da América do Norte, ela também não se constituiu numa empresa algo sem alvo, ou método.[4]

É impossível demarcar com precisão as origens do credo racial brasileiro, mas é possível assinalar seu caráter profundamente hierarquizado, como uma ideologia destinada a substituir a rigidez hierárquica que aqui se mantinha desde o descobrimento, quando nossas estruturas sociais começaram a se abalar a partir das guerras de Independência. O movimento de Independência provocou toda uma reorientação dos sistemas de hierarquia vigentes no Brasil, fazendo com que a estrutura de poder tivesse como ponto final a Corte do Rio de Janeiro, em vez de se prolongar para o além-mar, na direção de Lisboa, ponto do qual, anteriormente, partiam todas as ordens e todos os favores. Mesmo considerando que nossa Independência foi obra dos estratos

---

[4] Neste sentido, recomendo fortemente a leitura de Boxer, 1969, e de Schwartz, 1979.

dominantes e não um movimento de baixo para cima, não tendo por isso mesmo o mérito de ser uma alavanca para transformações sociais mais profundas, ela foi básica na medida em que apresentou à elite nacional e local a necessidade de criar suas próprias ideologias e mecanismos de racionalização para as diferenças internas do país. De fato, é impossível separar e tornar-se independente, sem a consequente busca de uma identidade – vale dizer, de uma busca no sentido de justificar, racionalizar e legitimar diferenças internas. Se antes a elite podia colocar todo o peso dos erros e das injustiças sobre o Rei e a Coroa Portuguesa em Lisboa, a partir da Independência, esse peso tinha que ser carregado aqui mesmo, pela camada superior das hierarquias sociais. Onde foi nossa elite buscar tal ideologia?

Creio que ela veio na forma da fábula das três raças e no "racismo à brasileira", uma ideologia que permite conciliar uma série de impulsos contraditórios de nossa sociedade, sem que se crie um plano para sua transformação profunda. Neste sentido, vale a pena observar, com Thomas Skidmore (1976), que o marco histórico das doutrinas raciais brasileiras é o período que antecede a Proclamação da República e a Abolição da Escravatura, momento de crise nacional profunda, quando se abalam as hierarquias sociais. A crise que deveria ter chegado com a Independência que, de fato, ela acabou adiando, mas que se realizou afinal no Movimento Abolicionista e da Proclamação da República, esses dois momentos críticos, parte e parcela de um só drama social altamente contraditório já que a Abolição é progressiva e aberta – propugnando pela igualdade e transformação das hierarquias; ao passo que a República é um desfecho fechado e reacionário, destinado a manter o poder dos donos de terra, conforme revela, entre outros, Richard Graham (1979).

O fato de a Abolição se constituir num movimento concreto é uma terrível ameaça ao edifício econômico e social do país. Deste modo, se a ideologia católica e o formalismo jurídico que veio com Portugal não eram mais suficientes para sustentar o sistema hierárquico, era preciso uma nova ideologia. Essa ideologia, ao lado das cadeias de relações sociais dadas pela patronagem e que se mantiveram aparentemente intactas, foi dada com o racismo. Mas é preciso notar como essa ideologia surgiu de modo complexo, no bojo de dois impulsos contraditórios típicos aliás das grandes crises de abertura social. Um deles, caracterizado pelo projeto reacionário de manter o *status quo*, libertando o escravo juridicamente, mas deixando-o sem condições de libertar-se social e cientificamente; o outro é muito diferente: trata-se de perceber como o racismo foi uma motivação poderosa para investigar a realidade brasileira. Pode-se, pois, dizer que a "fábula das três raças" se constitui na mais poderosa força cultural do Brasil, permitindo pensar o país, integrar idealmente sua sociedade e individualizar sua cultura. Essa fábula hoje tem a força e o estatuto de uma *ideologia dominante*: um sistema totalizado de ideias que interpenetra a maioria dos domínios explicativos da cultura. Durante muitos anos forneceu e ainda hoje fornece, o mito das três raças, as bases de um projeto político e social para o brasileiro (através da tese do "branqueamento" como alvo a ser buscado); permite ao homem comum, ao sábio e ao ideólogo conceber uma sociedade altamente dividida por hierarquizações como uma totalidade integrada por laços humanos dados com o sexo e os atributos "raciais" complementares; e, finalmente, é essa fábula que possibilita visualizar nossa sociedade como algo singular – especificidade que nos é presenteada pelo encontro harmonioso das três "raças". Se no plano social e político o Brasil é rasgado por hierarquizações e motivações conflituosas, o mito das três "raças" une a sociedade num plano "biológico" e "natural", domínio unitário, prolongado nos ritos de Umbanda, na cordialidade, no carnaval, na comida, na beleza da mulher (e da mulata) e na música...

Mas é preciso falar um pouco sobre as fontes eruditas deste racismo brasileiro. Sabemos que ele nasceu na Europa no século XVIII, na crise da Revolução Francesa, mas só veio dominar o cenário intelectual europeu no século seguinte, na forma das teorias evolucionistas cientificamente respeitadas. No século

XVIII, sua apresentação carecia de força ideológica, pois era apenas – de acordo com Hannah Arendt (1976: cap. 2) – uma doutrina que trabalhava uma história heroica do povo francês, numa concepção segundo a qual os nobres formavam uma parcela alienígena forte e, assim, destinada pelo nascimento e origem ao poder. No século XIX, entretanto, o racismo aparece na sua forma acabada, como um instrumento do imperialismo e como uma justificativa "natural" para a supremacia dos povos da Europa Ocidental sobre o resto do mundo. Foi esse tipo de "racismo" que a elite intelectual brasileira bebeu sofregamente, tomando-o como doutrina explicativa acabada para a realidade que existia no país. Do mesmo modo que ocorre ainda hoje, as teorias racistas produzidas por norte-americanos como Agassiz; ou por europeus como Buckle, Gobineau e Couty, para ficarmos com os que foram os mais influentes no Brasil, são amplamente adotadas, tendo-se grande preocupação – como revela Skidmore (1976: cap. 2) – com as ideias daqueles estudiosos, como Buckle, Gobineau e Agassiz que fizeram referências expressas ao Brasil. Nelas, obviamente, nosso futuro surgia como altamente duvidoso, já que a sociedade brasileira se caracterizava por se constituir numa arena de conjunções raciais entre negros, brancos e índios, uniões que eram totalmente condenadas. Assim dizia, por exemplo, o Conde de Gobineau que levaria "menos de duzentos anos... o fim dos descendentes de Costa-Cabral (Brasil) e dos emigrantes que os seguiram" (cf. Skidmore, 1976: 46). Ou seja, Gobineau colocava a tese de que a sociedade brasileira era inviável porque possuía enorme população "mestiça", produto indesejado e híbrido do "cruzamento" de brancos, negros e índios, tomados por esses "cientistas" como espécies diferenciadas. Apesar da diversidade das teorias "racistas" esposadas pelos vários especialistas, eles partiam de pressupostos simples; simplicidade, aliás, que se constituía, como já chamei atenção, numa da mais poderosas razões de seu atrativo intelectual e político. Mas quais eram esses pressupostos?

Um deles é o de que cada raça ocupa um certo lugar na história da humanidade. Não importa aqui considerar se a proposição tinha um ponto de partida segundo o qual todas as raças saíram de um mesmo tronco comum ou de Adão e Eva (como foi de fato teorizado nos séculos XVI e XVII) ou se elas haviam sido criadas de modo diferenciado desde o começo, o fato é que, tanto na hipótese monogenista quanto na poligenista, elas eram tomadas como espécies altamente diferenciadas, seja no tempo, seja no espaço, ou em ambas as dimensões. Daí a ilação de que as diferenças entre as sociedades e nações expressavam as posições biológicas diferenciadas de cada uma numa escala evolutiva. Louis Agassiz, por exemplo, que foi provavelmente o maior dos poligenistas dos Estados Unidos, não hesitava em situar a "raça branca" como superior e, após sua famosa visita ao Brasil, escrever em seu livro o que seria uma opinião discutidíssima sobre a nossa sociedade. Dizia o célebre zoólogo de Harvard: "Que qualquer um que duvida dos males desta mistura de raças, e se inclina, por mal-entendida filantropia, a botar abaixo todas as barreiras que as separam, venha ao Brasil. Não poderá negar a deterioração decorrente do amálgama de raças, mais geral aqui do que em qualquer outro país do mundo, e que vai apagando rapidamente as melhores qualidades do branco, do negro e do índio, deixando um tipo indefinido, híbrido, deficiente em energia física e mental" (citado por Skidmore, 1976: 47-48). Como se observa, o diagnóstico não é muito diferente do de Gobineau.

Um outro ponto também essencial nas doutrinas racistas é o determinismo. Isso significa que as diferenciações biológicas são vistas como tipos acabados e que cada tipo está determinado em seu comportamento e mentalidade pelos fatores intrínsecos ao seu componente biológico. Gobineau elaborou bem esse ponto, valendo a pena reproduzir aqui o seu esquema das "raças humanas", pois para esse autor há uma perfeita equação entre traços biológicos, psicológicos e posição histórica. Uma espécie de totemismo às avessas. Eis o esquema racial de Gobineau, tirado do seu *A diversidade moral e intelectual das raças*:

RAÇAS HUMANAS

	Negra	Amarela	Branca
Intelecto	Débil	Medíocre	Vigoroso
Propensões animais	Muito fortes	Moderadas	Fortes
Manifestações morais	Parcialmente latentes	Comparativamente desenvolvidas	Altamente cultivadas

(*De acordo com Gobineau*, 1856: 95, 96)

O esquema põe a nu não só a questão da diversidade, como também a concepção da superioridade das chamadas "raças brancas", traço que a história confirmava amplamente na teoria de Gobineau. Além disso, cada "raça" tem uma determinada tendência, havendo na base uma equação entre RAÇA = CULTURA = NAÇÃO = TRIBO. Deste modo, os fenícios eram mercadores; os gregos, "professores das futuras gerações" e os romanos, modeladores de governo e leis. Acrescenta ainda Gobineau, explicitando um pouco mais sua visão determinista: "Estes poderes e os instintos ou aspirações que surgem deles nunca mudam enquanto a raça permanece pura. Eles progridem e se desenvolvem, mas nunca alteram sua natureza" (1856: 76). Estamos diante de um verdadeiro código natural e diante de realidades que jamais podem mudar pelo ato puro e simples da vontade. Ao contrário, nesta perspectiva, as qualidades positivas e negativas são dadas de uma vez por todas – sendo depois o destino da "raça" atualizado numa mera questão de combinações. Se as "propensões animais" são fortes e não contrabalançadas por "manifestações morais", a "raça" estaria condenada a ter uma vida coletiva deficiente e desorganizada. Do mesmo modo e pela mesma lógica, quando as "propensidades animais" são fortes e o "intelecto" é vigoroso, como ocorre com as "raças brancas", o resultado é uma "grande expansão do sentido moral, com uma complexa e variada organização política emergindo" (cf. Gobineau, 1856: 96).

Neste modelo, cuja simplicidade, determinismo e pobreza nos fazem hoje imaginar como foi possível levá-lo a sério há menos de cem anos, as civilizações decaíam, arruinavam-se, eram conquistadas, não se desenvolviam ou simplesmente desapareciam porque sua "história racial" conduzia a misturas infelizes dos traços contidos em cada unidade racial. Daí, certamente, a fantástica preocupação do Conde de Gobineau com o Brasil, onde ele serviu como Embaixador. Diante de uma realidade física de mulatos, cafusos e mamelucos, diante de uma sociedade altamente variada em termos de cor, Gobineau não teve outra alternativa senão expressar seu pessimismo diante do futuro do país já que, pelas suas teorias, aqui o branco estava perdendo suas qualidades para o índio e, sobretudo, para a "raça negra".

Com o imenso prestígio que circunda tudo o que vem de fora, sobretudo da Europa e dos Estados Unidos, esta teoria que gerou o "arianismo" e permitiu relacionar a Biologia e a História com a moralidade foi logo aceita no Brasil. De fato, nada mais fácil para servir de "modelo científico" a nossa realidade, dando-lhe uma forma totalizada e acabada, do que essa síntese arianista, nascida das ideias de Gobineau. Mas isso não ocorreu ao acaso, ou por uma percepção empírica da experiência histórica brasileira. É claro, como indica Skidmore (1976), que a experiência histórica é básica para a adoção das teses "racistas", mas a meu ver essa experiência não é tudo.

Existem, como estou procurando mostrar, fatores mais profundos relacionados à formação social, cultural e histórica do Brasil que permitem especular sobre a adoção e a permanência do "racismo" como ideologia e como tema de reflexão científica, de Sílvio Romero até os nossos dias. Consideremos sumariamente tais fatores:

O primeiro ponto a ser considerado é que nem todas as formas de determinismo foram aceitas para discussão no meio social, político e cultural brasileiro. Em outras palavras, a discussão das teses do "determinismo geográfico" são certamente menos estudadas e debatidas do que as oferecidas pelos "determinismos raciais", segundo os quais a unidade determinativa dos fatos sociais e políticos, o agente de causalidade não é o solo, a chuva, o clima, a temperatura ou o regime dos rios, mas fatores biológicos internos. A preferência indica claramente a relação profunda existente entre o meio social brasileiro e as doutrinas racistas de gente como Gobineau, Lapouge, Inginieros, Couty e outros. Existe, pois, uma relação profunda, socialmente determinada, entre as doutrinas racistas de tipo histórico (chamadas de "arianistas"), em seu apelo explicativo para uma sociedade *concretamente* dividida em segmentos, cujo poder e prestígio diferencial e hierarquizado correspondia, grosso modo, a diferenças de tipos físicos e origens sociais.

O segundo é que o racismo *à la* Gobineau tinha o mérito de inaugurar uma reflexão sobre a dinâmica das "raças", abrindo a discussão das dinâmicas sociais. Podia-se, com isso, deixar de louvar os tipos puros (sobretudo o "branco ariano"), passando para a especulação dos resultados dos "cruzamentos" entre as "raças". Isso correspondia à situação histórica e social do Brasil, onde a escravidão estava contida num sistema político anti-individualista e anti-igualitário; um sistema totalizante e abrangente, dominado por uma modalidade muito bem articulada e antiga de formalismo jurídico – legado da colonização portuguesa. O fato de termos constituído até o final do século passado uma sociedade de nobres, com uma ideologia aristocrática e anti-igualitária, dominada pela ética do familismo, da patronagem e das relações pessoais, tudo isso emoldurado por um sistema jurídico formalista e totalizante, que sempre privilegia o todo e não as partes (os indivíduos e os casos concretos), deu às nossas relações sociais um caráter especial. Fez, por exemplo, que o regime de escravidão fosse aceito como algo normal pela maior parte dos membros de nossas elites, tornando-se um sistema universal pelo fim do século XIX. Em outras palavras, a escravidão brasileira não foi um fenômeno social regional, altamente localizado, como ocorreu com os Estados Unidos, mas – pelo contrário – tornou-se uma forma dominante de exploração do trabalho. Como diz Skidmore, "por volta do século XIX, toda região de maior importância geográfica tinha percentagem significativa de escravos em sua população. Em 1819, segundo uma estimativa oficial, nenhuma região tinha menos de 27% de escravos na população total" (cf. Skidmore, 1976: 59). E isso não poderia ser de outro modo, dado que o sistema era governado por meio de uma estrutura política autoritária, centralizante, onde o político e a moralidade sempre controlavam e demarcavam de cima os impulsos econômicos.

Em outras palavras, numa sociedade fortemente hierarquizada, onde as pessoas se ligam entre si e essas ligações são consideradas como fundamentais (valendo mais, na verdade, do que as leis universalizantes que governam as instituições e as coisas), as relações entre senhores e escravos podiam se realizar com muito mais *intimidade*, *confiança* e *consideração*. Aqui, o senhor não se sente ameaçado ou culpado por estar submetendo um outro homem ao trabalho escravo, mas, muito pelo contrário, ele vê o negro como seu *complemento natural*, como um *outro* que se dedica ao trabalho duro, mas complementar as suas próprias atividades que são as do espírito. Assim a lógica do sistema de relações sociais no Brasil é a de que pode haver intimidade entre senhores e escravos, superiores e inferiores, porque o mundo está realmente hierarquizado, tal e qual o céu da Igreja Católica, também repartido e totalizado em esferas, círculos, planos, todos povoados por anjos, arcanjos, querubins, santos de vários méritos etc., sendo tudo consolidado na Santíssima Trindade, todo e parte ao mesmo tempo; igualdade e hierarquia dados simultaneamente. O ponto crítico de todo o nosso sistema é a sua profunda desigualdade. Ninguém é igual entre si ou perante a lei; nem senhores (diferenciados pelo sangue, nome, dinheiro, títulos, propriedades, educação, relações pessoais passíveis de manipulação etc.), nem os escravos, criados ou subalternos, igualmente diferenciados entre si por meio de vários critérios. Esse é, parece-me, um ponto-chave em sistemas hierarquizantes, pois, quando se estabelecem distinções para baixo, admite-se, pela mesma lógica, uma diferenciação para cima. Todo o universo social, então, acaba pagando o preço da sua extremada desigualdade, colocando tudo em gradações.

Neste sistema, não há necessidade de segregar o mestiço, o mulato, o índio e o negro, porque as hierarquias asseguram a superioridade do branco como grupo dominante. A intimidade, a consideração, o favor e a confiança podem se desenvolver como traços e valores associados à hierarquia indiscutível que emoldura a sociedade e nunca – como supôs Freyre – como um elemento do caráter nacional português. Tal e qual na Índia, as camadas diferenciadas da sociedade – as castas – são vistas como rigorosamente complementares. Aqui no Brasil, o nosso racismo forneceu os elementos de uma visão semelhante, colocado no triângulo das raças quando situa o branco, o negro e o índio como formadores de um novo padrão racial. Branco, porém, diferente dos "arianos" europeus ou americanos do norte: algo tipicamente brasileiro, singular e forte como o samba e o carnaval. A falta de segregação parece ser, pois, um elemento relacionado de perto à presença de patronagem, intimidade e consideração. Numa palavra, *a ausência de valores igualitários*. Num meio social como o nosso, onde "cada coisa tem um lugar demarcado e, como corolário, cada lugar tem sua coisa", índios e negros têm uma posição demarcada num sistema de relações sociais concretas, sistema que é orientado de modo vertical: para cima e para baixo, nunca para os lados. É um sistema assim que engendra os laços de patronagem, permitindo conciliar num plano profundo posições individuais e pessoais, com uma totalidade francamente dirigida e fortemente hierarquizada. Em sociedades assim constituídas, situações de discriminação (ou de segregação) só tendem a ocorrer quando o elemento não é conhecido socialmente; isto é, quando a pessoa em consideração não tem e não mantém relações sociais com pessoa alguma naquele meio. A discriminação não é algo que se dirige apenas ao diferente, mas ao estranho, ao indivíduo desgarrado, desconhecido e solitário: ao estrangeiro – o que, numa palavra, não está integrado na rede de relações pessoais altamente estruturadas que, por definição, não pode deixar nada de fora: nem propriedade nem emoção nem relação. É claro que, nos sistemas hierarquizados, pessoas de cor sofrem discriminação com mais frequência, mas não se pode esquecer que pessoas pobres e até mesmo visitantes ilustres podem ser discriminados pela simples razão de não terem nenhuma associação firme com alguém da sociedade local. O maior crime entre nós, ou melhor: no seio de um sistema hierarquizado, não está em ter alguma característica que permita diferenciar e assim inferiorizar, mas em não ter relações sociais. Uma vez que tais relações são estabelecidas, todos ficam dentro de um sistema totalizante e é sempre por meio dele que as diferenças entre os grupos são resolvidas.

Mas o que ocorre em sistemas igualitários e individualizados, onde as hierarquias que sustentam o poder do todo sobre as partes foram rompidas?

Ao responder a essa questão, chegamos ao centro da diferença entre o "racismo" brasileiro e norte-americano, bem como ao cerne das diferenciações raciais doutrinárias. Sabemos que nos Estados Unidos e na Europa o "mestiço" era visto como peça indesejável do sistema de relações raciais. De fato, o foco das teorias era a especulação sobre a inferioridade básica do "mestiço", elemento híbrido, e dotado de todas as qualidades negativas daquilo que se chamava de "sub-raças". Numa palavra, todo o problema era que, muito embora se pudesse tomar as "raças" como tendo qualidades positivas, colocando a "raça branca" como inquestionavelmente superior, o que não se podia realizar era a "mistura" ou o "cruzamento" entre elas. Aqui, a doutrina racista deixa transparecer dois pontos muito importantes que a análise sociológica não deve deixar passar: um deles é que as "raças humanas", embora situadas em escalas de atraso e progresso, tinham qualidades. Seriam até mesmo dignas de admiração, caso não fossem jamais colocadas lado a lado. O outro é a condenação fundamental de suas relações. O *mal não está nas diferenças entre as raças*, diz o *"racismo arianista"*, *mas nas suas relações*. Aqui temos, obviamente, o ponto-chave dos racismos "arianistas", sobretudo na sua modalidade americana. E o que isso nos diz do ponto de vista sociológico? Diz-nos claramente que o problema é considerar cada "raça" em si, mas nunca estudar suas relações. E nós sabemos que as relações denunciam estruturas de poder diferenciadas e hierarquizadas em sistemas fundados num credo igualitário explícito. A elaboração do "racismo científico" norte-americano correspondia muito de perto à realidade social daquele país, onde o credo igualitário, o individualismo e o ideal da igualdade perante a lei criavam obstáculos insuperáveis para uniões entre pretos e brancos em outros planos que não fosse o do trabalho. O fato, então, de o "mulato" ser tão desprezível no credo racial americano, a ponto de ele não ter ali uma posição socialmente reconhecida, posto que é classificado como "negro", tem suas raízes, como demonstrou Myrdal (1944), na existência concreta de um credo igualitário e individualista e no peso social deste credo dentro do meio social norte-americano.[5]

Realmente, após o movimento abolicionista, a massa de negros livres tornou-se um problema social seriíssimo nos Estados Unidos. Diferentemente do Brasil, onde havia várias categorias de negros com posições sociais diferenciadas no sistema (negros escravos recentes, negros escravos antigos, negros escravos mais longe ou mais perto das casas-grandes, negros livres há muito tempo, negros livres recentemente, crianças livres filhas de escravos etc.), naquele país, a combinação do homem livre com o negro era muito mais rara e foi consequência de uma sangrenta guerra civil. Como, então, manter o credo segundo o qual todos são iguais perante a lei, se existem ex-escravos competindo com

---

[5] Para este problema, ver também Dumont, 1974, e DaMatta, 1979. Para a melhor análise comparativa dos sistemas "raciais" brasileiro e americano, veja-se Carl Degler, 1971.

brancos pobres, sobretudo num Sul derrotado? Em outras palavras, como encontrar um lugar para negros, ex-escravos, num sistema que situava (e ainda situa) o indivíduo e a igualdade como a principal razão de sua existência social? Aqui, a única resposta possível é a discriminação violenta, na forma de segregação que, diferentemente do caso brasileiro (e de outros países com contingente negro e predominância de estruturas sociais hierarquizantes), assumiu caracteristicamente a forma clara e inequívoca de *segregação legal, fundada em leis*. Assumida portanto com todas as letras e em toda a sua integridade, a segregação racial deixa de ser um paradoxo historicamente dado no sistema norte-americano. Ela de fato pode ser explicada como um modo concreto e coerente de uma sociedade individualista resolver o problema da desigualdade e de sua manutenção num sistema onde um credo igualitário tem importância social determinativa.

A expressão deste fato sociológico concreto no plano erudito das doutrinações científicas foi a doutrina racial que desencorajava o "mulato" como tipo físico e categoria social legitimamente reconhecida, tornando assim impossível solidificar as redes de relações pessoais efetivamente existentes entre brancos e negros no Sul, o que certamente poderia dar sequência às estruturas hierarquizadas ali existentes, mas que foram destruídas à força pela Guerra Civil, que veio estabelecer a hegemonia do credo igualitário e individualista por todo o sistema americano como um plano jurídico e político socialmente básico. Esta forma de racismo que nega ou coloca o tipo mestiço como indesejável surge também como uma "solução científica" para um paradoxo social que situava brancos e negros em posições realmente diferenciadas, e um credo nacional fortemente igualitário no plano político-jurídico.

Creio que são tais fatores que explicam, no caso norte-americano, o horror dos teóricos de tais doutrinas diante da realidade brasileira, repleta de gradações e de "tipos raciais intermediários". Sociologicamente falando, a reação que surge revestida pelo idioma biológico, dizendo que o Brasil não tinha futuro porque era um país de "mestiços" e de "mulatos", de "sub-raças híbridas e fracas", pode ser interpretada como um modo de rejeitar a hierarquia que permite, sem ameaçar as elites dominantes, todo o tipo de encontro e de intimidades entre pretos, índios e brancos. Tal traço não é, como gostaria que fosse gente como Freyre e outros, uma característica cultural portuguesa, senão um modo de enfrentar os dilemas do trabalho escravo num sistema altamente hierarquizado, onde cada homem tem um lugar determinado e onde a igualdade não existe. Se o negro e o branco podiam interagir livremente no Brasil, na casa-grande e na senzala, não era porque o nosso modo de colonizar foi essencialmente mais aberto ou humanitário, mas simplesmente porque aqui o branco e o negro tinham um lugar certo e sem ambiguidades dentro de uma totalidade hierarquizada muito bem estabelecida.

Tal fato, entre outros, deu ao "racismo" brasileiro uma forma especial, com o foco no centro do sistema. Deste modo, enquanto a leitura americana condenava a "mistura de raças", optando por uma solução radical, contida na divisão entre brancos e negros, aqui no Brasil a preocupação e a consequente teorização foi realizada em cima do "mestiço" e do mulato, ou seja: nos espaços intermediários e interstícios do que percebíamos como sendo o nosso "sistema racial". Nos pontos onde cada "tipo racial puro" encontrava o outro e criava um elemento ambíguo, com supostas características dos dois. Foi com tal preocupação, correspondente à nossa maneira de resolver os problemas colocados concretamente por nossa sociedade, que nasceram os racismos de Sílvio Romero e Nina Rodrigues, doutrinadores fundamentais e paradigmáticos do nosso mundo intelectual. Pois se eles consideravam que o "branco ariano" era indiscutivelmente superior ao negro e ao índio, nem por causa disso deixaram de considerar o caso brasileiro como constituído de um *triângulo racial*. Enquanto, pois, o credo racista norte-americano situa as "raças" como sendo realidades individuais, isoladas e que correm de modo paralelo, jamais devendo se encontrar, no Brasil elas estão frente a frente, de modo complementar, como os pontos de um triângulo. Num esquema:

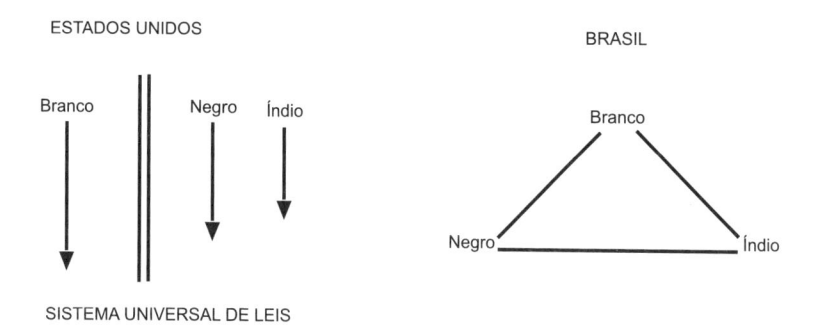

ESTADOS UNIDOS — Branco, Negro, Índio (setas paralelas apontando para baixo em direção ao SISTEMA UNIVERSAL DE LEIS)

BRASIL — Branco, Negro, Índio dispostos nos vértices de um triângulo

O diagrama deixa ver claramente como o sistema americano concebe a posição dos grupos diferenciados como mais próximos ou mais distantes de uma linha de leis igualitárias, que teoricamente estão distantes de todos, não se confundindo com nenhum grupo. É a ideologia do "todos são iguais perante a lei" que, como coloquei anteriormente, irá determinar o racismo na forma dualista, direta, legal como forma pervertida (como diz Myrdal) de superação do credo igualitário abrangente. No caso do Brasil, é a interação entre as peças do triângulo que irá criar as leis e o todo nacional. A ideologia é abrangente e hierarquizada em sua própria formulação.

O esquema também torna clara aquela outra distinção essencial, já indicada por Oracy Nogueira (1954), num trabalho clássico. Enquanto o esquema do preconceito racial americano é de "origem", o brasileiro é de "marca". Ou seja: o sistema americano não admite gradações e tem uma forma de aplicação axiomática: uma vez que se tenha algum "sangue negro" (e isso é determinado culturalmente), não se pode mudar jamais de posição. Pode-se ser tratado idealmente como um "igual perante a lei, mas a diferença do "sangue" permanecerá para sempre. Já no nosso sistema, o ponto-chave é a admissão de gradações e nuanças. A "raça" (ou a cor da pele, o tipo de cabelos, de lábios, do próprio corpo como um todo etc.) não é o elemento exclusivo na classificação social da pessoa. Existem outros critérios que podem nuançar e modificar essa classificação pelas características físicas (que são definidas culturalmente). Assim, por exemplo, o dinheiro ou o poder político permite classificar um preto como mulato ou até mesmo como branco. Como se o peso de um elemento (como o poder econômico) pudesse apagar o outro fator. Temos, pois, no Brasil, sistemas múltiplos de classificação social (cf. também DaMatta, 1979: cap. IV); ao passo que nos Estados Unidos há uma tendência nítida para a classificação única, tipo "ou tudo ou nada", direta e dualista, tendência que me parece estar em clara correlação com o individualismo, o igualitarismo e, obviamente – como mostrou Weber – com a ética protestante (cf. Weber, 1967).

Mas o ponto importante que desejo enfatizar aqui é que esses "tipos de preconceito racial" são inteiramente coerentes com as ideologias dominantes de cada uma dessas sociedades, estando diretamente correlacionados com as formas escolhidas historicamente de recorte da realidade social. Deste modo, os racismos americano e europeu, que partem de uma realidade social mais igualitária, temem a miscigenação porque com ela podem colocar em dúvida sua homogeneidade social e política, segundo a antiga noção de que a ideia de um povo contém em si o postulado básico da identidade e homogeneidade física. Já entre nós, o racismo europeu e americano penetra a cena intelectual, mas é transformado por meio de um cenário hierarquizado e anti-igualitário. Aqui ele se orienta para os interstícios do sistema, local onde vivem e convivem muitas categorias sociais intermediárias, perfazendo uma totalidade triangulada. É precisamente isso, a meu ver, que permite integrar as "raças" num esquema altamente coerente e abrangente, formando de suas diferenças e hierarquias uma totalidade integrada. Por outro lado, essa integração permite até hoje discutir e perceber a acentuada miséria dos "negros" e "índios", sem perceber suas diferenciações específicas e, sobretudo, sem colocar em risco a posição de superioridade política e social dos "brancos".

No nosso esquema, portanto, o *branco* está sempre unido e em cima, enquanto que o *negro* e o *índio* formam as duas pernas da nossa sociedade, estando sempre embaixo e sendo sistematicamente abrangidos (ou emoldurados) pelo branco. O próprio triângulo sugere suas interações, nesta teoria brasileira que reduz as diferenças concretas (sociais, políticas e econômicas) em descontinuidades abstratas em "raças" com uma definição semibiológica. Por isso sabemos que o triângulo inicial pode gerar outros, agora constituído de tipos intermediários, os "resultados" das misturas "raciais" dos tipos puros. Assim:

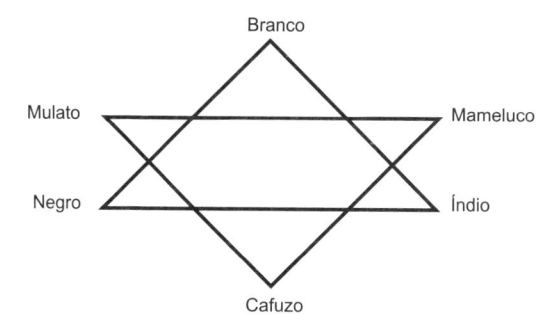

```
              Branco
Mulato                    Mameluco

Negro                     Índio
              Cafuzo
```

Sempre temos, como se observa no esquema, a possibilidade de formar triângulos. Vale dizer: de sempre *intermediar*, *conciliar* e tornar *sincréticas* as posições polares do sistema, pela criação de tipos intersticiais, mediadores destas posições. Num meio social hierarquizado, tais intermediações triangulares (ou seja: em três e nunca em dois, o que conduziria ao dualismo exclusivista) são parte de sua própria lógica social, pois é por meio da mediação que se pode efetivamente propor o adiamento do conflito e do confronto. Assim, o uso, ou melhor: a invenção do mulato como uma "válvula de escape" (cf. Degler, 1976), o sistema de preconceito racial de marca (em oposição ao de origem), como colocou Nogueira; e as intimidades e redes de relações pessoais entre negros e brancos (como coloca Gilberto Freyre), são todos funções de um sistema abrangente de classificação social fundado na hierarquia. Um sistema de fato profundamente anti-igualitário, baseado na lógica do "um lugar para cada coisa, cada coisa em seu lugar", que faz parte de nossa herança portuguesa, mas que nunca foi realmente sacudido por nossas transformações sociais. De fato, um sistema tão internalizado que, entre nós, passa despercebido.

Nesta sociedade há em todos os níveis essa recorrente preocupação com a intermediação e com o sincretismo, na síntese que vem – cedo ou tarde – impedir a luta aberta ou o conflito pela percepção nua e crua dos mecanismos de exploração social e política. O nosso racismo, então, especulou sobre o "mestiço", impedindo o confronto do negro (ou do índio) com o branco colonizador ou explorador de modo direto. Com ele, deslocamos a ênfase e a realidade: situamos, na biologia e na raça, relações que eram puramente políticas e econômicas. Essa é, a meu ver, a mistificação que permitiu o nosso racismo, o que explica a sua reprodução até hoje como uma ideologia científica ou popular. Do mesmo modo, no campo político e social, também sintetizamos (ou conciliamos) sistematicamente as posições polares e antagônicas. Deste modo tivemos uma monarquia absolutista quando deveríamos proclamar a república, fomos governados por um monarca liberal diante de uma elite reacionária e conservadora, temos uma burguesia que deseja se aliar com o Estado, desde que este defenda seus lucros. E, no campo religioso, conseguimos criar religiões intersticiais, como a Umbanda, religiões "sincréticas", isto é, fundadas em elementos compostos e tirados de outros credos, tudo isso neste jogo de ideologias que se nutrem do ambíguo e da conciliação abrangente que evita a todo o custo o conflito e o confronto.

Vemos, assim, que, entre nós, o "racismo" não foi só uma doutrina racionalizadora da supremacia política e econômica do branco europeu, e nem poderia ter sido deste modo. Aqui, o "racismo", como outras ideologias importadas foram modificadas, e nesta modificação obedeceram ao poder das forças que constituíam nossa totalidade social. Como a sociedade era hierarquizada, foi relativamente fácil refletir sobre as categorias intermediárias, intersticiais, ponto básico em sistemas onde existem gradações e se está sempre buscando um "lugar para cada coisa", de modo que "cada coisa fique em seu lugar". Foi isso que efetivamente ocorreu e, neste quadro ideológico-político geral, permitiu utilizar a noção de raça de modo intensivo e extensivo.

A noção de "raça" e o "racismo à brasileira" têm um valor socialmente significativo até hoje – sobretudo entre as camadas médias de nossa população – porque o nosso tipo de doutrinação racial é uma variante da europeia. Entre nós, o conceito passou a ser, como o sistema que o abriga, totalizante. De modo que para nós *raça* é igual a etnia e cultura. É claro que essa é uma elaboração cultural, ideológica, não tendo valor científico. Do ponto de vista biológico, a raça é uma variação genética e adaptativa de uma mesma espécie. Mas na conceituação social elaborada no Brasil, "raça" é algo que se confunde com etnia e assim tem uma dada "natureza". Essa colocação, por seu turno, permite escapulir ainda hoje de problemas muito mais complicados, como o de ter que discutir o nosso "racismo" como uma ideologia racial às avessas, anti-ideológica, que se nega a si própria, mas que é uma imagem de espelho do racismo europeu e americano. Só que aqui situamos questões relativas aos pontos intermediários do sistema triangulado pelas três raças, ao mesmo tempo em que fazemos um elogio claro e aberto da mulataria (sobretudo no seu ângulo feminino) e ao mestiço. Não é por outra razão que continuamos a ver o estudo da Antropologia Social como dentro de um plano traçado no século XIX, no estudo das raças; e o antropólogo como o grande eugenista que irá, pela "mistura" apropriada do branco, do negro, do índio e de todos os tipos intermediários, criar finalmente um "tipo brasileiro". Tipo que será exoticamente moreno, mas obviamente abrangido pela "raça humana"; ou então será uma "metarraça branca", como coloca delirantemente Gilberto Freyre nas suas modernas formulações do problema.[6] Não é preciso dizer novamente – pois esse foi o ponto desta longa digressão – que tudo isso é socialmente significativo e que toda essa discussão de "raças" é uma questão de ideologias e valores. Em outras palavras, dos modos pelos quais nós recortamos nossa realidade interna para nós mesmos. Foi neste recorte que recriamos a hierarquia que forma o nosso esqueleto social e foi nele que abrimos mão de estudar as *relações entre* as "raças", preferindo sempre o estudo das "raças" em *si mesmas*. Isso tem atrasado nossa percepção de nós mesmos como uma sociedade definitivamente dotada de estrutura social singular e cultura específica. Porque, colocando tudo em termos de "raças" e nunca discutindo suas relações, reificamos um esquema onde o biológico se confunde com o social e o cultural, permitindo assim realizar uma permanente miopia em relação à nossa possibilidade de autoconhecimento. Num mundo social determinado por motivações biológicas, desconhecidas de

---

[6] E a seu lado Darcy Ribeiro, cuja concepção de sociedade no fundo padece desta mesma visão. Assim, para ele, as configurações socioculturais se reduzem a "povos" e esses "povos" a "matrizes étnicas". Tais "matrizes étnicas", porém, nada mais são do que um nome novo para o velho e batido conceito de "raça", na melhor tradição de Gobineau, Sílvio Romero e Nina Rodrigues. Conforme coloca Ribeiro, numa passagem crítica, onde procura expor a tese dos "povos testemunhos", "povos transplantados", "povos emergentes" e "povos novos": "Os povos-novos, oriundos da conjunção, deculturação e caldeamento de matrizes étnicas muito díspares, como a indígena, a africana e a europeia" (cf. Ribeiro, 1972: 12) . Observe o uso das expressões biológicas, "matrizes", "caldeamento" e o termo "díspares", a trair a ideia – muito clara no ensaio citado – de que o "branco" é de fato superior ao índio e ao negro. Note também a outra noção básica (e evidentemente errada, mas muito velha entre nós) de que se pode realmente falar em "raças" europeias, africanas ou indígenas como categorias explanatórias.

nossas consciências, pouco ou quase nada há para se fazer em termos de libertação e esperança de dias melhores. Mas, como vimos, toda essa doutrina é ideologia social. Agora que a conhecemos, podemos retomar o caminho do estudo antropológico como devotado ao entendimento do social e o social é o histórico. Por isso mesmo, pode ser modificado e aberto ao sol do futuro e da esperança.

SEGUNDA PARTE

Antropologia e História

1. Introdução

Não tenho aqui a intenção de repetir a motivação mitológica e rotineira de tantos autores que, escrevendo sobre a "história da antropologia", fizeram justamente isso e começaram falando de Heródoto como o "pai da história" e, por extensão, como um primeiro antropólogo. Não estou seguro de que tal posição seja fértil, pois não acho que o encontro com o "começo" seja uma garantia para o sucesso intelectual de nossa empresa, como também não creio que uma exaustiva lista de "fundadores" da disciplina possam ampliar nosso entendimento de suas perspectivas e possibilidades. Realmente, no caso de Heródoto e dos gregos, tenho sérias dúvidas que uma "atitude antropológica" estivesse presente, já que ela implica uma relativização praticamente impossível para uma civilização que dividia o universo humano entre "nós" (os gregos, os homens) e os "outros" que, como se sabe, eram os "bárbaros" (categoria ampla, onde, no dizer de Aristóteles, "nenhuma distinção era feita entre as mulheres e escravos, porque entre eles não existe um chefe natural: eles são uma comunidade de escravos", cf. *A Política,* livro I: 125b). Sendo assim, situar o nascimento da antropologia na Grécia e depois descobri-la onde quer que exista um relatório de viagem para fora do mundo europeu seria violentar a própria angulação da disciplina para distinguir – como estamos vendo e veremos ainda nos próximos capítulos – com nitidez entre histórias, estórias, mitos e relatos de viagens; e uma posição de simpatia aberta e destemida pelo "outro". Será preciso, pois, começar com a advertência pela qual se permite distinguir relatórios de viagens que frequentemente equacionam costumes e descrições da flora e da fauna, com descrições que buscam tomar o ponto de vista do "outro" em seus próprios termos, além de uma moldura antropológica, quando o relato é orientado para a própria disciplina como um domínio com seu espaço interno legitimamente demarcado.

O problema, então, não é só o de apresentar uma "história da antropologia", mas o de relacionar a própria dimensão temporal com a posição aberta pela antropologia. A perspectiva é, pois, deliberadamente ampla e abrangente. Numa primeira fase, o estudo recai sobre a formação da antropologia enquanto disciplina saída de uma variante da História com "H" maiúsculo – a História que é a "mestra da vida". Na segunda, porém, tentarei indicar como é possível realizar hoje o procedimento inverso, isto é, uma "antropologia da história". Assim, se num primeiro momento a antropologia está francamente compreendida pela perspectiva temporal, no segundo, ela coloca em cena a noção da história em suas diversas modalidades de oposição e contraste com a própria ideia de tempo, separando criticamente essas duas visões: a de tempo (que todo grupamento humano possui e está submetido) e a de "história" (que somente algumas comunidades desenvolveram).

2. História da Antropologia

Falar da "história da antropologia" é especular sobre o modo pelo qual os homens perceberam suas diferenças ao longo de um dado período de tempo. Sabemos que tal tarefa é essencial para todas as sociedades e que isso não é algo que se realiza com facilidade, justamente porque tem sido exatamente a diferença e o modo como ela é enquadrada num sistema de valores (ou numa ideologia dominante) o fator primordial na justificativa e legitimação da exploração, da conquista, e da destruição de uma sociedade por outra. Percepções de diferenças entre grupos humanos são uma constante onde quer que haja homens, mas isso é obviamente muito diferente do uso das diferenças como uma espécie de escudo ideológico para justificar a ocupação territorial ou a aniquilação de um grupo pelo outro. Esse uso diferenciador das diferenças quando elas são conscientemente elaboradas objetivando um rendimento político é que acaba produzindo uma "teoria da diferença" que, no caso do mundo ocidental, ficou muitas vezes revestida de uma capa de respeitabilidade científica. É essa história que desejamos abordar aqui, já que ela está ligada intrinsecamente ao desenvolvimento da sociedade europeia a partir dos séculos XV e XVI. Mas se tais desenvolvimentos têm um claro aspecto ideológico, justificando a superioridade do explorador e colonizador europeu, eles também revelam – como prova a existência das Ciências Sociais e da Antropologia – tendências contraditórias, pois que carregaram consigo motivações que objetivavam manter desigualdades, tanto quanto impulsos libertadores, nascidos dos ideais igualitários que, paradoxal e dialeticamente, surgem nesta mesma Europa aristocrática e hierarquizada. É esse impulso igualitário que acabará permitindo o nascimento das modernas doutrinas de igualdade e fraternidade entre os povos, criando a vertente de nossa disciplina como um domínio especial onde podemos realizar uma importante reflexão sobre nós mesmos através do estudo dos "outros".

O caminho para esta visão que no campo teórico corresponde ao desenvolvimento da antropologia social é longo e muito bem marcado por dois movimentos distintos e modelares. A esses movimentos correspondem duas personalidades familiares ao leitor, figuras absolutamente sem par na antropologia social moderna. Uma delas é Sir James Frazer, a outra é Bronislaw Malinowski. Um dos mais desabusados antropólogos contemporâneos, Edmund Leach, assim situou esses dois personagens básicos:

> "Estudiosos que se chamam antropólogos sociais são de dois tipos. O protótipo do primeiro foi Sir James Frazer (1845-

1941), autor do *The Golden Bough* (= O Ramo Dourado). Ele foi um homem de saber monumental que não tinha experiência direta com a vida dos povos primitivos sobre os quais escreveu. Ele esperava descobrir verdades fundamentais sobre a natureza da psicologia humana, comparando os detalhes da cultura humana numa escala mundial. O protótipo do segundo foi Bronislaw Malinowski (1884-1942), nascido na Polônia e naturalizado inglês, que passou grande parte de sua vida acadêmica analisando os resultados da pesquisa que ele mesmo conduziu por um período de quatro anos numa única e pequena aldeia na distante Melanésia. Seu objetivo foi mostrar como esta exótica comunidade 'funcionava' como um sistema social, e como seus membros progridem do berço ao túmulo. Ele estava mais interessado nas diferenças entre as culturas, do que na sua abrangente similaridade" (cf. Leach, 1970: 2).

O texto de Leach coloca numa cápsula as tendências que os antropólogos têm até hoje seguido. Porque Frazer e Malinowski não representam apenas dois estilos pessoais de realizar a pesquisa antropológica, mas expressam o dilema central da disciplina situada que está entre os valores dados pelo colonialismo vitoriano, cheio de certezas racistas e superioridades políticas, econômicas e intelectuais; e o funcionalismo que acaba colocando os problemas do relativismo e de um conhecimento social detalhado, individualizado, dinâmico, monográfico, que não permite esquemas gerais determinantes ou sínteses grandiosas. E isso é apenas outro modo de dizer que, em antropologia, sempre se pode buscar a generalidade para realizar generalizações de cunho formalista ou realizar o trabalho de procurar o específico de cada sociedade e situação social, quando o pesquisador acaba diante dos problemas colocados, de um lado, pela história como processo (e não como um mecanismo vazio) e, de outro, pela consciência como um elemento de decisão entre alternativas. Em outras palavras, no universo social de Frazer jamais se podem localizar zonas de atrito e áreas de singularização. Aqui, estamos diante de um drama muito amplo, onde as sociedades humanas com suas especificidades são apenas momentos que o pesquisador não tem tempo de estudar. Já o universo de Malinowski é rico em detalhes, transmitindo com concretude o espaço social inventado por homens distantes e diferentes de nós. Seu drama é aquele de uma sociedade às voltas consigo mesma, no constante refazer-se e redefinir-se que é o mundo cultural.

a) O evolucionismo

Retomemos os nossos personagens míticos. Sabemos que Sir James Frazer e todo o movimento que ele representou (o chamado evolucionismo) atualizava na pesquisa antropológica uma série de operações peculiares. Seu modo de investigação implicava sempre separar os dados sociais (ou culturais), classificando-os em categorias diferentes. É claro que todo o cientista separa, divide e classifica, mas esse não é um movimento único. Se a separação é feita num momento, logo em seguida busca-se reunir novamente todos os dados numa nova totalidade mais significativa e profunda. Mas, para esse tipo de antropologia praticada por investigadores do tipo Frazer, a operação de separação era uma estrada com mão única. Deste modo, toda a antropologia genética sempre divide tudo: verbo e ação, ciência (que é o que fazemos) da magia (praticada pelas culturas rústicas ou rudimentares que estudamos). Do mesmo modo, a sociedade de Frazer também está separada do mundo, sobretudo do mundo que havia conseguido dominar. Como que refletindo essa posição, Frazer e outros evolucionistas do seu tempo colecionaram milhares de fatos etnográficos de todo o mundo, construindo uma verdadeira história da humanidade vista pelo prisma dos deuses, dos rituais, dos sacrifícios, das magias e da religião. Mas neste processo de classificação de costumes primitivos eles separavam os fatos do contexto onde surgiam. Assim, embora tivessem sido os evolucionistas os primeiros a vislumbrar as enormes potencialidades do método comparativo, eles não puderam aproveitar totalmente tais potencialidades porque comparavam costume com costume, em vez de comparar, como fazemos hoje, o costume com o contexto onde ele aparece como tal e, somente depois desta operação, o costume desta sociedade com o de uma outra. Como antropólogos fascinados com essa comparação horizontal, que não se importa com o contexto, eles pareciam com os construtores de museus, essas verdadeiras casas de classificação de objetos expressivos de períodos histórico-culturais diferenciados que permitiam demonstrar cabalmente a trajetória da evolução humana na face do nosso planeta. Os museus, assim, surgem abrindo uma área para os troféus que o *Imperium*, em virtude de sua superioridade, um dia resolveu reunir. E o colecionador do museu, como o administrador colonial e o nosso antropólogo vitoriano evolucionista, têm uma verdadeira mania classificatória, sendo sua tarefa a de obter exemplares típicos das etapas pelas quais tem caminhado a humanidade no seu avanço até o *nosso tempo* e, sobretudo, a *nossa sociedade*. Do mesmo modo que a sociedade Imperialista tem, como já assinalou Hannah Arendt (1976), a ânsia da conquista pela conquista, seus antropólogos classificam tudo. Assim, se Cecil Rhodes dizia que, se pudesse, iria anexar os planetas, Tylor, Frazer e Morgan iriam classificar todos os costumes, situando-os numa escala evolutiva apropriada. À megalomania de Cecil Rhodes, sonhando nostalgicamente com a anexação de tudo, corresponde – sem exageros – a perspectiva legisladora de Tylor, quando acredita que todo o universo deve estar determinado por leis. Nas suas palavras: "se em algum lugar há leis, estas devem existir em toda a parte" (cf. Tylor, 1871). O Império e a superioridade do homem branco anglo-saxão se reproduz em vários níveis. Seus políticos falam de expansão e anexação; seus estudiosos mais criativos ampliam as fronteiras da ciência do homem descobrindo "leis" e, assim fazendo, realizam a anexação da magia, da religião exótica, da "couvade", do casamento por captura e de toda legião de costumes que o mundo ocidental desvenda e entra em contato após sua expansão. O trajeto da ciência é, pois, homólogo ao da sociedade que, por sua vez, tem a mesma curvatura do indivíduo que elabora as ideias, transformando-as em teorias, em "teorias das diferenças".

O evolucionismo pode, portanto, ser caracterizado por quatro ideias gerais.

Primeiro, a ideia de que as sociedades humanas deviam ser comparadas entre si por meio de seus costumes. Mas tais costumes são definidos pelo investigador e não são situados lado a lado de modo horizontal. Eles não são vistos como peças de um sistema de relações sociais e valores, mas como entidades isoladas de seus respectivos contextos ou totalidades. Essa separação do contexto é que vai permitir situar cada costume como sendo uma ilustração crítica de momentos (ou estágios) socioculturais específicos. Assim, por exemplo, o costume de chamar de "mãe" todas as mulheres situadas na mesma geração da mãe, inclusive obviamente suas irmãs, que para nós são classificadas como "tias", e de "pai" todos os homens da mesma geração do pai, inclusive seus irmãos; classificando pela mesma lógica os filhos dessas pessoas como "irmãos" e não como "primos" (como ocorre no nosso sistema), foi estudado por Lewis Henry Morgan e interpretado como uma prova de um tempo pretérito, em que os casamentos eram promíscuos. Como Morgan isolava costumes, ele deu a maior atenção às terminologias ou nomenclaturas de consanguinidade e afinidade utilizadas pelas mais diversas sociedades. Buscando resolver esses diversos sistemas terminológicos que, de fato, surgiam em tipos com uma uniformidade impressionante, Morgan postulou etapas anteriores ao momento atual, tomado por ele como ponto final da evolução das formas de família, incesto, parentesco e casamento. Assim, se na sociedade ocidental do século XIX o casamento era algo individualizado e a família operava de modo nucleado (na base do marido, mulher e filhos), o passado deveria ser o oposto. E o oposto aqui seria um sistema em que a individualização não existiria e muito menos a ideia de incesto entre irmãos. Tal sistema seria a resultante de uma forma de casamento indiferenciada, quando todos os homens coabitavam com todas as mulheres. Isso, visto da perspectiva da geração posterior (a dos filhos), iria resultar num sistema terminológico do tipo anteriormente descrito. Eu, como um filho, tenderia a nunca distinguir entre o meu genitor de todos os outros homens de sua geração; do mesmo modo que minha mãe seria confundida com todas as outras mulheres de sua própria geração. Como Morgan postulava que a superestrutura linguística (os termos de parentesco) mudava menos que os costumes (a prática social concreta) e que o parentesco era, de fato, algo que tinha a ver com o "sangue" (no sentido ocidental do termo), ele explicou um costume presente pelo seu passado postulado – como se fosse uma "sobrevivência". Os termos de parentesco classificatório, deste modo, eram prova de um costume de casamento por grupo, há muito desaparecida.

Hoje sabemos que tal forma de explicação não passa de uma fantasia sociológica. A forma de uma "promiscuidade primitiva" nunca foi encontrada em nenhum lugar, o "sangue" não é uma base universal para definir sistemas de relações entre pais e filhos em todos os lugares do mundo e, ainda, sistemas em que os irmãos do mesmo sexo dos genitores podem ser plenamente entendidos quando se focaliza essa instituição como parte de uma rede de relações muito mais ampla. Assim, se descobre que tais sistemas que Morgan denominou de "classificatórios", uma denotação que até hoje permanece como uma de suas contribuições fundamentais aos estudos de parentesco, podem ser explicados pela presença de grupos unilineares de descendência, como clãs, linhagens e famílias extensas. O presente não é necessariamente explicável pelo passado, sobretudo quando esse "passado" é uma etapa postulada, estágio lógico e visto como tal pelo investigador, nada tendo a ver com fatores histórico-sociais concretos.

A segunda ideia do evolucionismo é a de que os costumes têm uma *origem*, uma substância, uma individualidade e, evidentemente, um fim. O fim não é jamais discutido pelos teóricos do século XIX, porque é sempre encarado como sendo a encarnação da sociedade branca, tecnológica, europeia onde viviam os pesquisadores. Creio que qualquer um deles, observando hoje em dia os movimentos ecológicos e a incerteza que a técnica tem causado no mundo contemporâneo, iria colocar de quarentena sua fé neste tipo de progressismo fácil, sintoma de uma sociedade muito confiante nas suas possibilidades e na sua superioridade. De qualquer modo, todos esses traços estão ligados entre si. Essa posição levava os melhores evolucionistas, gente como Tylor e Frazer, por exemplo, a imaginarem teorias para frações isoladas de um sistema social, assumindo o lugar dos "primitivos" que estavam estudando. Como eles não conheciam a pesquisa de campo (ou trabalho de campo), processo que coloca – como veremos na próxima parte – o pesquisador em contato direto com a realidade social que deseja compreender e, concomitantemente, faz essa realidade falar, discordar e emitir opiniões sobre suas explanações, era fácil imaginar como "funcionava" a cabeça de seus nativos, simplesmente porque eles nunca podiam opinar sobre as teorias. Toda a teoria da religião de Tylor, por exemplo, fundava-se em tais considerações psicológicas ou individualizantes, quando ele diz que a religião é igual à crença em espíritos e daí deduz engenhosamente que a crença em espíritos nasceria de uma atitude de estranhamento do homem primitivo diante de seus próprios sonhos. O sonho foi tornado por Tylor como um evento intrigante e era esse fenômeno isolado, lido em sua individualidade e universalidade, que permitiria uma reflexão intelectualista sobre ele, buscando uma explicação. Tal explicação seria a mais lógica possível (nos termos de Tylor): a de que o sonho é um modo de "ver" e "falar" com a alma dos parentes, amigos ou mesmo inimigos. Acordado, o nativo explicaria o sonho pela presença de espíritos e isso era o ponto de partida para a religião. Nesta interpretação intelectualista ou psicológica, o religioso não expressa fatores e motivações sociais (ou culturais), mas se reduz à vontade de agentes individuais, vontade que depois é projetada para toda a coletividade. O sonho, portanto, conduz à especulação sobre a alma, sobre a imagem e sobre um duplo, abrindo caminho para a fundação do "outro mundo", o domínio do sagrado, do religioso e do sobrenatural. Ao mesmo tempo, Tylor assinala o fenômeno religioso como algo dotado de uma substância: a crença em espíritos e almas. Mas vejam bem o ponto: se a definição é formalmente perfeita, ela – como tantas outras postulações evolucionistas, como a divisão entre super e infraestrutura, por exemplo – não permite distinguir a religião, digamos, dos Nuer, da dos Romanos. É certo que ambos acreditavam em espíritos, almas e outras entidades sobrenaturais, mas é igualmente certo que, em cada caso, existem variações institucionais, variações obviamente ligadas a todo o conjunto de relações sociais e sistemas de valores que formam aquilo que denominamos de sociedade X, Y ou Z. Simplesmente dizer que "religião é crença em almas" é abrir um caminho seguro para a especulação sociológica nesta dimensão da realidade humana, mas isso também pode impedir a distinção e a discussão das especificidades que, de fato, cada religião é capaz de atualizar como um elemento básico na orientação ideológica da sociedade da qual é parte. O argumento psicológico de Tylor, portanto, era como imaginar o mundo "se eu fosse um cavalo". E ele falha precisamente porque com este tipo de argumentação eu estou reduzindo todo o jogo dos fatos sociais a uma lógica psicologizante. E somente a partir daí, buscando chegar à realidade social da religião.

Essa ideia de substância permite aos evolucionistas a classificação isolada não só de fenômenos internos à sociedade, como a religião, o direito, o mito, a tecnologia etc., mas as próprias sociedades entre si. Deste modo, certos sistemas estariam no estágio da selvageria, outros – dotados de certo aparato tecnológico – no de civilização. E cada qual teria certos elementos invariantes, definidores de suas respectivas posições no quadro da evolução das sociedades. É evidente que tal elemento invariante, que permite a apresentação de todas as sociedades numa escala, é o desenvolvimento da tecnologia e controle do mundo exterior, inclusive dos indivíduos e dos grupos. Toma-se, pois, o domínio mais importante do nosso próprio mundo, para realizar a empresa classificatória das sociedades do nosso planeta. Causaria certamente um escândalo perguntar a um evolucionista como seria esta escala evolutiva, se ela fosse realizada por uma sociedade cujo centro de preocupações não fosse o controle positivo do mundo externo, mas o controle negativo do mundo interno. Digamos, uma sociedade preocupada, como ocorre com a maioria das sociedades tradicionais, sobretudo as tribais, com o controle das emoções antissociais como a sexualidade, a inveja, o ódio e a desesperança. Onde ficaríamos nós nesta escala evolutiva? E onde ficaria a sociedade que a construiu? A prova evolucionista fica assim reduzida a apenas uma prova de força. Tudo o que podemos dizer da tecnologia é que, afinal, desenvolvemos o nosso poder de destruição. E nisso, sem dúvida, englobamos o planeta, suprimindo, à primeira vista, as possibilidades de variação ao longo do eixo da humanidade.

A terceira ideia mestra do evolucionismo é a de que as sociedades se desenvolvem de modo linear, irreversivelmente, com eventos podendo ser tomados como causas e outros como consequências. Junto com essa ideia de desenvolvimento linear, temos a noção de progresso e a de determinação. Assim, os sistemas evolvem do mais simples para o mais complexo e do mais indiferente para o mais diferenciado, numa escala irreversível. De uma formação em que nem se podiam distinguir os parentes dos afins (caso da promiscuidade primitiva de Morgan), para uma sociedade onde tudo estava diferenciado e o indivíduo se contava como sendo o próprio centro do sistema. Chamava atenção dos evolucionistas o fato de que, em sociedades tribais, o indivíduo obviamente não existia enquanto centro do sistema moral, político ou religioso. Daí a famosa expressão vitoriana "custom is king!" para exprimir a razão social nestes universos. Por outro lado, a ideia de progresso e de determinação ajudava a promover o chamado processo civilizatório de muitas sociedades tribais, em contato com o mundo capitalista ocidental. Se o progresso era realmente inevitável e estava contido dentro das forças sociais atuantes na própria natureza da sociedade humana, então por que não aceitar os desafios e ajudar a certos grupos a romper as amarras do atraso e do primitivismo? Por que então não "civilizar", e não "cristianizar", tal como já haviam realizado os gregos e os romanos diante dos "bárbaros"?

Desejo ainda observar que a ideia de progresso está profundamente relacionada à de determinismo e ambas se realizam numa dimensão temporal, numa história. No determinismo, temos a doutrina segundo a qual as forças que movem realmente a sociedade estão fora da consciência e do controle do sistema enquanto tal. Tais forças, assim, atuam de modo subjacente, como uma espécie de mão oculta. O determinismo, como uma doutrina surgida no cenário social das ciências no século XIX, tem uma série de causas, mas creio não ser ocioso mencionar que este é um século onde se formam concepções mais modernas (e mais científicas) de sociedade. De fato, a noção de sociedade corrente no século XIX (e também no nosso século), até pelo menos a emergência do pensamento sociológico francês, com Durkheim e seus discípulos, é a de sociedade como uma associação. Ou seja, a velha ideia dos empiristas ingleses, de acordo com a qual a sociedade estava fundada num movimento de indivíduos na direção da criação de uma mutualidade, de regras que os pudessem unir entre si, fazendo trégua sobre suas diferenças e, sobretudo, construindo uma ponte contratual sobre seus interesses divergentes. Visto deste modo, o sistema se oferecia à análise não como uma totalidade, mas como uma realidade dada em parcelas.

Pois bem, foram as doutrinas evolucionistas quem primeiro trataram de apresentar a sociedade como uma totalidade, como universalidade. Tais doutrinas foram chocantes no ambiente do século XIX (como são ainda hoje em muitos círculos), porque conceituavam a sociedade como feita de forças que estavam aquém ou além dos indivíduos. Ou seja, demonstravam com clareza que o sistema social é realmente um sistema, uma totalidade, tendo forças, motivações e uma ordem que não podia ser explicada pela unidade *indivíduo*, até então tomado como centro e motivo do sistema. Noto que os primeiros determinismos a fazer sucesso no mundo ocidental foram aqueles voltados para as restrições de caráter climático ou geográfico. Aqui, todo o sistema ficava submetido a forças exteriores, mas era obrigado a reagir como um todo, a despeito de suas diferenças individuais internas. Em seguida, fez grande sucesso, sobretudo por suas capacidades de legitimações políticas, o determinismo racista (de tão grande sucesso no Brasil, como já vimos anteriormente). No racismo, sobretudo em sua variante genética, unilinear e historicista, a unidade de estudo não é mais o indivíduo, mas a raça: indivíduo biológico, tomado como um tipo historicamente acabado (como uma espécie no seu sentido tipológico) que tem dentro de si mesmo um dado potencial cultural e social do qual não pode evadir-se. Finalmente temos o determinismo historicista de cunho econômico, inaugurado pela assimilação de uma forma especial de marxismo e também pelo mesmo modo de absorver a obra de Freud. Nestes dois casos, as unidades analíticas são, respectivamente, classes sociais (definidas por seus antagonismos e diferenciações no meio do processo produtivo) e as forças inconscientes, sempre em conflito com as unidades expressivas da ordem (o superego) e o ego (como que perdido e sem lugar num esquema de tendências claramente dualistas).

De qualquer modo – e eu não tenho a intenção de rever aqui todas essas variantes teórico-doutrinárias –, o determinismo situa sempre as forças motrizes básicas: a primeira é a visão da sociedade humana como submetida a forças que ela pode ter criado, mas que ela não pode controlar e que atuam, definitivamente, sobre ela; e a segunda é que a unidade de estudo não é mais o indivíduo tomado como herói ou covarde, mas raças, classes, ou mesmo unidades muito mais complexas como o inconsciente ou a própria noção de sociedade e de cultura como totalidades abrangentes. A vantagem e o apelo de tal formulação jazem nas suas possibilidades de totalizar a realidade humana ao longo de uns poucos fatores causativos (ou determinantes) gerais – isso quando um só fator não é tomado como dominante. Mas sua fraqueza fica situada precisamente nesta lógica unilinear, quando tende a perder de vista o múltiplo jogo de realidades que constantemente atuam junto ao mundo da consciência e ali são socialmente (= coletivamente) elaborados, ganhando por isso mesmo um peso e uma autonomia específicas. Assim, dentro de um esquema evolucionista, determinista e abrangente, como explicar diferenças entre sociedades submetidas ao mesmo jogo de fatores climáticos e geográficos? Como singularizar sistemas formados pelas mesmas "raças"; ou submetidos aos mesmos ditames coloniais, todos interessados apenas na exploração econômica da sociedade dominada? Quando buscam exprimir e explicar definitivamente as diferenças entre os homens, os determinismos acabam criando uma unidade que aprisiona o espírito.

Chegamos, assim, ao nosso quarto e último fator característico do evolucionismo na antropologia. Trata-se do modo típico pelo qual essas doutrinas enquadram as diferenças entre os homens. Nós já vimos que, no evolucionismo e em toda a variedade de historicismo mais abrangente, as diferenças são sempre reduzidas a momentos históricos específicos. Deste modo, a sociedade que não conheço, que percebo como estranha a mim e aos meus que, no entanto, é minha contemporânea, fica reduzida nesta forma de pensamento a uma etapa pela qual minha sociedade já passou. Ou seja: o modo típico de pensar as diferenças na posição evolucionista é pela redução da diferença espacial, dada pela contemporaneidade de formas sociais diferenciadas, dentro de uma unidade temporal postulada, posto que inexistente ou conjectural.

Por meio desta lógica, usa-se o velho modo de apresentar o que é novo e o que é estranho, como se ele fosse velho e conhecido, e, por meio disto, dar conta de outros universos sociais como se eles fossem parte e parcela do nosso próprio passado.

Todas as formas sociais, políticas, econômicas, religiosas, jurídicas e morais desconhecidas foram reduzidas ao eixo do tempo, situado no nosso sistema classificatório, como a grande máquina capaz de eliminar as diferenças e de, por isso mesmo, reduzir o estranho ao familiar. Na medida em que situo diferenças num eixo temporal exclusivo, que é medido pelo suposto desenvolvimento de minha própria sociedade, eu transformo diferenças em etapas do meu próprio desenvolvimento. E, deste modo, anulo todas as possibilidades de pensar e conceber o "outro" como um igual.

Num esquema, isso ficará ainda mais claro:

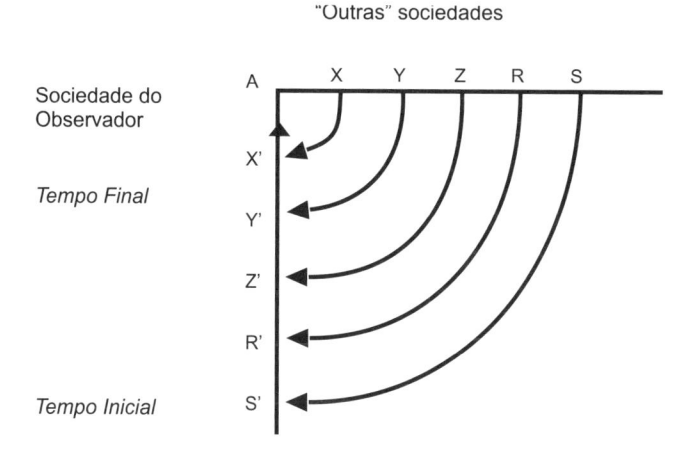

"Outras" sociedades

Sociedade do Observador

Tempo Final

Tempo Inicial

As duas coordenadas do sistema desenhado acima revelam tudo o que foi visto anteriormente, permitindo "ver" a transformação lógica pela qual o diferente vira familiar. A coordenada espacial – ou a coordenada da contemporaneidade – exprime o "outro" em sua realidade concreta presente, isto é, em toda a sua plenitude e na força do seu estranhamento. Mas a coordenada vertical exprime um eixo temporal postulado, eixo que se inicia num "tempo inicial" e termina na sociedade do observador. Essa disposição temporal permite efetuar o rebatimento das sociedades desconhecidas no plano temporal e assim transformar o estranhamento concreto numa familiaridade postulada, situada no eixo de um tempo dado como conhecido. Deste modo, se a sociedade "x" tem um sistema de casamento onde o noivo é obrigado pelo costume a raptar a noiva, o observador não se permite especular sobre esse fato como um dado presente, um traço *daquela* sociedade desconhecida explicável em termos das relações *daquele* sistema matrimonial com outras instituições. Ele postula que tal forma de casamento nada mais expressa do que um tempo pretérito relacionado às origens da exogamia (casar fora do grupo de parentesco) porque, como de fato disse McLennan, a exogamia, obrigando o casamento com estranhos, conduziria ao rapto da noiva. E isso, por sua vez, seria causado por um outro fator histórico, igualmente postulado pelo teorista, o infanticídio primitivo. Como os homens matavam as meninas, a consequência deste fato era o casamento por captura, o nascimento da exogamia e a poliginia (um homem poder casar-se com várias mulheres simultaneamente). O modo de demonstrar o argumento era pela citação de vários costumes relativos ao casamento, sem nenhuma preocupação com o estudo destas formas matrimoniais em termos do sistema do qual ele faz parte (cf. McLennan, 1970). Mas, eu devo continuar observando, a forma do argumento sempre aproxima o costume primitivo (isto é, original e antigo no tempo), com as formas conhecidas socialmente, até alcançar o terreno familiar dos costumes gregos e romanos, quando eles se dissolvem na familiaridade plenamente histórica do mundo cultural do próprio observador. O mesmo poderia ser dito relativamente à interpretação de formas de família e parentesco, quando o observador – utilizando a mesma lógica – toma o presente e o explica pelo passado, usando a famosa noção de "sobrevivência" cultural, termo largamente associado a todas as explicações evolucionistas. A ideia de sobrevivência é a cristalização perfeita do modo particular de reduzir a diferença ao eixo do tempo, pois qualquer costume que eu não posso compreender numa sociedade para mim desconhecida, digamos, uma terminologia de parentesco, ou uma instituição educacional como um ritual de iniciação, eu posso dizer que tal costume é uma *sobrevivência* de alguma forma social do passado e, logo que eu falo em passado, eu torno tudo novamente tranquilo, pois com essa concepção de um tempo abrangente e hierarquizado eu exorcizo a diferença que faz pensar em alternativas e escolhas. E refletir sobre escolhas e alternativas que grupos humanos podem realizar para sua produção e reprodução conduz inapelavelmente a uma relativização indesejável dos meus próprios valores. Deste modo, enquanto eu posso rebater a diferença social colocada pela presença do "outro" num sistema histórico postulado do qual a minha sociedade representa o estágio final, tudo pode ser ordenado hierarquicamente, sob a moldura formidável da dominação da nossa sociedade. Mas quando eu, abandonando o esquema evolucionista, posso perceber as diferenças enquanto diferenças, a síntese terá que mudar. Ela não poderá mais ser realizada – como veremos mais claramente no final desta parte – em torno de uma concepção do tempo como uma dimensão genética exclusiva, com um caminho único, que conduz – pela via determinada do progresso – às formas sociais de nossa própria sociedade. Ao contrário, quando assim procedo, permito a abertura do esquema para outras possibilidades de realização das relações humanas, introduzindo uma outra curvatura no meu modo de compreender o "outro", tudo isso conduzindo a uma "antropologia da história". Em outras palavras, quando posso buscar entender um costume desconhecido sem necessariamente submetê-lo ao eixo de uma temporalidade postulada pela minha sociedade, eu me permito alcançar a lógica social daquele costume como uma outra alternativa social. Isso me leva ao respeito pela inventividade humana, a humildade pela relativização do meu modo de ordenar uma mesma dimensão da realidade humana e a um desenvolvimento histórico que formou aquele costume observado que pode ser muito diferente do meu.

Essa perspectiva, porém, que será mais desenvolvida quando falarmos de uma "antropologia da história", foi iniciada com o chamado "funcionalismo" inventado por Malinowski e ganhou forma com o "estruturalismo" de Claude Lévi-Strauss.

b) O funcionalismo

Não sei o que o termo "funcionalismo" pode despertar na mente do leitor e espero que, mesmo que ele evoque uma área negativa, possa ser paciente para acompanhar comigo algumas apreciações relativas ao funcionalismo que julgo importantes. Em primeiro lugar, é preciso dizer que a palavra "funcionalismo" tem um sentido básico, associado à obra de Malinowski e de Radcliffe-Brown, que pode ser entendido como uma reação positiva às teorias evolucionistas, sobretudo ao conceito abrangente de "sobrevivência". Na orientação evolucionista, onde os costumes só fazem sentido quando estão relacionados verticalmente num eixo temporal, existe sempre uma espécie de resíduo, algo que sobra e consegue como que escapar das malhas implacáveis e transformadoras do tempo. Ora, é precisamente esse resíduo que forma um dos alvos mais importantes dos etnólogos desta tradição, pois é a sobrevivência que permitirá relacionar o presente com o passado, explicando um pelo outro. Deste modo, a instituição ou costume que "sobra" ou sobrevive ao tempo é um apêndice que indica o passado no meio do presente. As nostálgicas carruagens de qualquer grande cidade seriam uma sobrevivência de um tempo antigo, em que somente se andava em carros puxados por cavalos; os mitos seriam sobras de um tempo de reis e princesas, onde se ignoravam a ciência e a técnica; e as festas populares seriam sobrevivências de um tempo antigo, "guardadas" por algum grupo especial, que as comemora porque é o "costume". Poder-se-ia pensar, igualmente, em muitos outros traços de comportamento, nos quais essa teoria da sobrevivência seria aplicada.

Pois bem, a reação funcionalista a esta doutrina foi no sentido de revelar que nada numa sociedade podia ocorrer ao acaso, como uma sobra ou sobrevivência de um tempo pretérito. Como uma dobra esquecida do tempo, algo sem um papel. Deste modo, o que os funcionalistas primeiro sugeriram foi a possibilidade de estudar a sociedade como um sistema coerentemente integrado de relações sociais. Se carruagens foram usadas antigamente e são usadas hoje em dia, isso não ocorre porque elas são traços que sobraram dos bons tempos antigos, mas um modo moderno de recriar hoje esse passado. As carroças a cavalo têm, pois, uma função (um papel) a cumprir e esse papel é o de lembrar ou sinalizar para o passado. Se descobrirmos por que buscamos recriar o passado com carruagens a cavalo e não com outro traço qualquer, descobriremos algo importante na nossa noção de passado como um tempo associado a uma vida urbana romântica, tranquila, idealizada, feita de um tempo vagaroso, ritmado pelas patas de um cavalo meigo e de um cocheiro atencioso. Claro está que nada disso corresponde à verdade do mundo do século XVIII ou XIX, um mundo urbano assoberbado pela pobreza desamparada e pelos milhares de ladrões tão vivamente descritos por gente como Swift e Dickens. Escolhemos então a carruagem porque ela nos remete, por contraste, a uma faceta do mundo urbano, onde a velocidade tornou-se perturbadora. Esse é, provavelmente, diria um funcionalista, o significado social da carruagem no mundo moderno. Um sentido básico do termo "funcionalismo", pois tem a ver com funcionalidade no sentido de que nada num sistema ocorre ao acaso ou está definitivamente errado ou deslocado. Tal modo de ver instituições e costumes foi característico dos antropólogos evolucionistas, que consideravam certos traços de comportamento como irracionais ou errados, dado que a interpretação destes traços remetia ao passado. Para que isso fique ainda mais claro, basta lembrar a discussão ao longo da noção de feudalismo na ciência social brasileira durante os anos 1950 e início dos anos 1960. Aqui também utilizou-se uma noção implícita de "sobrevivência", quando a orientação do debate era no sentido de mostrar como a organização da produção e da vida social nos latifúndios brasileiros, sobretudo no Nordeste, tinha um caráter feudal e era "restos" de um passado português que importava destruir e libertar. O que ninguém conjecturava na época era a pergunta funcional do "por que" de tais traços feudais, mas no sentido de seu papel social com relação às áreas mais avançadas de nossa economia. Quando isso foi observado, causou surpresa em certos círculos descobrir como a nossa "economia feudal" podia estar tão bem situada junto à nossa "economia capitalista". E isso conduziu à visão cada vez mais corrente de que temos no caso brasileiro uma economia com várias peculiaridades, sendo uma delas a combinação de relações pessoais e moralidade contidas na patronagem (confundidas sistematicamente com um modo de produção feudal), e um sistema monetário extremamente avançado de tipo moderno (cf. para uma visão global, mas obviamente resumida do debate, Topalov, 1978).[7]

Creio que tal sentido da atitude despertada pelo funcionalismo é muito diferente de uma doutrina (ou ideologia) derivada dela que postula um equilíbrio entre todas as partes ou esferas de um sistema social. De fato, estou convencido – e espero que o leitor também – de que a postura definidora do sistema social como algo que (a) não tem restos, pois ali tudo desempenha um papel; (b) onde tudo tem um sentido, ainda que esse sentido não seja facilmente localizável; e (c) que o sentido de um costume, hábito social ou instituição tem que ser compreendido nos termos do sistema do qual provém, é algo positivo e até mesmo revolucionário, relativamente à posição anterior do evolucionismo, a ver tudo em termos de sobrevivências históricas. Mas estou igualmente convencido de que a derivação doutrinária segundo a qual tudo é necessário e a sociedade está em equilíbrio é um abuso da posição anterior, pois se trata realmente de uma proposição substantiva relativamente à sociedade e ao seu funcionamento e creio que essa proposição é uma generalização in-

---

[7] Veja também a tese de Moacir Palmeira, *Latifundium et Capitalisme*. Paris, 1973.

justificada de uma possibilidade concreta e historicamente dada. Em outras palavras, a declaração de que tudo numa sociedade tem um sentido não autoriza a teoria de que tudo está em equilíbrio. De fato, posso facilmente imaginar instituições sociais cujo papel é precisamente desequilibrar a sociedade. Uma destas instituições é certamente o conjunto de sistemas educacionais e científicos que, pela sua operação, estão sempre criticando as forças sociais tradicionais, cristalizadas. Por outro lado, a proposição de que tudo numa sociedade está em equilíbrio não é, como já disse, uma postura teórica diante dos fatos sociais, mas uma declaração substantiva, relativa à natureza do sistema social. E aqui, novamente, temos que distinguir sistemas sociais preocupados com seu equilíbrio e sua funcionalidade interna, sociedades que temem o conflito e o dissenso e por isso mesmo muitas vezes se armam de um aparato repressivo; e sociedades cuja dinâmica se realiza precisamente pelo conflito. Isso certamente ajuda a perceber o "funcionalismo" como uma atitude diante do social e como uma atitude que precisa ser demarcada epistemologicamente antes de ser usada tanto como uma panaceia para todos os males teóricos da antropologia social ou de ser condenada como uma doutrina social reacionária.

O fato é que, como estamos vendo, é a partir do desenvolvimento do funcionalismo que se pode realizar uma verdadeira revolução, criando-se um novo centro de referência que é sempre a sociedade estudada pelo investigador. Deste modo, o ponto focal não é mais a Europa e seus costumes, centro acabado de todas as racionalidades, mas a própria tribo, segmento ou cultura em análise que deve ser o seu próprio centro. O plano comparativo do funcionalismo não é mais a sociedade do observador, situada na mais alta escala civilizatória, estando fundado na observação de cada sistema como dotado de racionalidade própria, um fato difícil de ser aceito pelos evolucionistas que somente podem encontrar sentido social quando situam os costumes numa cadeia historicamente dada. Aqui, a sociedade do observador tem que entrar não como um modelo acabado, para onde todas devem tender, mas como um outro dado sobre a sociedade humana e as relações sociais possíveis entre os seres humanos. Conforme disse Malinowski, com sua inimitável clareza:

> "Estamos hoje muito longe da afirmação feita há muitos anos por uma célebre autoridade que, ao responder uma pergunta sobre as maneiras e os costumes dos nativos, afirmou: 'Nenhum costume, maneiras horríveis!' Bem diversa é a posição do etnólogo moderno que, armado com seus quadros de termos de parentesco, gráficos genealógicos, mapas, planos e diagramas, prova a existência de uma vasta organização nativa, demonstra a constituição da tribo, do clã e da família e apresenta-nos um nativo sujeito a um código de comportamento de boas maneiras tão rigoroso que, em comparação, a vida nas cortes de Versalhes e do Escorial parece bastante informal" (cf. Malinowski, 1976: 27).

A comparação, na perspectiva funcionalista, não é algo que vai somente numa direção, situando sempre os "nativos" como cobaias e inocentes, como são de fato os machados e canoas dos museus, neutros em sua situação de objetos deslocados sendo vistos por um visitante que jamais cortou uma árvore ou remou. Mas algo que dialeticamente faz sobre si mesmo uma volta completa, envolvendo a reflexão sobre a sociedade e os costumes do observador. A partir da revolução funcionalista, a comparação deixou de ser uma vitrine de museu, através da qual o observador "civilizado" via e classificava todos os primitivos, para transformar-se num espelho, onde o primeiro rosto a ser visto é o seu próprio.

Foi graças a esta perspectiva que a antropologia pôde contribuir para a enorme renovação dentro das ciências sociais, renovação apresentada sobretudo a partir da *demarche* que aproximou o observador do nativo e assim permitiu um conhecimento muito mais aprofundado das diversas lógicas que certamente são imperativas em cada sociedade humana.

A síntese a partir do funcionalismo de Malinowski teria que ser buscada num outro plano. Não poderia mais realizar-se no plano da história determinada pelo progresso, mas com a posição relativizada que permite cada vez mais estudar outras sociedades sem os prismas dogmáticos de teorias que jamais permitem sua própria relativização. Realmente, a partir do funcionalismo de Malinowski até o estruturalismo de Lévi-Strauss e Louis Dumont, tudo deverá estar submetido à crítica. Neste movimento, nunca o postulado clássico das origens sociais e históricas do conhecimento sociológico foi levado tão a sério. Assim, é o próprio sintetizador do movimento estruturalista quem diz na abertura da mais formidável análise de sistemas simbólicos jamais realizada na disciplina, exceto talvez pela monumental proeza evolucionista de Sir James Frazer no *Ramo dourado* (1890), "o meu livro é um mito da mitologia". Claude Lévi-Strauss, como se observa, não se poupa como investigador. Ele é o primeiro a relativizar o seu próprio esquema na sua análise dos mitos, colocando-se, corajosamente, nela (cf. Lévi-Strauss, 1964: 20).

Na história da antropologia social existem portanto como que duas vertentes analíticas claramente visíveis. A primeira está representada pelo evolucionismo, onde existe uma perspectiva totalizadora, uma sociedade tomada sempre como ponto de referência indiscutível e uma teoria histórica que permite alinhavar todos os costumes em termos de valores muito importantes ao sistema ocidental. O segundo paradigma, representado pelo funcionalismo cristalizado com Malinowski, mostra uma tendência oposta. Aqui, trata-se de desenvolver uma visão parcial, mas extremamente acurada da operação das sociedades humanas. Se o evolucionismo tem por um lado a vantagem de possuir uma posição globalizadora, não perdendo de vista os costumes de toda a humanidade, por outro ele tem a desvantagem de não poder perceber as forças concretas que movem os sistemas sociais não familiares ao observador o qual tende a interpretá-los projetando neles os seus próprios valores.

3. Uma Antropologia da História?

Se deixarmos de integrar a diversidade humana por meio de um *continuum* postulado, como a dimensão histórica, como então poderemos reunir novamente as diferenças sociais e culturais? A pergunta certamente pesa como chumbo na cabeça de todos os antropólogos sociais a partir da *demarche* funcionalista que revelou claramente a diversidade humana, não mostrando entretanto como ela poderia ser simultaneamente diminuída. Em outras palavras, o funcionalismo revelou que a pesquisa antropológica era um caminho que exigia um duplo movimento: uma viagem de ida, em direção ao "selvagem" desconhecido e confundido em meio a costumes exóticos e irracionais; e uma viagem de volta quando o etnólogo reexamina seus dados e os integra no plano mais profundo das escolhas humanas. Descobre-se então que aquilo que se chamou de exótico ou de irracional é apenas a forma explícita de um traço conhecido em sua própria sociedade. Só que, entre nós, este traço está implícito. É, para usarmos uma expressão que entrou em moda depois de Lévi-Strauss, *inconsciente*. Malinowski, que realmente descobriu essa viagem dupla, grande argonauta que foi da nossa disciplina, situou esse modo de entendimento com clareza quando discutiu o significado social dos colares e braceletes trocados nos fantásticos circuitos do *kula* melanésico que envolviam as populações tribais das Ilhas Trobriand e implicavam cerimoniais mágicos e grandes expedições rituais e comerciais. Como se sabe, os objetos trocados no circuito do *kula* são ou muito pequenos para serem usados por pessoas adultas, ou muito valiosos e grandes de modo que seu uso é praticamente banido, exceto – como indica Malinowski (1976: 79) – em dias de grande festividade. Mas então, pergunta conosco Malinowski, qual a finalidade deste enorme trabalho de trocá-los sistematicamente dentro de um círculo com regras sociais estabelecidas? Qual o seu valor? A resposta vem, tipicamente, duma comparação com algo conhecido do próprio antropólogo, algo que faz parte do seu mundo social: as joias da coroa. Assim, conta Malinowski que, visitando numa excursão turística o castelo de Edimburgo, viu as joias da coroa britânica, feias e pesadas e ouviu, tal como em Trobriand, as narrativas sagradas que associavam cada peça com seu uso e a circunstância histórica que, por assim dizer, a determinava num cenário social e cultural dado. Esta visita, casualmente realizada, provocou em Malinowski, como provoca no leitor, a possibilidade da comparação relativizadora, capaz de elucidar, na perspectiva antropológica a mais autêntica, o significado social desses objetos numa e noutra cultura. Ou melhor, *numa cultura pela outra*. Assim, quando Malinowski ouviu tais histórias, pôde compreender em que ponto do eixo que chamamos de "valor" poderia situar os objetos trocados no circuito *kula* dos trobriandeses e – simultaneamente, por meio da relativização antropológica – entender a posição das joias da coroa no nosso sistema. Como ele mesmo diz, numa passagem de inexcedível sensibilidade: "A analogia entre os *vaygu'a* (objetos de valor) europeus e os de Trobriand precisa ser definida de maneira mais clara: as joias da coroa britânica, como quaisquer objetos tradicionais demasiado valiosos e incômodos para serem realmente usados, representam o mesmo que os *vaygu'a*: pois são possuídos pela posse em si. É a posse aliada à glória e ao renome que ela propicia que constitui a principal fonte de valor desses objetos. Tanto os objetos tradicionais ou relíquias históricas dos europeus quanto os *vaygu'a* são apreciados pelo valor histórico que encerram." E continua Malinowski: "Podem ser feios, inúteis e, segundo os padrões correntes, possuir muito pouco valor intrínseco; porém, só pelo fato de terem figurado em acontecimentos históricos e passado pelas mãos de personagens antigos, constituem um veículo infalível de importante associação sentimental e passam a ser considerados grandes preciosidades" (cf. Malinowski, 1976: 80).

O que Malinowski está indicando é a verdadeira possibilidade de uma compreensão por meio mesmo da "comparação por contraste" ou "comparação relativizadora"; uma modalidade de dar sentido à diversidade social, tomando como foco a própria descontinuidade, voltando-a contra a sociedade do observador. Assim, em vez de tomar os colares e braceletes e todo o circuito do *kula*, reduzindo-o a uma modalidade de troca comercial familiar à nossa sociedade, Malinowski indica o eixo apropriado para a comparação. Fosse ele um evolucionista, e o circuito *kula* seria provavelmente interpretado como uma forma de troca onde o valor dos objetos era desconhecido; ou melhor, estava enganado por indigência lógica ou ignorância do "real" sentido de valor (que seria obviamente o nosso modo de atribuir peso comercial relativo aos itens trocados). Mas como Malinowski não estava interessado numa explicação contínua da diversidade humana e nem ele poderia assim proceder pelo conhecimento intenso que possuía dos costumes Trobriand, seu caminho foi o de tomar a comparação profunda, relativizadora. É, portanto, significativo – como ficará mais claro adiante – que o eixo tomado por Malinowski tenha recaído em objetos reais que marcam a história social da Grã-Bretanha, tendo – por isso mesmo – um caráter sagrado e fora do tempo. Braceletes e colares de algodão e coral não servem ao gênio de Malinowski como objetos de um museu do passado ou como representantes de um tipo de troca que hoje já não praticamos. Muito ao contrário, é por meio de uma reflexão sobre eles que o etnólogo irá ver sua própria sociedade numa dimensão até então desconhecida: o ângulo dos objetos sagrados, cujo valor não é dado na transitoriedade de um mercado móvel e instável. O estudo de objetos trobriandeses, sem reduzi-los a uma dimensão histórica, permite a Malinowski não só descobrir o significado complexo dos objetos trocados nas ilhas Salomão, como também localizar objetos equivalentes em sua própria sociedade. Se o valor das joias da coroa estavam implícitos (ou eram inconscientemente percebidos), sua comparação com o material trobriandês fez com que eles aparecessem com toda clareza, tornando segura a interpretação sociológica dos objetos da Melanésia. Em outras palavras, o exemplo revela que uma sociedade dominada pela mudança e pelo eixo do tempo tem dimensões (ou domínios) marcadas pela eternidade ou por valores que pretendem estar fora da temporalidade. O valor das joias da coroa e das relíquias religiosas é precisamente esse: são objetos como que arrancados para fora da temporalidade e marcados pela vida daqueles que, sendo imortais, os usaram. De modo invertido, braceletes e colares trobriandeses, utilizados no circuito *kula*, têm de fato uma "história". Deste modo, numa sociedade onde o tempo é cíclico e marcado pelo ritmo das estações, objetos sociais permitem criar uma dimensão marcada pelo tempo, dimensão onde se podem cristalizar – como revela Malinowski – relações pessoais muito importantes no universo trobriandês.

Vejamos, num diagrama, o procedimento de Malinowski, um "funcionalista", em contraste com o procedimento historicista anterior:

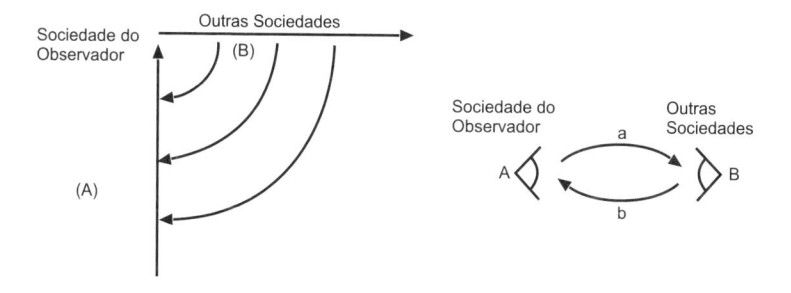

Como se observa, o diagrama da esquerda (que é uma repetição do anterior, veja a p. 111) revela o modo básico de reduzir a descontinuidade social dada num eixo espacial (B), projetando-a numa coordenada temporal (A), historicamente articulada em termos das determinações do progresso. O diagrama seguinte, expressivo do modo descontínuo de comparação, relativiza todo o procedimento anterior, abrindo uma alternativa ao trabalho de totalização da diversidade social humana por meio de uma postura verdadeiramente antropológica. É evidente que ambos os diagramas indicam modos complementares de entendimento da organização humana, embora o primeiro tome a história como arena privilegiada de articulação das diferenças entre os homens e o segundo venha a situar tais diferenças num modo combinatório de proceder às diferenciações no movimento que tem o nome de "estruturalismo" e que ficará mais claro no decorrer desta parte. De qualquer modo, os diagramas se inspiram no pensamento de Lévi-Strauss quando ele diz, diferenciando sua posição face à oposição absoluta realizada por Sartre entre "razão dialética" (em que o historicismo é básico) e "razão analítica" (onde o tempo não é a arena final de todas as totalizações), que "a oposição entre as duas razões é relativa, não absoluta; corresponde a uma tensão, dentro do pensamento humano, que subsistirá talvez indefinidamente de fato, mas que não está fundada de direito". E completa Lévi-Strauss, situando as possibilidades destes dois modos alternativos, mas complementares, de captar a realidade humana: "Para nós, a razão dialética é sempre constituinte; é a passarela, sem cessar prolongada e melhorada, que a razão analítica lança sobre um abismo do qual não percebe a outra borda, mesmo sabendo que ela existe e que deva, constantemente, afastar-se" (cf. Lévi-Strauss, 1970: 281).

Claro está que os dois diagramas correspondem, grosso modo, a essas duas modalidades de reflexão sobre a realidade humana. E, mais, o primeiro esquema pretende ser a tradução gráfica do texto de Lévi-Strauss que se segue e que, por si só, suponho, exprime a razão de ser do gráfico acima desenhado:

> "O etnólogo *respeita* a história, mas não lhe dá um valor privilegiado. Ele a concebe como uma pesquisa *complementar* à sua: uma abre o leque das sociedades humanas no tempo, a outra, no espaço. E a diferença é ainda menor do que parece já que o historiador se esforça em restituir a imagem das sociedades desaparecidas (...); enquanto que o etnógrafo faz o melhor que pode para reconstruir etapas históricas que precederam, no tempo, às formas atuais" (os grifos são meus).

Devo observar que Lévi-Strauss não está negando (como afirmam alguns críticos) o valor da história. Apenas está dizendo, e a história da antropologia social o apoia de modo integral, que a abordagem antropológica (diagramada em meu segundo esquema) é uma alternativa legítima para o estudo do homem. E continua Lévi-Strauss:

> "Esta relação de simetria entre história e etnologia parece ser rejeitada pelos filósofos que contestam, implícita ou explicitamente, que o desenrolar no espaço e a sucessão no tempo ofereçam perspectivas equivalentes. Dir-se-ia que, a seus olhos, a dimensão temporal goza de um prestígio especial, como se a diacronia criasse um tipo de inteligibilidade não apenas superior ao que traz a sincronia mas, sobretudo, de ordem mais especificamente humana."

Procurar saber o porquê deste privilégio da diacronia sobre a sincronia é buscar entender por que a "história" é básica entre nós e isso, como veremos mais adiante, corresponde a realizar uma relativização do que chamamos de história. Antes, porém, uma outra passagem crítica de Lévi-Strauss:

> "É fácil explicar senão justificar esta opção: a diversidade das formas sociais que a etnologia capta, desdobradas no espaço, oferece o aspecto de um sistema descontínuo. Ora, nós imaginamos que, graças à dimensão temporal, a história restitui, não estados separados, mas a passagem de um estado a outro, sob a forma contínua. E como acreditamos, nós próprios, apreender nosso devir pessoal como uma mudança contínua, parece-nos que o conhecimento histórico vem ao encontro da prova de sentido íntimo" (cf. Lévi-Strauss, 1970: 292).

Ou seja, o modo de entendimento pela via temporal, concebida como uma linha contínua, onde um evento causa e provoca o outro – ou seja: os acontecimentos têm antecedentes e consequentes – é um modo característico de restabelecer a continuidade na diversidade, resolvendo (como ocorreu com os evolucionismos e historicismos) o problema da diferença entre sociedades e culturas. O problema, porém, é que o modo antropológico de estudar as diferenças como que dispensa o tempo como categoria de entendimento. Em outras palavras, em antropologia social, o espaço, em suas vertentes tipicamente comparativas, pode perfeitamente complementar (ou mesmo substituir) o tempo quando se trata de refletir sobre as semelhanças e diferenças entre as sociedades. Esse modo de estudar o "outro", relativizando (como indica o meu segundo gráfico) o próprio "eu" – ou melhor: os próprios valores –, permite claramente escapar do eixo temporal e, ainda mais, relativizar o próprio tempo. Daí por que estamos aqui falando das possibilidades de uma "antropologia da história", muito mais importante como contribuição ao novo conhecimento do homem pelo homem, do que a velha equação da "história da antropologia", fórmula batida de estudar o ponto de vista de toda e qualquer disciplina social ou natural.

Deste modo, suponho que o meu segundo diagrama, visto em contraste com o primeiro, tem o mérito de esclarecer esses textos fundamentais de Lévi-Strauss, indicando como a dialética da antropologia é a do "eu" com o "outro", do familiar com o exótico, do próximo com o distante, do explícito com o implícito, do racional com o irracional, do universal com o particular, do vivido com o concebido. A antropologia social, embora filha do colonialismo e parida, como vimos, do funcionalismo, nunca abandonou esse reflexionar sobre si mesma, esse repensar-se que consegue mantê-la como a ciência social provavelmente mais alerta dos seus próprios paradoxos e resistente a penetrar no mundo confortável e estático das tipologias.

De fato, qual a principal consequência do método historicista de reduzir as diferenças sociais? Sem dúvida que é postular a existência de uma "consciência" mais bem acabada e mais avançada no tempo (a consciência da sociedade do observador, situada no final da linha projetada de progresso a partir de um ponto temporal "zero", onde a "história" tem um começo). Sabemos que, nos esquemas evolucionistas, essa forma de consciência pretende estar dentro do eixo temporal (com suas determinações econômicas, sociais e políticas) apenas como resultado, como ponto de um processo, nunca como uma fase dele. E nem poderia ser de outro modo quando constatamos, com Lévi-Strauss no texto citado, que para nós a história é um processo (um devir) contínuo, sentido de dentro para fora. A consequência epistemológica de tal concepção é que o tempo histórico deve operar em todas as formas sociais estranhas, menos na nossa. Em outras palavras, a consciência de um evolucionista é uma máquina de onde ele pode ver todo o tempo passado, mas sempre ficando fora dele. Tudo, diz um historicista, muda, menos – obviamente – o esquema explicativo por ele usado para estudar e perceber a direção desta mudança. O resultado desta postura é o estudo das diferenças sociais por meio de uma comparação em que aquele que compara está sempre fora do processo. Eis por que, numa fórmula simples, a epistemologia historicista sempre pode justificar e dar origem a doutrinas de discriminação social e política.

Realmente, nela, sempre existe um *centro* ou um *ápice*: a cultura ou a sociedade "mais bem acabada" ou a que "realiza de modo mais completo e complexo" todas as outras formas sociais; ou, ainda, a formação social mais totalizante e abrangente, a que de um certo modo e ângulo "conhece" todas as outras; e as formas incompletas, inferiores de realização social. Toda sociedade humana tem sistema político, mas somente a sociedade ocidental realizou esse domínio em toda a sua plenitude e totalidade, desenvolvendo, diz esse modo de argumentar, toda a riqueza do político. Do mesmo modo, o econômico é visto entre nós como que "somando" e "cristalizando" todos os outros "econômicos" anteriores, primitivos e incompletos. Isso significa dizer que a marcha da humanidade é uma linha estratificada. Em cada um dos seus pontos (ou de suas camadas) situa-se uma "forma típica" ou específica, forma que, sendo mais simples que a anterior, permite o desenvolvimento de uma modalidade mais complexa de si mesma. Impossível para essa perspectiva colocar-se diante da possibilidade de examinar o mundo humano como constituído de formas inesgotáveis e sempre ricas em possibilidades de relacionamento, específicas em suas singularidades, muito embora isso não signifique que elas sejam irredutíveis ou irracionais como modalidades de "ser" do homem. Tudo o que é humano é do homem e o homem está realizado (ou se realizando sempre e em cada vez) em todas as manifestações sociais encontradas em todas as sociedades de todos os tempos e lugares. Do mesmo modo que não existem formas sociais perfeitas (ou mesmo mais perfeitas), pois que cada uma delas está relacionada a outras formas, formando configurações específicas, também não existe uma sociedade (ou uma cultura) mais acabada que as outras.

Mas é porque o "historicismo" estratifica (ou hierarquiza) as sociedades em formas mais simples e mais complexas, mais racionais e mais irracionais, mais e menos desenvolvidas tecnologicamente etc. que estas perspectivas estão sempre às voltas com tipologias, abundando nesta área os "prés" e "pós" que ajudam a discernir certas modalidades de atuação humana. Mas na antropologia social, quando um *continuum* de tempo linear e sequencial não é mais possível de ser estabelecido, a discussão recai na própria substância, na própria dimensão que se deseja classificar. Deste modo, enquanto o evolucionista se contenta em classificar os sistemas políticos em prés e pós-políticos, discutindo essas formas e assumindo que o pós-político é a forma a partir da sua sociedade, o antropólogo estruturalista situa a reflexão em torno da própria concepção de "político", buscando sua compreensão em termos mais amplos, pois que sua referência não pode ser mais a sua própria sociedade, mas a sociedade distante que estudou e com a qual conviveu por longos anos.

Na "consciência" engendrada a partir do funcionalismo, como vemos, não se tem mais a garantia nem da suposta percepção interna das coisas humanas, segundo a concepção ocidental de historicidade, nem a segurança de um tempo contínuo onde com certeza se pode descortinar o acabamento de certas instituições em relação a outras. No plano funcional-estrutural, o campo de junção da diversidade humana, ou melhor: o plano onde a comparação se realiza não é o tempo visto como um ponto de projeção contínuo, mas o que Lévi-Strauss chamou de *inconsciente*.

Creio que o melhor modo de traduzir o *inconsciente* de Lévi-Strauss é dizendo que ele se constitui não de uma substância social, moral ou filosófica dada, mas de uma espécie de posição ou lugar, de onde se pode tomar consciência de diferenças e, por meio delas, alcançar as semelhanças entre as relações e as instituições humanas. No meu entender, portanto, o melhor modo de compreender o que é o *inconsciente antropológico* é pensar nele como o local onde se pode realizar a *consciência sociológica* das diferenças entre relações e instituições humanas. Se o plano do encontro de todas as diferenças não é mais o eixo do tempo, mas sua forma complementar, o plano espacial, que plano é esse? Ele, como disse o próprio Lévi-Strauss, é um ponto vazio de conteúdo e de tempo. É um campo situado fora do tempo, de onde um dado observador (ou seja, uma consciência interessada em entender e interpretar diferenças) pode se situar para estudar as diferenças e semelhanças entre as sociedades humanas. E se tal zona não se acha marcada por nenhuma temporalidade, então ela é vazia de conteúdos de caráter processuais; sendo definida por relações e princípios lógicos. Nesta região, assim, estamos num campo de virtualidades que são atualizadas sempre que estudamos formas concretas, historicamente dadas de grupos, instituições e relações sociais. O jogo do antropólogo estruturalista consistirá primeiramente em descobrir os pontos críticos de uma dada instituição (as suas invariantes, os seus traços distintivos) e, em seguida, conduzir tais pontos críticos para uma zona deslocada, o *inconsciente sociológico*. Ali, naquele trecho vazio de compromissos históricos, onde o significado é dado por posição, o observador pode comparar pelo contraste esses pontos críticos com outros pontos críticos de outras instituições de sua ou de outras sociedades. Como essa comparação não se realiza apenas com conteúdos historicamente dados, mas também com formas lógicas universais, é possível deslocar a consciência da instituição, descobrindo modos invariantes de outras instituições do mesmo gênero. Por exemplo, durante muitos anos, os estudiosos do parentesco trataram o casamento com a sobrinha (filha da irmã) e o casamento com a prima (filha do irmão da mãe e filha da irmã do pai) como dois fenômenos distintos, como dois *tipos de matrimônio*, cada um deles exemplificando regras universais como a exogamia e o casamento que, de fato, era uma sobrevivência de algum costume anterior. A postura estruturalista, apresentada sistematicamente pela primeira vez por Claude Lévi-Strauss no seu *Estruturas elementares do parentesco* (de 1949; versão brasileira, 1976), revelou – entre outras coisas – que tais casamentos não deveriam ser tratados como *tipos* ou formas estanques, individuais de união, mas como *modalidades* ou *variações* de um mesmo gênero matrimonial, o das formas elementares do parentesco; isto é, as modalidades matrimoniais, nas quais o cônjuge está preestabelecido sociologicamente pelo próprio sistema. Neste modo de "ver" os dados sociais, casamentos de primas e casamentos de sobrinhas eram apenas variações de uma mesma regra universal, aquela que postulava uma troca entre mulheres. Assim, eu "dou" uma mulher para um homem (minha irmã) e "recebo" em troca a filha desta mulher (minha sobrinha). Do mesmo modo e pela mesma lógica, eu dou minha irmã para um homem e meu filho recebe de volta sua filha; ou seja, o meu filho acaba casando com a sua prima paterna, a filha de minha irmã. Tais casamentos, argumenta Lévi-Strauss, são variações de um sistema em que a preocupação é com troca restrita ou imediata de favores. Por isso, eles são do mesmo "gênero" e não se constituem em "tipos estanques", historicamente dados e diferentes. Tanto o casamento com a prima quanto o casamento com a sobrinha são atualizações de um mesmo princípio sociológico implícito, o casamento como troca restrita. Nada têm eles de históricos; ao contrário, são sociais e o melhor modo de entendê-los é por meio de seu deslocamento de um eixo cultural carregado de conteúdos historicamente dados (em que eles aparecem como coisas únicas – e neste nível básico são realmente singulares e assim vivenciados), para um campo (do *inconsciente*) onde se pode dissolvê-los em suas formas invariantes. Quando isso é realizado, e eles são reunidos como variações e atualizações de uma mesma regra, então é possível retornar aos seus campos sociológicos concretos e terminar o estudo, restituindo cada forma a sua concretude histórica. Mas agora, sem correr o risco de imputar um valor histórico postulado e falso a uma forma que é, de fato, apenas uma variação da outra.

Mas, além disso, quando se descobre que o casamento pode ser uma fórmula útil para a circulação de mulheres (junto com outros bens e serviços), aprende-se algo muito importante sobre o universo social. Descobre-se que alguns sistemas circunscrevem a afinidade (e o casamento) numa lógica social determinada. Assim, em certas sociedades, um homem (ou uma mulher) tem seus casamentos estabelecidos por uma totalidade que é um sistema dado de relações sociais e de nomenclaturas para designar parentes. Em outras palavras, estudando certas formas curiosas, exóticas e intrigantes de união matrimonial, descobrimos algo que está implícito no nosso sistema, acontecendo apenas marginalmente entre nós: o fato de que a afinidade pode ser uma relação social herdada e, portanto, determinada. Entre nós, o que é herdado e o que está determinado é a consanguinidade – o sangue – e com ele, a herança, as qualidades sociais e morais, a filiação a certos grupos sociais etc. O casamento não é herdado, mas é uma área "livre" do nosso sistema, sendo a escolha da esposa vista como um negócio particular, privado, orientado pelo "amor" (sentimento que é, entre nós, definido individualmente). Ora, descobrindo o que é implícito em nosso sistema, o fato de que a afinidade não está determinada (mas pode ser determinada, como no caso dos casamentos entre famílias reais) conduz ao exame das instituições que estão determinadas no nosso sistema. Assim, o estudo de casamentos prescritos (determinados) indica como a descendência é, para muitas sociedades, complementar ao casamento e como, em alguns grupos, a continuidade do sistema não é dado pela descendência (como ocorre entre nós), mas pelo casamento, como acontece na Índia do Sul.

Esse modo de compreensão das instituições humanas não precisa mais escalonar no tempo as instituições sociais. Ela pode assim fazê-lo se houver dados suficientes e se houver interesse. Não é, como vimos, contra a história. Mas revela como no mundo social vivemos sistematicamente um jogo do implícito (o inconsciente) e do explícito (o consciente). E ainda: como esse jogo torna-se claro e esclarecedor quando o associamos a um processo comparativo sistemático, por meio de contrastes e de contradições. Finalmente, todo esse processo torna-se surpreendentemente revelador quando indica que certos sistemas realizam uma combinação de relações sociais e valores que é dominante, ao passo que outros tomam esse mesmo conjunto como implícito, dominado, encoberto. É por meio desse jogo e dessa dialética que os homens, sendo iguais, podem promover suas identidades e, assim, construir as diferenças entre sociedades e culturas.

4. Tempo e História

Na crítica ao estruturalismo de Lévi-Strauss, crítica aliás dominada por uma mentalidade substantiva típica do humanismo totalizador e transcendental do Ocidente, não se consegue distinguir o ponto de vista do observador e o ponto de vista do observado. Para ela, o mundo – como revelou nosso esquema

– é um contínuo, onde formas de consciência cada vez mais desalienadas são criadas substituindo as outras, mais atrasadas. Com tal posição diante do universo social, não deve causar surpresa o impacto de uma antropologia "funcionalista" que (a) trazia à tona com muita nitidez o ponto de vista do chamado selvagem; ou seja, o modo pelo qual ele concebia e vivia suas relações sociais e instituições que o investigador observava de fora e de dentro do seu próprio sistema ideológico; (b) usava as ideologias estudadas como um foco relativizador, tal como fez Malinowski com as teorias de Freud quando procurou demonstrar como, em Trobriand, uma sociedade com descendência matrilinear (por linha materna), as relações entre pai e filho eram fundadas em sentimentos positivos, correndo o autoritarismo e a tensão na linha materna, entre o tio materno (irmão da mãe) e sobrinho (filho da irmã). Diante disto, questiona Malinowski, como fica a teoria da universalidade do "complexo de Édipo"?

Tal atitude diante das sociedades tribais indicava claramente a necessidade epistemológica de uma separação entre pontos de vista, de modo a fundar uma teoria da sociedade humana baseada na descontinuidade. É essa posição que faz surgir o estruturalismo que, percebendo bem essa ruptura, colocou os problemas da antropologia de um modo inovador. Assim, se toda sociedade humana tem noções fixas de propriedade e de direito, nem todas tomaram essa esfera como um domínio autônomo, utilizando-o como uma moldura para veicular seus problemas mais fundamentais. O mesmo se pode dizer da esfera produtiva, fisiológica, religiosa etc. Ou seja, muito embora todo grupamento humano tivesse necessariamente que lidar com esses problemas, universais na sua estrutura e básicos como suporte da própria vida em sociedade, nem todas as culturas tomaram esses domínios para servirem como instrumentos de sua própria totalização.

O caso da temporalidade e da história pode ser situado dentro de uma mesma perspectiva. Se todo grupamento humano permanente tem uma ideia e uma noção muito clara da duração do tempo em sua inevitável passagem, nem todas concebem o tempo do mesmo modo ou o tomam como uma "categoria de entendimento", como uma ideologia que serve para expressar sua própria identidade.

Creio que este ponto é muito importante, porque grande parte da crítica ao chamado "estruturalismo" parte de uma grosseira, mas inteligível confusão, entre tempo e história; do mesmo modo que se faz igualmente uma junção teoricamente injustificada entre processo produtivo, exploração da natureza e as ideias de utilidade, marginalidade, lucro, exploração e individualismo. Embora toda a sociedade tenha que explorar a natureza, nem todas a "exploram" do mesmo modo (o termo por si só já revela uma tendência ideológica clara e uma projeção do universo capitalista no estudo de outros sistemas). Por outro lado, nem todas se utilizam da linguagem da produção como um meio para expressar seus conflitos, pois não é no processo produtivo que estes conflitos e dilemas surgem entre elas.

Do mesmo modo, a confusão entre temporalidade e uma dada concepção do tempo – a *nossa concepção do tempo como história* – conduz a uma série de enganos com relação a essa possibilidade fecunda de relativização da ideia de tempo e, como ela, de abrir novas possibilidades de entendimento da sociedade humana. O que a antropologia social moderna tem sistematicamente apresentado é a possibilidade, como já disse Lévi-Strauss e outros, de abrir mais uma alternativa de conhecimento, alternativa fundada num outro campo de entendimento que não o tempo visto como história.[8] E o tempo visto como história tem algumas características especiais que devem ser discutidas. Em outras palavras, é preciso realizar uma antropologia do tempo.

Têm causado surpresa, quando não provocam indignação, as questões que Lévi-Strauss apresentou para os defensores da via histórica como modo exclusivo para o entendimento correto

---

[8] Veja também Claude Lefort, *As formas da História*. SP: Brasiliense, 1979; capítulo II.

da sociedade. Quando Lévi-Strauss indaga que história é essa da qual tanto se fala:

> "Se é a história que os homens fazem sem saber; ou a história dos homens, tal como os historiadores a fazem, sabendo-o; ou, enfim, a interpretação pelo filósofo da história dos homens, ou da história dos historiadores" (cf. Lévi-Strauss, 1970: 286),

e situa a questão fundamental de que também na perspectiva histórica existe um ponto de vista escolhido arbitrariamente pelo historiador, nenhum dos seus críticos – sobretudo os que se dizem marxistas – jamais percebeu que ele está aqui simplesmente ampliando um pouco mais uma série de perplexidades do próprio Marx quando, no *18 Brumário*, ele busca separar melhor as condições objetivas dentro das quais uma "história" pode, afinal, ser feita. Assim, diz Marx neste texto clássico esquecido pelos deterministas, "fazendo eco" surpreendentemente a Lévi-Strauss:

> "Os homens fazem sua própria história, mas não a fazem como querem; não a fazem sob circunstâncias de sua escolha e sim sob aquelas com que se defrontam diretamente, legadas e transmitidas pelo passado" (cf. Marx, 1974: 335).

Caberia perguntar, como faz Lévi-Strauss, que histórias são essas que os homens fazem quando querem fazer sua própria história e que homens foram aqueles que fizeram essas "circunstâncias" que foram legadas e transmitidas a outras gerações, transformando-se num "legado do passado"? Ou seja, quem realmente faz história? Os homens do passado que deixaram um resíduo intransponível aos homens do presente? Ou esse resíduo cultural é próprio da própria história humana que os homens sempre fazem, é certo, mas nunca como desejam? Marx não poderia ter apresentado, porque não era ali o lugar para tanto, a outra questão crítica nestas cadeias de observações magistrais, qual seja: e que história escolherá o historiador para dizer da história dos homens?

Em outras palavras, que partido tomarei eu, como historiador, para contar a história dos Apinayé? Tomarei o partido dos cronistas coloniais, gente como o famoso major português Francisco de Paula Ribeiro que, em 1819, escreveu sobre os Timbira (dos quais os Apinayé fazem parte) fazendo uma história desses índios, mas não a história que eles poderiam fazer. Ou buscarei a "história" desta região do Brasil Central, quando terei então de reunir em dados de várias fontes (documentos, relatórios, crônicas, jornais, relatos geográficos etc.) a teia pela qual se tece a sequência dos acontecimentos que presumivelmente marcaram essa região. Nos relatórios de Francisco de Paula Ribeiro eu pelo menos tenho uma vantagem: conto ali com a perspectiva do colonizador, com a consciência do "branco" interessado em desbravar o sertão goiano e livrá-lo dos seus gentios. Mas e a história dos Apinayé narrada por eles mesmos? Essa é a questão crucial enfrentada por todo etnólogo no seu trabalho de campo. A resposta para ela é capaz de transformar todos os historicismos porque os Apinayé têm uma noção de tempo e de duração do tempo, mas não têm uma perspectiva histórica.

Mas o que significa isso?

Não ter uma perspectiva histórica significa, inicialmente, não tomar o tempo e sua passagem como uma moldura pela qual se possam ligar todos os acontecimentos. Para um Apinayé adulto, a unidade (ou a continuidade) de sua sociedade e cultura não é dada por uma noção de temporalidade segundo a qual certos eventos causam ou conduzem outros, num processo indefinido e jamais completamente acabado. Não. Para ele, houve um "presente anterior", quando o mundo tal como o conhecemos hoje ainda não existia, mas esse universo já comportava uma oposição básica e significativa: aquela do alto e do baixo, do céu (onde estão os heróis masculinos e não aparentados: Sol e Lua) e a terra, caótica na sua falta de forma. Descendo a terra,

Sol e Lua dão forma ao mundo ao mesmo tempo que se formam. O processo é descrito no mito de modo inteiramente dialético, se é que isso pode ser chamado de dialética, pois é na medida em que Sol e Lua interagem que o mundo se forma; e é na medida em que o mundo se forma que o caráter dos heróis também se forma. Impossível, no pensamento mítico Apinayé (e creio que Timbira em geral), separar – como fazemos nós – o homem da natureza ou o tempo do processo histórico. Aqui tudo se entrelaça, simultânea, paralela e dialeticamente.

Pois bem, esse "presente anterior", formado por Sol e Lua, é o mesmo "presente atual", pois tudo o que eles deixaram ainda é realizado hoje. O passado não é um espectro a ser necessariamente conjurado sob pena de a história virar uma farsa, mas um tempo igual ao de hoje. A única diferença é que lá o mundo estava se formando. Mas, desde o momento em que ele se formou, a relação entre passado e presente é de homologia, como se eles fossem dois espelhos colocados lado a lado. Deste modo, para um Apinayé, o presente reflete o passado e este o presente. Não temos naquela sociedade intérpretes do passado, nem transformadores do presente. Em outras palavras, na sociedade Apinayé, não vivemos o mito da revolução, do herói na história, da grande personalidade, nem de um mundo do futuro: admirável mundo novo. A rigor, como já insinuei linhas atrás, temos um "presente anterior" e um "presente presente". A nenhum Apinayé causa nostalgia falar (quando ele sabe) de um mundo anterior que foi melhor ou mais perfeito do que o mundo de hoje. Sua saudade não diz respeito a um universo idealizado, projetado num passado ou num futuro distante, mas a um tempo pretérito em que gozava de plena liberdade e podia viver desfrutando de uma natureza desimpedida de competidores vorazes e desleais, como são os brancos que cercam suas aldeias e terras.

Nesta ideia de tempo, a noção de um ciclo é fundamental; mas aqui o ciclo é feito de uma oscilação entre dois momentos fixos, tomados como pontos de referência: o *presente anterior* e um *presente atual*. O tempo não é visto como uma duração ou um processo linear, contínuo e totalizado por um dado "eu", mas como uma dimensão descontínua, marcada por duas fases diferenciadas. Suas transformações não são vistas como modificações internas de uma estrutura, mas como operações exteriores ao mundo e aos próprios homens. É uma noção de tempo como um domínio quase que espacial, se o leitor me permitir essa metáfora confusa.

Uma tal visão do tempo como um elemento descontínuo significa também não existir na sociedade que o adota nenhum grupo ou segmento que detenha o direito de interpretá-lo. Ou seja, a concepção do tempo como descontinuidade (como categoria não linear e histórica) está intrinsecamente ligada à visão do tempo como algo que passa igualmente para todos os grupos e categorias que interagem entre si num mesmo ritmo. Na sociedade Apinayé, portanto, não existem "aceleradores do tempo", como entre nós. Zonas onde novas ideias e relações sociais são situadas acima, abaixo ou, como é mais frequente, na frente do tempo. Noto que é significativo chamar os nossos grupos mais inovadores de "vanguardas", isto é, "os que estão na frente". Mas na frente de quê? Ora, na frente do tempo, como fazem prova os chamados "movimentos modernistas" e "futuristas", deixando para trás as formas sociais rotineiras, agora confundidas plenamente com o passado. Na função de "aceleradores do tempo" estão também essas zonas ambíguas da arte e da publicidade, onde há um encontro sistemático de valores eternos com as inovações e, também, do sistema produtivo e do consumo. É aqui, por outro lado, que se pode colocar em diálogo a Arte com "A" grande e a arte com "a" pequeno, ou a arte a serviço da venda de um produto comercial. Mas o que é básico destacar nesta concepção é que o tempo assim concebido corresponde a uma sociedade constituída de grupos, segmentos, categorias, classes, indivíduos e elementos absolutamente descontínuos e em conflito. E que ela está, por isso mesmo, situada por cima de uma natureza também concebida como segmentada, hostil que precisa ser dominada a todo o custo. Finalmente, essa noção de tempo que pode ser acelerado ou subvertido contém a ideia de uma luta gigantesca com forças reacionárias de um passado que, como viu perfeitamente Marx, pesa sobre ela como um fantasma que é preciso de quando em vez exorcizar. Essa é a visão de dentro do nosso mundo, a visão que nos emoldura e abrange, fazendo parte de nossas mais profundas indagações político-moral-religiosas. De dentro dela, criamos um complemento coerente e um aparato institucional adequado. É que, num sistema assim constituído, há grupos que efetivamente detêm o controle interpretativo do tempo. São pois esses grupos que podem acelerar ou retardar a temporalidade, de tal modo que nossa linguagem política surge quase sempre revestida no idioma da temporalidade: uma luta de quem deseja deter o tempo e segurar as forças que movem a história, contra os que pretendem mover o ponteiro da história para adiante, com o objetivo de modificar o seu ritmo. Controlar o tempo, portanto, é uma forma importante de deter (e controlar) o poder entre nós. E, como um colorário disto, o poder entre nós implica uma forma de temporalidade que lhe parece ser inerente.

Caberia perguntar, sem pretender ser por demais filosófico, se o tempo como linha e como duração não é um problema entre nós, precisamente porque o nosso mundo social é tão dividido e individualizado. Num universo assim tão segregado, vivido e concebido como dotado de tantas perspectivas quanto se podem distinguir classes, grupos ou cidadãos, vale perguntar se haveria outra dimensão integradora tão boa para unir quanto o tempo percebido e vivido como devir, duração, processo, historicidade, continuidade, totalização, História com "H" maiúsculo, como disciplina que é a Mestra da Vida? Mas será essa uma verdade exclusiva e eterna? Ou seja, porque o tempo é para nós totalizador e provedor generoso de uma continuidade fundamental para uma formação social tão dividida e cheia de contradições no plano social e político, será esse um dado universal? Será isso uma verdade apodítica desprovida de historicidade e singularidade como paradoxalmente pretendem os defensores mais radicais da "razão dialética"?

Creio que não. E a demonstração antropológica reforça essa negativa. E essa negativa permite abrir, como estamos procurando demonstrar aqui, todo um outro lado da realidade humana, lado básico para que nossa compreensão do "outro" se amplie, na medida em que formos mais capazes de relativizar o nosso próprio ponto de vista. Nele, como vemos, o tempo enquanto história é absolutamente fundamental. Deste ponto de vista, o tempo como totalizador generoso não é uma "verdade verdadeira", mas um modo específico de conceituar o universo social, vivenciá-lo e interpretá-lo. É certo que tal universo parece estar fundado em múltiplos planos, visões e perspectivas, mas isso não deve desviar a nossa relativização segundo a qual o tempo para nós é algo vital, mas dado socialmente! Do mesmo modo que existem vários modos e critérios para armar e articular os vários universos sociais humanos, há igualmente vários modos de conceber e de vivenciar a duração do tempo.

Isso nos coloca diante de um outro ponto importante da chamada perspectiva histórica. É que ela, como disse Lévi-Strauss, também carece de significado. De modo que quando aspira ao sentido, a história também "se condena a escolher regiões, épocas, grupos de homens e indivíduos nestes grupos, e a fazê-los aparecer como figuras descontínuas, num contínuo, bem apenas para servir de pano de fundo" (cf. Lévi-Strauss, 1970: 293). Do mesmo modo que um etnólogo escolhe por onde começar, pois sem uma teoria (ou ponto de vista) daquela cultura produzirá fatalmente uma espécie de catálogo telefônico cultural, o historiador fará o mesmo. Terá que privilegiar este conjunto de fatos em detrimento daquele; terá que buscar estas datas deixando as outras; decidirá pelo estudo em detalhe destas classes sociais em vez daquelas. A história vista como um movimento processual globalizado, constituindo a própria sociedade em progresso, é, conforme assinala Lévi-Strauss, um absurdo. Realmente, se toda a sociedade pudesse se lembrar de tudo o que ocorreu no seu meio do mesmo modo, com a mesma intensidade e riqueza de detalhes, não haveria para ela um tempo significativo. O significado só aparece como um jogo complexo entre o esquecido e o permanentemente recordado – aquilo que, por isso mesmo, está sempre presente. É pelo fato de não esquecer certos eventos que um grupo cria e descobre seu lugar numa sociedade e uma sociedade sua posição no meio das outras. Um tempo totalizado e sem posição de referência seria obviamente um tempo vazio e sem significados, no qual não se poderia extrair prazer ou dor – uma qualidade.

O problema, porém, é que, muito embora nosso sistema tenda a atribuir ao tempo, socialmente concebido e determinado, dimensões de valor absolutas, pois entre nós o tempo pode ser visto, lido, sentido, medido, vendido, preenchido, morto, contado etc., tendo valor em si mesmo – ele tem, não obstante, um duplo aspecto, visto que o tempo é *absoluto* e *relativo*. Thomas Mann nos ensina a refletir sobre essa questão com muita sensibilidade quando, falando da "duração temporal" da narrativa poética, diz que "a narração tem duas espécies de tempo: em primeiro lugar, o seu tempo próprio, o fluir musical e efetivo que lhe determina o curso e a existência; e, em segundo lugar, o tempo do seu conteúdo que é apresentado sob uma perspectiva de aspecto tão diferente, que o tempo imaginário da narração tanto pode coincidir quase por completo com seu fluir musical, como afastar-se dele infinitamente". Ou seja: há um tempo absoluto, mas exterior, que é uma duração de fora: o tempo que posso passar lendo um capítulo de um livro de Bergson ou ouvindo uma música de Bach. Este tempo pode ser medido absolutamente por uma máquina, cronômetro ou relógio e pode ser também classificado por meio de certos critérios. Um sertanista desavisado e convencido de que "conhece" índios "porque vive com eles há vinte anos" engaveta uma tribo do Xingu na Idade da Pedra, utilizando para tanto certos critérios de senso comum. Este é um exemplo de uma classificação *pelo tempo* e mais, de uma classificação que apenas toma o tempo exterior, privilegiado entre nós por ser o mais facilmente percebido, o tempo reificado, absoluto: que pode ser medido e cobrado.

Thomas Mann, entretanto, continua suas reflexões, dizendo da segunda modalidade de tempo e dos problemas ou paradoxos que ela pode apresentar. Trata-se evidentemente de mostrar que no tempo interno de uma peça de teatro, livro ou música, o espaço percorrido pode ser muito maior que o tempo medido de fora. Em outras palavras, eu posso escrever um livro que conte a história de um homem cuja existência levou oitenta anos. E assim faço num espaço de quantas linhas eu julgar conveniente. Isso revela um espaço interno na duração do tempo, uma *temporalidade relativa* que pode variar de sociedade para sociedade, de leitor para leitor. Deste modo, diz o romancista: "Por outro lado, é possível que a duração dos acontecimentos relatados ultrapasse infinitamente a duração da narrativa que os apresenta reduzidos" (cf. Thomas Mann, *Montanha mágica*, cap. VII).

Estas reflexões situam bem a necessidade de estudar tais concepções internas do tempo, posto que elas são variáveis e estão estruturadas. Assim, pode-se dizer que cada sociedade conhecida elabora uma dimensão interna da temporalidade, dando-lhe um peso específico, de acordo com seus modos de ordenamento social, político, econômico, religioso etc. Entre os Nuer, conforme revelou Evans-Pritchard, num estudo clássico, o tempo é medido pelos espaços intercalares criados, concebidos e vivenciados pelas linhagens e clãs patrilineares. Assim, na medida em que caminhamos para o ancestral comum chegamos mais perto da fundação da linhagem avançando, consequentemente, na sua esfera temporal. Isso implica uma maior abrangência do espaço, pois entre os Nuer há um claro contínuo entre espaço e tempo. Deste modo, na medida em que penetramos na temporalidade ancestral, ampliamos o nosso espaço de solidariedade e lealdades sociais e políticas (cf. Evans-Pritchard, 1978: cap. 3).

Essas considerações baseadas na obra de um antropólogo inigualável, Evans-Pritchard, nos ajudam a discernir as relatividades colocadas por "temporalidades" e classificações baseadas no tempo em termos de distâncias e proximidades. Assim, o evento mais distante no tempo tem a virtude de ser concebido por todos os grupos como estando resolvido; ao passo que o evento próximo tende a ser lido de modo muito mais complexo, permitindo múltiplas interpretações. Arnold Van Gennep colocou muito bem esta problemática do estudo de eventos sincrônicos e diacrônicos, quando nos diz que: "Pouco a pouco vamos nos curando da doença do século XIX que se pode chamar *mania histórica*, segundo a qual o *valor único dos fatos atuais decorre de sua ligação com o passado*, o que fez com que, segundo o tema de um romance célebre, os vivos só valham em relação aos mortos." E continua nosso Autor: "Esta doença física e metodológica espalhou-se tanto que poucas pessoas instruídas evitam, apreciando um objeto ou um ato, estimá-los apenas pelo seu valor arqueológico ou histórico." (...) "O fato vivo, analisável, verdadeiro assunto da ciência, era assim desprezado." (...) "Mas é forçoso confessar – diz ainda Van Gennep, agora situando a nossa problemática – *que é mais fácil estudar um passado do qual três quartas partes dos elementos componentes desapareceram, do que um presente aberto à nossa observação com toda sua complexidade e instabilidade*" (cf. Van Gennep, 1950: 52-53; os grifos são meus).

O texto acima é básico por duas razões principais: em primeiro lugar, denuncia, com clareza extrema, o tempo histórico sendo utilizado como elemento básico de legitimação social. Se um evento, ato ou objeto não é logo abrangido por meio de uma classificação histórica, ele não tem legitimidade ou interesse científico e político. Trata-se, como já mostrei anteriormente, de uma visão do tempo como dimensão totalizante, como um campo capaz de criar hierarquizações entre homens, segmentos, classes, grupos, categorias e objetos. Em segundo lugar, Van Gennep indica a dificuldade de, escapando da perspectiva histórica, entrar no estudo dos fatos atuais tomados em suas significações presentes. Ele indica como isso é muito mais complicado e arriscado. Noto, mais uma vez e para evitar mal-entendidos, que não sou contra o estudo da história. Apenas indico, em excelente companhia, que o estudo histórico não deve ser tomado como via exclusiva, sobretudo quando se pode revelar sua natureza igualmente relativa e carente de significado apodítico. Nesta perspectiva, é muito importante indicar como o estudo de um evento como a descoberta do Brasil é capaz de despertar muito menos polêmica do que o estudo sociológico do Governo Geisel, a menos que se possa relacionar a descoberta do Brasil com fatos contemporâneos mas aqui pode-se perfeitamente questionar se tal fato é pretexto ou contexto para uma discussão do mundo atual. A eventos distantes no tempo corresponde uma predominância de interpretações acadêmicas em contraste com interpretações políticas, o evento está mais "frio", para usarmos um qualificativo inventado por Lévi-Strauss. Concomitantemente, um evento mais próximo no tempo é um fato ainda se desenrolando entre nós. Um episódio que não esgotou suas ondas de impacto. Daí, certamente, as dificuldades de uma interpretação "fria", acadêmica e a multiplicidade de interpretações políticas. Trata-se de um episódio "quente", que se desenrola diante dos nossos olhos, e que ainda depende de nossa ação sobre ele. Em outras palavras, fatos sincrônicos são simplesmente eventos dos quais somos testemunhos e agentes. E isso conduz a uma dificuldade muito grande quando se trata de opinar sobre eles. Tão grande que, em muitos casos, a proposta de um estudo científico, "frio", é tomado como revelador de uma espécie de indigência moral ou mesmo de amoralismo político. A proximidade permite a acusação e a acusação dificulta a classificação do episódio numa dada categoria social ou cultural. Aliás, é essa dificuldade que irá permitir a *disputa* (ou negociação) do próprio fato, agora visto como caso político, ou seja, como um evento que acaba servindo como instrumento, moldura ou idioma de demarcação de posições entre grupos e categorias sociais que disputam uma certa visão global do mundo.

Um outro problema posto pela perspectiva histórica é representado pelas restrições metodológicas concretas colocadas quando se trabalha com uma sociedade desconhecida no tempo e no espaço, como é o caso das sociedades tribais com as quais se defronta o antropólogo. Realmente, diante de uma sociedade tribal, o etnólogo encontra uma resistência formidável. Está diante de um grupo sem escrita e sem monumentos. Isso significa que é muitas vezes o próprio antropólogo quem primeiro registra para o tempo e para o futuro a vida de uma dada comunidade humana. Mas como, numa situação como essa, falar de um devir? Eu me explico melhor: no historicismo, há um pressuposto de que o tempo linear conduzirá a sociedade para um ponto importante. Para tanto, sabemos perfeitamente bem quais as provas desta transformação, indicando as instituições que devem ser investigadas na pesquisa processual. Assim, ao estudar o eixo religioso, por exemplo, não darei atenção inicial aos dados da produção do aço, mas aos fatos situados pelos dilemas morais da família, da educação e das ideologias em geral. Poderei, é certo, falar da produção do aço, mas somente depois de ter esgotado aquelas variáveis que considero básicas no estudo do fenômeno religioso em nosso meio, variáveis que nem sempre discuto, mas *sei* (porque *conheço e vivo nesta sociedade*) que são básicas.

Mas como deverei proceder numa sociedade desconhecida? Em outras palavras, que instituições ou domínios da sociedade em estudo (que não conheço bem) devo escolher para realizar minha tarefa como estudioso da ordem humana, seja no tempo ou no espaço?

Devo observar, inicialmente, que a questão metodológica traz dentro de si uma outra pergunta de caráter filosófico muito importante porque situa um problema substantivo. O problema é o seguinte: quando a nossa formação social cresceu e se desenvolveu, que domínios da nossa sociedade foram submetidos ao crivo de uma ordem histórica, de uma perspectiva historicista? Noto, junto com outros teóricos da história, como Collingwood e Eduard Meyer, que discutir a historicidade de um evento é coisa fundamental no estudo da história. Mas como sei que um certo episódio é histórico numa sociedade desconhecida, como uma tribo melanésia ou uma sociedade tribal do Amazonas? Meyer, citado por Collingwood, no seu célebre estudo *A ideia de história*, estabelece, como critério para a historicidade de um acontecimento, a sua eficácia, isto é, o fato de que tenham produzido alguma consequência (cf. Collingwood, *A ideia de história*, p. 277). Mas como poderei saber a "consequência" de um discurso de um líder Apinayé no pátio de sua aldeia se não conheço bem sua língua, suas instituições políticas e o dinamismo de sua sociedade? Do mesmo modo, como apreciarei o impacto de uma disputa entre vizinhos numa aldeia africana, se não entendo o funcionamento do seu sistema social? Será o discurso, que classifico à primeira vista como "político", realmente político? Ou será que tem elementos de uma linguagem muito mais religiosa? O que observei hoje pela manhã é um ritual religioso ou um ato de prestígio praticado para desafiar um chefe?

Estas são questões corriqueiras no trabalho do antropólogo que não sabe como o grupo que estuda classifica internamente o seu tempo, as suas relações sociais e as suas instituições. E tais indagações nos ajudam a inferir que a nossa história é, pelo menos originalmente, um testemunho constante do fato e do ato político. Os primeiros documentos históricos são documentos imperiais: códigos de leis, estelas comemorativas, tratados de dominação política, ordens de batalha, selos comemorativos. A escrita, como intuiu Lévi-Strauss no seu *Tristes trópicos*, antes de ser utilizada para libertar o espírito e escrever livros, serviu para escravizar os homens e povos, descoberta que Lévi-Strauss revivia com um chefe nambiquara que rabiscava um pedaço de papel, fingindo contar seus homens, bens e mulheres.

Não é, pois, mero acaso que fazer história seja o equivalente de fazer política. A ideia de história, de sucessão, de antecedentes e consequentes, fica relacionada muito de perto às modificações políticas essenciais por que tem passado a nossa sociedade. Fazer história e fazer política são, assim, para nós, equivalentes. E mais: o domínio da história foi, até seguramente o século XIX com o advento da história econômica e social – sobretudo com Marx e Engels –, o estudo da esfera do político. Até a revolução industrial e as crises sociais por ela iniciadas, ninguém pensaria em realizar uma "história" do proletariado europeu, mudando o eixo de interesse de uma história política de batalhas, famílias reais, fronteiras e tratados, para uma história social da massa humana sem individualidade que povoava bairros e fábricas. Sir Karl Popper, que concorda com esta afirmação, diz: "Por que, porém, foi escolhida a história do poder e não, por exemplo, a da religião e da poesia? Há diversas razões. Uma é que o poder nos afeta a todos e a poesia só a uns poucos. Outra é que os homens estão inclinados a adorar o poder (cf. Popper, 1974, vol. II: 279). Uma resposta mais sociológica está em compreender que o chamado poder é uma esfera, redefinida na nossa sociedade a partir da Revolução Francesa, sendo transformado num instrumento de esperança das mudanças sociais que eram tão necessárias quanto generosas no ideário popular. Projetando o jogo de forças sociais no campo da disputa pública, o nosso sistema criou uma região incrivelmente dinâmica, onde se pode ver passar, período após período, um desfile de propostas, regimes, leis, emoções e homens. Daí, sem dúvida, a associação do político com a ideia de transformação, de devir e de historicidade!

Mas eu não devo confundir o leitor. Quando falo de um domínio historizável, como é o caso do político no nosso sistema social, estou falando de uma esfera da totalidade social que foi destacada pelos seus próprios membros para expressar seus principais problemas e dilemas, bem como a sua consciência de si mesma. Sabemos que antes da Revolução de 1789 o domínio que resgatava a totalidade e a universalidade, dando ao homem a noção plena de seu lugar e significado no cosmos, era o da religião. A história, portanto, estava fundada e enredada – embebida, diríamos, seguindo a famosa formulação de Polanyi (cf. Polanyi, 1944) – na noção de Deus, pecado, salvação e hierarquia, tudo isso até o advento do fato político como modo básico de expressão do universal.

O historizável é, pois, como não poderia deixar de acontecer, o domínio considerado como importante em cada momento histórico. Quando um historiador do século XVI fala da história de Portugal como a história da projeção da personalidade gloriosa de um Rei, ele sabe (e nós sabemos também) que este Rei foi venturoso e importante. Do mesmo modo, quando no século XIX Karl Marx revela a importância fundamental dos processos produtivos para o entendimento do resto da cultura e sociedade da Europa burguesa, capitalista e individualista, ele sabe que isso é básico e nós também. Temos destes processos uma visão interna, contínua e totalizante.

Mas quando estou na aldeia dos índios Apinayé e, pelo anoitecer, passo em revista a minha experiência de etnólogo, uma coisa é patente: eu estou só (pois somente eu tive a experiência Apinayé como etnólogo) e mais, eu não sei o que é importante para os Apinayé. Essa é uma constatação básica. Como, pois, reconstruir no tempo as instituições de uma dada sociedade, quando de fato não sabemos quais dessas instituições são as mais importantes?

Um modo de enfrentar e procurar resolver este problema é pela projeção do nosso sistema de classificação na sociedade em estudo, postulando ali uma historicidade semelhante à nossa de modo que ela venha a se constituir numa etapa como que cristalizada no tempo de algum estágio anterior já superado por nós. Assim falamos em "Idade da Pedra", "Idade do Bronze" etc. numa classificação tecnológica onde o tempo ganha uma dimensão legitimadora privilegiada. Para realizar essa *demarche* totalizadora, o processo tem sido – até o advento do "funcionalismo" – relativamente simples:

a) Estuda-se a sociedade desconhecida como se ela fosse realmente conhecida, isto é, reproduzindo nela os nossos domínios básicos. Assim, se o nosso sistema religioso está fundado na crença em espíritos, num Deus único e onipotente e em sacrifícios, isso é buscado na sociedade em estudo. Se o nosso sistema produtivo é capitalista, isso é igualmente procurado. Se o nosso sistema político opera a partir de uma entidade chamada "Estado", busca-se algo homólogo na sociedade em análise.

b) Os itens coincidentes são índices de avanço; os não coincidentes de atraso social e cultural que é equivalente a um atraso histórico. Isso posto, pode-se construir uma escala de sociedades "mais" e "menos" avançadas. Mas notem que os critérios não são dados pelas sociedades, mas por nós mesmos, na base de nossa experiência histórica e social com o nosso próprio sistema.

c) O item tecnologia, energia ou economia num sentido mais amplo e designando sobretudo o processo produtivo é fundamental nesta classificação. Isso porque, como se sabe, tais fatores são essenciais no dinamismo do nosso sistema. Curioso observar que, quando falamos de "economia", pensamos sistematicamente em processos de exploração e transformação da natureza, onde desenvolvemos técnicas complexas e muito sofisticadas, deixando de lado os aspectos de distribuição que, em muitas sociedades tribais, como Trobriand, Timbira, Kachin etc., são extremamente complexas. Deste modo, não deve constituir surpresa o fato de a maioria dos esquemas evolucionistas partirem de um critério puramente tecnológico, tomado como item básico da aventura humana.

Quando esse modo de resolver esse problema é abandonado, a descoberta de que é básico em outra sociedade é realizada num duro estudo da operação de sistema alienígena como tal, isto é, como um fenômeno dotado de linhas, valores e uma lógica próprios, diferentes dos nossos.

5. A lógica do totemismo e a lógica da História

Com os olhos bem abertos para as diferenças de concepção de tempo e sem confundir tempo e história, descobrimos que em muitos sistemas tribais a continuidade social é obtida por meio de diferenciações lógicas, com uma identificação com a natureza (aqui vista como um domínio atuante e diretamente ligado à sociedade), por meio de identidades entre os homens e grupos humanos, espécies de plantas, animais e fenômenos meteorológicos e geográficos. Isso constitui o chamado fenômeno do "totemismo", tão genialmente estudado e esclarecido na obra de Claude Lévi-Strauss (cf. Lévi-Strauss, 1970 e 1975). Aqui, a surpresa parece ter sido encontrar sociedades que buscavam sua continuidade social numa franca associação com o universo natural, domínio que desde o tempo dos gregos foi segregado da sociedade no nosso modo de conceber o cosmos. No sistema totêmico, portanto, havia uma "aliança", uma espécie de casamento da sociedade com a natureza que, naquele nível específico, ficava confundida com ela, permitindo, porém, diferenciações a nível interno. Ou seja, quando um clã é equacionado ao urso como sendo também um urso – tendo com o urso uma ligação de amizade, uma relação de comunhão em alguns aspectos da natureza do animal – e o mesmo sendo postulado para outros grupos de uma dada sociedade, há um nível de continuidade entre homens e animais (o chamado nível "totêmico" da associação homem = animal; ou, ainda, homem = planta), mas existe também um outro plano onde diferenciações são estabelecidas. Pois é precisamente porque o clã A está ligado ao urso e o clã B à águia e o clã C à tartaruga; e porque urso, águia e tartaruga são concebidos como animais de espécies radicalmente diversas é que é possível saber precisamente que o clã A é muito diferente do clã B e do clã C. Consegue-se, pois, numa sociedade onde todos são da mesma espécie, pois todos são homens, criar uma diferenciação social pela identidade com um animal, identidade essa que permitirá a união de todos num plano muito mais profundo, junção da sociedade com a natureza, do homem com o animal, tudo isso numa leitura totalizante do universo. Temos, assim, as equações:

1. O clã A é aliado do urso; o clã B da águia; e o clã C da tartaruga.
2. O urso é muito diferente da águia e urso e águia são igualmente diferentes da tartaruga.

Logo: o clã A é muito diferente do clã B e do clã C, embora todos compartilhem de uma complementaridade essencial, pois como viver num mundo sem ursos, sem águias e sem tartarugas? Do mesmo modo, como viver numa sociedade sem o clã A, B e C? Eis aqui, numa cápsula, a ideologia generosa do totemismo.

O raciocínio é o mesmo que usamos, conforme indicou Leach, para distinguir radicalmente o comportamento de um marido e uma esposa que brigam muito. Aqui, como no universo governado pela lógica totêmica, usamos muitas vezes o artifício lógico de identificar o homem com o cão e a mulher com um gato, assim:

$$\begin{cases} \text{marido} = \text{cão} \\ \text{mulher} = \text{gato} \end{cases} \rightarrow \text{ORA: não há nada mais oposto do que cão e gato.}$$

LOGO: aquele casal "briga como cão e gato".

A metáfora que é, realmente, um dos ingredientes básicos do totemismo, é uma forma fundamental da continuidade lógica (e social) obtida pelo que foi chamado muitas vezes de "mentalidade pré-lógica", um tipo de inteligência que segundo muitos estudiosos do passado, mas sobretudo Levy-Bruhl, se caracterizava pela "confusão mental" que sistematicamente misturava as classes que deveriam segregar às coisas do universo. Como estamos vendo, o totemismo não confunde nada, pois seu modo de operar é feito de continuidades e descontinuidades, daí advindo, como em todo sistema lógico que se preza, o significado dos objetos postos em relação.

Quase do mesmo modo, mas inversamente, a historicidade cristã ocidental que permite, como já vimos, liquidar com a descontinuidade no espaço, inventa uma outra, no tempo. Se na lógica das sociedades tribais há uma tendência a buscar a continuidade social por meio de uma "aliança" com o natural, utilizando uma lógica sincrônica, com a preocupação de relacionar tudo com tudo, na lógica de historicismo, o principal é saber que uma coisa como que *sai* da outra. Assim, uma certa forma histórica, pressionada por um agente interno ou externo, faz nascer uma outra forma que, num dado momento, pode transcendê-la e dela se diferenciar. *Esta é uma lógica fundada na descendência e não numa aliança.*[9] E, como tal, ela se baseia em nascimentos sucessivos e em mortes progressivas: seu idioma é o da sucessão.

Na lógica do historicismo, portanto, a continuidade é alcançada por meio de uma sucessão linear, onde uma dada forma se transforma na outra. Mas, devo notar, essa é uma transformação interna, não uma transformação lógica. Tudo indica que esses dois modos de transformação – a externa, dada na lógica do totemismo e que atua em sistemas tribais; e a interna, dada nas operações da historicidade e do devir – são essenciais para a realidade humana que sempre se utiliza das duas ideias sistematicamente. Assim, não existe realmente nem uma sociedade inteiramente fundada no totemismo, nem uma sociedade que possa prescindir radicalmente dele. Do mesmo modo, não há nenhum grupo humano fundado absolutamente na historicidade, sem ter ideias e valores tomados como eternos. Esse problema deve nos conduzir ao final desta parte.

A relação entre historicidade e lógica totêmica é a do implícito com o explícito. Em certos sistemas o que se coloca na frente de tudo, como ideologia dominante, é a ideia de que uma forma social sai de dentro da outra que era anterior a ela e que lhe causou o nascimento. Em outros, a ideia dominante é aquela que busca inter-relacionar homens, plantas, animais, fenômenos geográficos e meteorológicos, repetindo no cosmos a ordem de sua organização interna, onde todos são parentes de todos. Mas tanto as sociedades dominadas pelo historicismo, quanto aquelas dominadas pelo totemismo, podem se entender. E podem assim fazê-lo porque a forma subjacente (dominada) ficou implícita, inconsciente naquele sistema.

---

[9] Descendência e aliança são dois termos básicos, como veremos na parte final, na discussão moderna da organização social.

Todo etnólogo que, como eu, esteve interessado no estudo sociológico do contato entre sociedades tribais e nacionais (cf. DaMatta, 1970; 1976 e 1979), descobre logo que sociedades tribais sem uma perspectiva histórica linear (sem historicidade) podem desenvolver ideias relativas ao tempo e ao devir que se assemelham às nossas concepções de história, a partir do contato com o branco e dos problemas apresentados quando o grupo tribal busca elaborar essa situação paradoxal e complicada. Assim, mitos de origem do "homem branco" situam – conforme busquei demonstrar uma vez (DaMatta, 1970) – uma espécie de oscilação entre uma temporalidade fundada por intermédio de elos recíprocos entre os personagens do relato e uma outra, muito próxima da nossa, baseada na ideia clara de escolha, causa e transformação interna, pois o menino que se modifica em homem branco é queimado, ressurgindo das cinzas. Como disse naquele estudo, a origem do branco para as sociedades Timbira do Brasil Central era um mito às avessas, um "antimito" porque buscava integrar uma lógica totêmica, de alianças e reciprocidades, com uma historicidade fundada em transformações internas e comandada por um grupo que é quem a totaliza. No caso em pauta: o homem branco, a sociedade dominante.

Neste caso de mitos de contato, a história se introduz no seio de um grupo dominado por uma temporalidade de feições cíclicas e frias: o tempo visto como um eterno presente. Suspeito também que a historicidade lança seu lastro em sociedades dotadas de grandes sistemas articulados de clãs e linhagens; ou seja, de grupos unilineares de descendência, quando se trata de decidir sobre a sucessão de um Chefe ou de um Rei. Aqui, pode-se facilmente romper o tênue equilíbrio entre os grupos, para dar lugar a disputas fundadas na primazia temporal (quem é o mais antigo?) legitimadora dos direitos ao poder. Isso ampliado, pode fazer passar o devir tal como o conhecemos, modificando sistemas tribais que passam a operar, ao menos naquele momento, como uma "sociedade histórica".

O inverso pode ser encontrado entre nós, quando descobrimos no meio de nosso universo tão dominado pela ideologia da mudança e do futuro valores perenes, "eternos", como os chamamos em nossos momentos de descuido. Que valores são esses? Eles são as ideologias relacionadas aos pontos fixos do nosso sistema, zonas que – paradoxalmente – irão permitir mudanças e transformações que tanto estimamos. Assim, os valores ligados ao desenvolvimento a todo o custo da personalidade individual e de suas emoções básicas são ideias eternas. Se tudo deve mudar, é sempre para agrado do indivíduo, entidade que entre nós, conforme revelou Dumont (1965, 1970a, 1970b, 1974), é o centro do sistema. Nesta perspectiva, tudo deve modificar-se para tornar feliz o indivíduo. E com esta ideologia, legitimamos a modificação da família, do casamento, do Estado e da própria moralidade. Geralmente, justificamos todas essas mudanças, na base de uma ideia de que "tudo, afinal, muda e passa; nada é permanente". Mas, por trás destas afirmações de senso comum, descobre-se um ponto fixo, uma ideia permanente que não muda: a ideia de indivíduo como centro de todas as coisas, tendo o direito à felicidade. Ao lado desta ideia básica e dominante de "indivíduo" como centro e razão do nosso sistema social, encontramos as esferas que lhes são concomitantes: a do amor, da justiça, da igualdade, do trabalho, do consumo, da arte. Noto que em todos esses domínios, e eles são fundamentais para a operação do nosso sistema, o crucial é a possibilidade de expressão íntima, individual; a criação da singularidade pessoal, de um espaço interno onde coisas particulares, privadas podem ter livre curso. É precisamente isso que acontece na esfera do "amor", *zona igualmente eternizada*, onde um espaço interior da pessoa deve se abrir para receber a bênção da complementaridade, no momento mesmo em que dois indivíduos se transformam em um. Todo simbolismo utilizado nesta área é, pois, condizente com essas observações: penetrando a flecha de Cupido o corpo do indivíduo e atingindo o seu coração. E a própria ideia de coração como o foco nervoso das emoções amorosas, centro cujas razões – como já disse o filósofo – a própria razão desconhece. Em outras palavras, no mundo ocidental, o "amor" como zona de encontro e de escolhas individuais, é uma área onde a razão (as leis, regras e normas morais) não podem penetrar. Ela tem um espaço próprio, uma autonomia relativa. Num estudo brilhante, Viveiros de Castro e Benzaquem de Araújo (1977), mostram como o texto de *Romeu e Julieta* encarna essa movimentação amorosa eterna, essa história que fica fora da história, como um modelo a ser ouvido, seguido, imitado. O mito glorioso da eterna lealdade de um amante pelo outro, quando trocam a própria vida pela união que eles próprios consagraram num movimento particular, individual, contra todas as convenções sociais, entrecortando – nas suas razões que as leis desconhecem – as lutas e os ódios clânicos, coletivos e determinantes. É o amor de Romeu por Julieta e de Julieta por Romeu que permite romper tudo isso, criando um campo social próprio. É o que efetivamente chamamos de "amor" em nossa sociedade. Mas é preciso dizer que, como demonstra o citado trabalho, tudo isso só pode ser constituído a partir de um momento histórico bem marcado: o nascimento do mundo moderno. Assim, o eterno entre nós também tem um nascimento.

Como um foco crítico destas zonas de eternizações numa sociedade histórica, que conhece a efemeridade de todas as coisas, temos os rituais coletivos, sobretudo os que se exercem pela competição entre pessoas e grupos corporados (os times), ou seja: coletividades que operam como indivíduos. Como já indiquei em outro lugar (cf. DaMatta, 1979), os festivais, cerimoniais patrocinados pelo Estado, olimpíadas, campeonatos, jogos etc. que realizamos, permitem totalizar valores eternos, produzindo um todo que é sempre vivido como um momento grandioso, modelar, emocionante; pois é nesta experiência do ritual coletivo que tomamos consciência de uma outra realidade tão fundamental quanto o indivíduo: a realidade da sociedade em que vivemos com suas fronteiras, limites, regras e, por causa disso mesmo, com a capacidade de nos unir uns com os outros na vivência coletiva dos ideais comuns.

Vendo um jogo de futebol, torcendo por um cavalo, vibrando com uma luta de boxe ou um jogo de tênis, conseguimos realizar uma espécie de reconciliação social e emocional muito básica. Pois com isso juntamos novamente o indivíduo e a sociedade pela ação do nosso time ou do nosso jogador favorito. Durante a disputa, portanto, estamos individualizados pelo nosso time (ou seja, na continuidade claramente totêmica de uma aliança com o clube, o lutador ou o jogador); mas, no final do campeonato, estamos juntos com todos os outros torcedores, no pacto coletivo e essencial de dar o prêmio a quem o mereceu. E merecer aqui é poder ser o campeão, isto é, poder reunir em si todos os outros disputantes, perfazendo dentro de si – no espaço aberto pelo excelente desempenho – a totalidade. O movimento, como estamos vendo, é duplo: continuidade com o clube, descontinuidade entre os clubes; descontinuidade quando estamos na disputa, continuidade no final do campeonato, momento em que a totalidade inicial é recriada pelo vencedor.

Mas isso não é tudo. Uma outra área onde o tempo histórico se desfaz e o mundo retoma sua dimensão mágico-totêmica é a arte, sobretudo a arte aplicada à produção, no que chamamos de esfera da publicidade e também na música popular. Aqui talvez mais do que em todos os outros domínios de nosso sistema (como o cinema e o teatro), o produtor se utiliza dos recursos de uma lógica de alianças e reciprocidades, buscando equacionar seu produto fabricado e às vezes sem nenhuma utilidade prática, com valores eternos: o amor, algum animal imponente, a beleza do chamado "eterno feminino", a natureza concebida sem máculas. É comum, assim, ver na publicidade essa humanização das máquinas: no automóvel que canta e fala como gente; na gilete que se transforma em loura; na geladeira que pode pedir para ser consumida. Do mesmo modo, é comum associar-se, pela mesma lógica, um produto como o cigarro, com zonas naturais belíssimas, tudo isso sob a moldura eficiente de uma forte personalidade que conduz claramente ao sucesso. De fato, tudo que se opera na publicidade tem a ver com esse espaço mágico, onde animais e homens se entendem, onde máquinas e pessoas se comunicam tanto nas ligações entre produção e consumo, quanto no idioma crítico e igualmente mágico do "sucesso", do "*it*", do "glamour", do "*sex-apeal*", do "*charm*" e agora, depois de uma popularização de Max Weber, do "carisma". E tudo isso vende, permitindo caminhar do universal da produção ao particular do mundo do consumo, sempre individual no nosso sistema.

Uma outra totalização paralela, também eterna e que passa igualmente despercebida, é aquela realizada pela música popular, quando o olhar, o beijo, o abraço, o amor e as harmonias do meio musical permitem a ligação de tudo com tudo: dos amantes com o amor, do mundo cotidiano com a magia de um jardim iluminado por uma lua triste (*blue moon*). A magia da música popular reata a fórmula verbal que tem uma eficácia em si mesma como a frase que permite, supõe-se em algumas sociedades como Trobriand, por exemplo, garantir o sucesso de uma viagem de canoa (cf. Malinowski, 1976; cap. XVIII; Evans-Pritchard, 1978b; Tambiah, 1973; Douglas, 1976; Leach, 1978; Turner, 1974). Na magia das sociedades tribais, tal como canta a nossa música popular e o slogan publicitário, busca-se unir o continente da frase (seu ritmo, enunciado, elementos que a formam etc.) com o seu conteúdo e suas intenções. Assim, a frase transforma-se na própria coisa ou emoção que ela própria está magicamente enunciando. Como no filme *Cantando na chuva* quando o herói canta e dança realmente na chuva. Ou quando cantamos a marcha carnavalesca "Mamãe, eu quero" e estamos, no contexto do baile de carnaval, querendo realmente o que cantamos. Ou, ainda, quando falamos com Cole Porter, "*you do something to me...*" e a canção reúne continente e conteúdo nas harmonias que consegue criar, entre o interno e o externo, o indivíduo e o meio onde está, o homem e a mulher, a fala e o canto, o cantor e o público etc. Tudo isso recoloca o problema que, a meu ver, é absolutamente central na motivação e natureza do que chamamos magia; qual seja: a tentativa de resolver o tremendo paradoxo colocado pela linguagem que é essa ruptura eterna entre as palavras e as coisas.

Pode-se, então, falar de um fim da magia? É claro que não. Mas pode-se especular, como estou fazendo aqui, sobre o deslocamento do espaço mágico para outras áreas. Como estamos podendo ver, ele já não está no centro de nosso sistema, onde jaz o indivíduo consumidor e provedor de todas as marcas de legitimidade social. Mas está em zonas marginais muito críticas, onde o sistema ainda luta com o significado moral e social de tudo o que produz e de tudo o que não marcha muito bem. Assim, a magia entre nós ocupa espaços destinados à fantasia, à inconsequência, à apreciação e a fluir do belo. A tudo o que situamos muitas vezes com extremo desdém no domínio do estético. Mas é também nestas regiões que deixamos repousar as nossas eternidades, pois se trabalhamos é, afinal, para podermos ter o direito de gozar livremente esse privilégio de usufruir dos produtos que nos impinge o sistema publicitário no consumo vertiginoso de termos sempre mais uma tarefa para realizar junto com mais uma coisa para desfrutar e... para comprar!

Tomando consciência do eterno entre nós, descobrimos na música popular, na publicidade, na moralidade, no amor e na arte em geral (sobretudo nas artes divinatórias, vigorosas entre nós, como o "jogo do bicho"), a operação de lógicas totêmicas que aspiram à junção de tudo com tudo e permitem novamente abrigar as nossas mais secretas esperanças, sonhos e paradoxos, dando significado à própria vida humana em sociedade. Pois é aqui, na esfera destas lógicas da identidade e da comunhão que buscamos prever o imprevisível, determinar o indeterminado e controlar o futuro que nosso credo oficial insiste em apresentar como sendo aberto e estatístico, regido por probabilidades. No totemismo e na magia que, como estamos vendo, ainda subsistem em algumas áreas do nosso sistema, reencontramos o eterno: aquilo que não muda e, por isso mesmo, provê um sentido de coerência essencial à nossa vida.

É preciso, portanto, finalizar esta parte lembrando a famosa advertência feita à Antropologia Social pelo grande historiador inglês Maitland. Dizia ele que "a Antropologia teria que escolher entre ser História ou ser coisa alguma". E junto com essa advertência confiante de Maitland, a resposta desabusada de Evans-Pritchard que, prevendo o curso dos acontecimentos e o papel reservado no futuro à Antropologia Social, decretou: "ou a História escolheria ser socioantropologia, ou ela não seria coisa alguma". Digamos, assumindo uma posição sociologicamente mais correta talvez que já se pode vislumbrar uma antropologia que, num diálogo aberto e sistemático com a temporalidade vivida e concebida pelos homens de diversas sociedades, pode relativizá-la e, assim fazendo, conseguir alcançar na história tudo o que ela pode realmente nos oferecer. Foi justamente isso que pretendi ter aqui apresentado estudando o desenvolvimento de nossa disciplina.

TERCEIRA PARTE

Trabalho de campo

1. O trabalho de campo na Antropologia Social

A partir do momento em que a antropologia, no limiar do século XX, começou a abandonar a postura evolucionista, ficou patente a importância do trabalho de campo ou pesquisa de campo como o modo característico de coleta de novos dados para reflexão teórica ou, como gostavam de colocar certos estudiosos de visão mais empiricista, como o laboratório do antropólogo social. Assim, se o cientista natural tinha o seu aparato instrumental concreto para repetir experiências no teste de suas hipóteses de trabalho, o etnólogo o experimentava de modo diverso. Na sua disciplina estava fora de questão a experiência desenhada e fechada, do tipo realizado pelo psicólogo experimental na sua prática, mas ficava inteiramente aberta a experimentação num sentido mais profundo, qual seja: como uma vivência longa e profunda com outros modos de vida, com outros valores e com outros sistemas de relações sociais, tudo isso em condições específicas. Frequentemente o etnólogo realizava sua experiência em solidão existencial e longe de sua cultura de origem, tendo, portanto, que ajustar-se, na sua observação participante, não somente a novos valores e ideologias, mas a todos os aspectos práticos que tais mudanças demandam. Enquanto o cientista natural poderia repetir seu experimento, introduzindo ou retirando para propósitos de controle suas variáveis; no caso do antropólogo isso não poderia ocorrer. O controle da experiência, portanto, conforme chamou nossa atenção tantas vezes Radcliffe-Brown (cf. 1973, 1979), teria que ser feito pela comparação de uma sociedade com outra e também pela convivência com o mundo social que se desejava conhecer cientificamente. Em outras palavras, a pesquisa estava limitada pelo próprio ritmo da vida social, já que o antropólogo social seria o último a buscar sua alteração como um teste para as suas teorizações.

Nós já vimos como essa virada metodológica que se cristaliza na pesquisa de campo e a constelação de valores que chega com ela estão profundamente associadas ao chamado "funcionalismo" ou ao que denomino, pelos motivos já mencionados na parte anterior, "revolução funcionalista". Tal postura conseguiu arrancar o pesquisador de sua confortável poltrona fixa numa biblioteca em qualquer ponto da Europa Ocidental, para lançá-lo nas incertezas das viagens em mares povoados de recifes de coral, rituais exóticos e "costumes irracionais". Tal mudança de atitude, ao fazer com que a antropologia deixasse de colecionar e classificar curiosidades ordenadas historicamente, transformou nossa ciência, conforme disse Malinowski, "numa das disciplinas mais profundamente filosóficas, esclarecedoras e dignificantes para a pesquisa científica" (cf. Malinowski, 1976: 375), justamente por levar o estudioso a tomar contato direto com seus pesquisados, obrigando-o a entrar num processo profundamente relativizador de todo o conjunto de crenças e valores que lhe é familiar. Deste modo, a antropologia social não poderia, para Malinowski, ligar-se a nenhuma compilação de costumes exóticos onde o etnólogo teria como objetivo a reprodução de uma lista infindável de "fatos", tais como: "Entre os Brobdignacianos, quando um homem encontra sua sogra os dois se agridem mutuamente e cada um se retira com um olho roxo"; ou "Quando um Brodiag encontra um urso polar, ele costuma fugir e, às vezes, o urso o persegue"; ou, ainda, "Na antiga Caledônia, quando um nativo acidentalmente encontra uma garrafa de uísque pela estrada, bebe tudo de um gole, após o que começa imediatamente a procurar outra garrafa" (cf. Evans-Pritchard, 1978: 22) o que, como disse Malinowski, "fazia com que nós antropólogos parecêssemos idiotas e os selvagens, ridículos" (Evans-Pritchard, 1978: 22).

Tal estilo de reproduzir a experiência com os nativos, implacavelmente satirizada por Malinowski na citação anterior, lembra o modo pelo qual os evolucionistas clássicos escreviam seus relatórios de pesquisa: como uma espécie de catálogo telefônico cultural, onde a ideia de classificar e, sobretudo, de colecionar todos os costumes era um objetivo evidente. A partir do advento do trabalho de campo sistemático, entretanto, tornava-se impossível reduzir uma sociedade (ou uma cultura) a um conjunto de frases soltas entre si, na listagem dos costumes humanos dispostos em linha histórica. Isso porque a vivência propriamente antropológica – aquela nascida do contato direto do etnógrafo com o grupo em estudo por um período relativamente longo – dava a perceber o conjunto de ações sociais dos nativos como um sistema, isto é, um conjunto coerente consigo mesmo.

É, como vimos, essa descoberta tão simples e tão crítica que permitirá o nascimento da visão antropológica moderna, como o instrumento básico na transformação da antropologia social numa disciplina social, como um autêntico ponto de vista. Como disse Malinowski num dos seus grandes momentos de reflexão: "Deter-se por um momento diante de um fato singular e estranho; deleitar-se com ele e ver sua singularidade aparente; olhá-lo como uma curiosidade e colecioná-lo no museu da própria memória ou num anedotário – essa atitude sempre me foi estranha ou repugnante." Ou seja, o papel da antropologia é produzir interpretações das diferenças enquanto elas formam sistemas integrados. Como diz o mesmo Malinowski logo a seguir:

> "Há, porém, um ponto de vista mais profundo e ainda mais importante do que o desejo de experimentar uma variedade de modos humanos de vida: o desejo de transformar tal conhecimento em sabedoria. Embora possamos por um momento entrar na alma de um selvagem e através de seus olhos ver o mundo exterior e sentir como ele deve sentir-se ao sentir-se ele mesmo. Nosso objetivo final ainda é enriquecer e aprofundar nossa própria visão de mundo, com-

preender nossa própria natureza e refiná-la intelectual e artisticamente. Ao captar a visão essencial dos outros com reverência e verdadeira compreensão que se deve mesmo aos selvagens, estamos contribuindo para alargar nossa própria visão" (Malinowski, 1976: 374).

Essa sábia reflexão de Malinowski, a qual poder-se-iam somar outras feitas por antropólogos pioneiros, gente do porte de Franz Boas, caso a nossa tarefa fosse a de traçar uma detalhada história do método antropológico, traduz a essência da perspectiva antropológica, na sua busca daquilo que é essencial na vida dos outros. De tudo o que permite tornar qualquer sociedade, em qualquer ponto do planeta, com qualquer tipo de tecnologia, um conjunto coerente de vozes, gestos, reflexões, articulações e valores. É a descoberta desta coerência interna que torna a vida suportável e digna para todos, dando-lhe um sentido pleno que a experiência de trabalho de campo sobretudo em outra sociedade permite localizar, discernir e, com sorte, teorizar.

Deste modo, não há nenhum antropólogo contemporâneo que não tenha sido submetido a esta experiência tão importante quanto enriquecedora, seja do ponto de vista pessoal, teórico ou filosófico. A base do trabalho de campo como técnica de pesquisa é fácil de justificar abstratamente. Trata-se, basicamente, de um modo de buscar novos dados sem nenhuma intermediação de outras consciências, sejam elas as dos cronistas, dos viajantes, dos historiadores ou dos missionários que andaram antes pela mesma área ou região. Esse contato *direto* do estudioso bem preparado teoricamente com o seu objeto de trabalho coloca muitos problemas e dilemas e é, a meu ver, destes dilemas que a disciplina tende a se nutrir, pois é a partir dos seus próprios paradoxos que a antropologia tem contribuído para todas as outras ciências do social. Uma dessas contradições é o fato de a disciplina renovar sistematicamente sua carga de experiências empíricas em cada geração. Em vez de encorajar uma ampliação teórica no limite de certos problemas ou teorias já estabelecidas, buscamos orientar o jovem pesquisador para uma perspectiva realmente pessoal e autêntica de cada problema. Ou melhor, tentamos conduzir o neófito para que venha a desenvolver um diálogo com as teorias correntes, tudo isso a partir de sua experiência concreta com o "seu" grupo tribal ou segmento de uma sociedade moderna por ele estudada. É porque os antropólogos conduzem sua existência como profissionais, realizando essa dialética da experiência concreta com as teorias aprendidas na universidade, que eles podem falar das "suas tribos", "favelas", "comunidades", "mitos", "classes sociais", "ideologias" etc. Pois que se trata realmente de um treinamento onde se dá uma forte ênfase às consequências teóricas desta apropriação vivenciada nos conceitos e teorias aprendidos nos bancos da escola pós-graduada. Todo antropólogo realiza (ou tenta realizar), portanto, o seu próprio "repensar a antropologia", postura que – como nos revelou explicitamente Edmund Leach (cf. Leach, 1974) – é uma tarefa absolutamente fundamental para o bom desenvolvimento da disciplina.

O resultado é que a antropologia social é certamente a disciplina social que mais tem posto em dúvida e risco alguns dos seus conceitos e teorias básicas. Seja porque a definição anterior era por demais estreita, seja porque as novas descobertas, trazidas pela pesquisa de campo em profundidade, forçam sempre uma nova abertura dos instrumentos anteriormente utilizados. De fato, é difícil não produzir sistematicamente esse "estado de dúvida teórica", quando a experiência da disciplina está voltada para o estudo de novas sociedades, inclusive da nossa própria cultura. Cada estudo desses traz não só a possibilidade de testar todos os conceitos anteriormente utilizados naquele domínio teórico específico, como também o ponto de vista daquele grupo, segmento, classe social ou sociedade. E isso pode provocar novas revelações teóricas, bem como revoluções nos esquemas interpretativos utilizados até então.

Forçado pela orientação mais geral da disciplina – a de se renovar – os antropólogos têm duvidado de vários conceitos considerados básicos ao longo de muitas gerações.

Assim, duvidamos das definições clássicas de religião "como crença em seres espirituais", como queria Tylor na sua colocação mínima e clássica do domínio religioso. Isso porque, na geração seguinte, Durkheim, Mauss e outros situaram a problemática da religiosidade numa escala muito mais ampla e mais complexa, definindo; ou melhor, conceituando o fato religioso como uma relação entre os homens e grupos humanos estabelecida por meio dos deuses que, neste contexto, nada mais representam do que a própria sociedade na sua totalidade. Assim, em vez de buscar a religião como uma relação entre homem e Deus (ou nós os mortais e os espíritos, imortais por oposição e definição) e classificar o fenômeno religioso numa escala que ia de relações mais simples e mais diretas entre homens e deuses, até as mais "complicadas", quando há uma intervenção das igrejas, seitas, sacerdotes e sacrifícios, a escola de Durkheim situa a problemática do fenômeno dentro da própria sociedade, demonstrando como as formas mais elementares da vida religiosa reproduzam no plano ideológico as formas mais elementares de relacionamento social.

Outro repensar se deu no campo dos estudos do parentesco, domínio considerado como especificamente antropológico desde que Morgan o fundou como esfera de reflexão sobre a singularidade social humana. Hoje, as discussões giram sobre qual o sentido e qual a essência disto que nós chamamos de parentesco. Não pode ser o "sangue" ou outra substância básica, como queriam Morgan e seus contemporâneos. Será, pois, um idioma, uma língua pela qual se pode totalizar e expressar uma dada problemática? Mas e as relações primárias que todo ser humano desenvolve desde o seu nascimento?

Todas essas dúvidas metódicas acabaram – como tive a ocasião de revelar na parte anterior – por permitir que o pensamento antropológico abrigasse uma nova via de conhecimento do homem, caminho que pode abandonar o questionamento historizante, para utilizar a noção de "sistema", de "sincronia", de "funcionalidade", de "estrutura", de "inconsciente" e revelar as diferenças entre sistemas sociais como formas específicas de combinações e de relações que são mais ou menos explícitas em sociedades e culturas segregadas pelo tempo e pelo espaço. Tais formas são transformações umas das outras num sentido mais complexo do que aquele dado pelo eixo exclusivo do tempo, que permite vê-las como formas derivadas umas das outras. De fato, a antropologia sugere que estas variações combinatórias são "escolhas" que cada grupo pode realizar diante de desafios históricos concretos, muitas vezes de modo mais consciente do que se poderia imaginar, e não parcelas de relações que o tempo por algum capricho deixou de submeter à sua pressão modificadora. Esta postura crítica tem permitido à antropologia social relativizar a própria ideia de tempo concebido historicamente, sugerindo muitas vezes a sua substituição por uma noção de "campo" ou de "inconsciente", zona onde todas as possibilidades e todas as relações humanas seriam encontradas de forma virtual. A história, portanto, seria o movimento pelo qual o inconsciente estrutural seria realizado e limitado e não somente a zona de sua invenção e criação.

Tais problemas têm ocorrido em quase todos os domínios tradicionalmente estudados pelos antropólogos sociais e são variadas as suas respostas. Nossa intenção aqui não é resolvê-los, mas indicar como na antropologia – provavelmente muito mais do que em qualquer outra disciplina social – há uma longa, saudável e tradicional base pluralista, pela qual o fenômeno humano é estudado. E aqui não se trata, obviamente, de um pluralismo político, de cunho liberalizante, mas de uma verdadeira postura filosófica, gerada pela contradição básica da disciplina: o fato de a antropologia social ser ao mesmo tempo una e múltipla. Assim, se ela é una em seus objetivos e na sua posição de respeito extremo por todas as formas de sociabilidade diferentes (por mais "primitivas" e "selvagens que possam parecer), ela é múltipla na busca de seus dados e reflexão. Múltipla justamente no sentido de não se prender a nenhuma doutrina social, moral ou filosófica preestabelecida, a não ser aquela que constitui talvez o seu próprio esqueleto e que diz que nós sabemos apenas que não sabemos! A antropologia social, quero crer, é uma disciplina sem ídolos ou heróis, sem messias e teorias indiscutíveis e patenteadas, muito embora tenha um enorme coração onde cabem todas as sociedades e culturas. Em parte, assim, essa multiplicidade da antropologia diz respeito à sua substância, já que ela é uma filha dileta do colonialismo ocidental e é também uma ciência muito bem marcada pelos ideais do cientificismo europeu. Mas, não obstante isso, ela tem crescido ao sabor das lições aprendidas em outras sociedades, culturas e civilizações. É, pois, muito importante constatar como a antropologia social, sobretudo pela prática das viagens, tem levado muito a sério o que dizem os "selvagens", como pensam os "primitivos", qual a racionalidade dos grupos tribais. Pois foi realizando esse trabalho de aprender a "ouvir" e a "ver" todas as realidades e realizações humanas que ela pôde efetivamente juntar a *pequena tradição* da aldeia perdida na floresta amazônica, desconhecida e ignorada no tempo e no espaço, submetida a todas as explorações políticas e econômicas, com a *grande tradição* democrática, fundada na compreensão e na tolerância que forma a base de uma verdadeira perspectiva da sociedade humana. Isso fez com que a antropologia social desenvolvesse uma tradição distinta das outras ciências humanas, pois com ela ocorre a possibilidade de recuperar e colocar lado a lado, para um diálogo fecundo, as experiências humanas.

Diferentemente, então, da Sociologia, da História, da Geografia Humana, da Psicologia, da Ciência Política e da Economia, mas muito próxima da Linguística, a Antropologia Social toma como ponto de partida a posição e o ponto de vista do outro, estudando-o por todos os meios disponíveis. Se existem dados históricos, eles são usados; se existem fatos econômicos, isso também entra na reflexão; se há material político, eles não ficam de fora. Nada deve ser excluído do processo de entendimento de uma forma de vida social diferente. Mas tudo isso, convém sempre acentuar, dentro da perspectiva segundo a qual a intermediação do conhecimento produzido é realizada pelo próprio nativo em relação direta com o investigador. Ou seja, na postura às vezes difícil de ser entendida, posto que se baseia num ponto crucial: que o nativo, qualquer que seja a sua aparência, tem razões que a nossa teoria pode desconhecer e – frequentemente – desconhece; que o "selvagem" tem uma lógica e uma dignidade que é minha obrigação, enquanto antropólogo, descobrir.

É, portanto, para chegar a esta postura (ou para chegar próximo a ela) que o etnólogo empreende sua viagem e realiza sua pesquisa de campo. Pois é ali que ele pode vivenciar sem intermediários a diversidade humana na sua essência e nos seus dilemas, problemas e paradoxos. Em tudo, enfim, que permitirá relativizar-se e assim ter a esperança de transformar-se num homem verdadeiramente humano.

2. O trabalho de campo como um rito de passagem

Nas crises socialmente programadas para dar sentido à mudança de posição dentro de um sistema, existem ocasiões especiais quando os noviços são tirados de suas casas e seguem para a floresta ou zona marginal com seus instrutores. Lá, neste espaço intermediário, e longe dos olhares inibidores e protetores de seus pais e parentes, eles podem aprender a ser "homens" e "mulheres", descobrindo o valor de certas regras sociais, canções, gestos, emblemas e aprendendo a natureza das solidariedades horizontais, a unir os contemporâneos entre si por elos de responsabilidade social e política, em vez dos laços substantivos conhecidos anteriormente, fundados no "sangue", na "carne", na "cópula carnal", no nascimento, na amamentação e em outros processos semelhantes, situados entre o corpo naturalmente dado e o corpo como algo a ser instrumentalizado e legitimado pela coletividade. Tudo, enfim, que os jovens devem saber para que possam ter o sentimento de pertencer exclusivamente a uma dada sociedade e dela se orgulhar. Tais momentos são cruciais e o trabalho clássico de Arnold Van Gennep, bem como as elaborações modernas e decisivas de Victor Turner (cf. Van Gennep, 1978; Turner, 1974), revelaram sua importância.

Aqui desejo simplesmente observar que a iniciação na antropologia social pelo chamado *trabalho de campo* fica muito próxima deste movimento altamente marcado e consciente que caracteriza os rituais de passagem. Realmente, em ambos os casos, antropólogo e noviço são retirados de sua sociedade; tornam-se a seguir invisíveis socialmente, realizando uma viagem para os limites do seu mundo diário e, em pleno isolamento num universo marginal e perigoso, ficam individualizados, contando muitas vezes com seus próprios recursos. Finalmente, retornam à sua aldeia com uma nova perspectiva e os novos laços sociais tramados na distância e no individualismo de uma vida longe dos parentes, podendo assim triunfalmente assumir novos papéis sociais e posições políticas. Vivendo fora da sociedade por algum tempo, acabaram por ter o direito de nela entrar de modo mais profundo, para perpetuá-la com dignidade e firmeza.

Antropólogos e iniciandos atualizam um padrão clássico de "morte", "liminaridade" e "ressurreição" social num novo papel, tudo de acordo com a fórmula clássica dos ritos de transição e passagem. E ambos atualizam, como já indicou Turner (em 1967), aquele processo de redução, pelo qual em plena liminaridade ficam como que transformados numa *matéria-prima*: um estado pré-social, extremamente propício aos novos aprendizados que precedem à mudança de status. Isolados de suas relações substantivas e individualizados, noviços e antropólogos ficam predispostos a ser socialmente moldados, antes do seu renascimento social. Nesta fase, aprendem novos fatos e adquirem um conhecimento sociológico mais aberto e horizontalizado, quando descobrem que a dignidade do mundo pode também ser encontrada na amizade e no companheirismo. Assim, o que antes era dado exclusivamente pela família, pode agora ser realizado pelos seus contemporâneos de idade e de sexo, na união criada pela viagem ritual, na crise do isolamento e do renascimento sociológico.

Com o antropólogo ocorre algo semelhante, quando descobre que sua pesquisa o conduziu para um mundo onde teve que recriar não só todas as relações sociais, mas sobretudo aprender o seu sentido profundo, pelo isolamento e pela ressocialização voluntária. O trabalho de campo, como os ritos de passagem, implica pois a possibilidade de redescobrir novas formas de relacionamento social, por meio de uma socialização controlada. Neste sentido, o processo é uma busca do controle dos preconceitos, o que é facilitado pela viagem para um outro universo social e pela distância das relações sociais mais reconfortantes. Mas, deve-se notar, o noviço passa por tudo isso cercado por uma ideologia não raro contendo elementos religiosos e crenças mágicas; ao passo que o antropólogo engloba sua experiência iniciatória pelo uso consciente da razão, da experimentação e das hipóteses de trabalho, desenvolvidos anteriormente no seu campo. Além disso, se todo o noviço tem um "padrinho" de iniciação, o antropólogo deve descobri-lo na forma de um amigo, informante, instrutor, professor e companheiro. Alguém que lhe ensinará os caminhos e desvios encontradiços na sociedade que pretende estudar e que deverá socializá-lo como uma criança muito especial. E tanto o iniciando quanto o pesquisador devem realizar o esforço para retornar a um estado infantil, de plena potencialidade individual, único modo de voltar à condição de seres dispostos a sofrer um novo processo de aprendizado.

Finalmente, depois deste período difícil e marginal, ambos podem retornar ao sistema do qual partiram, ali assumindo uma nova posição, status que normalmente decorre precisamente desta vivência de provação onde puderam forjar novos conhecimentos do universo e, dialeticamente, de sua própria sociedade. Como observou em 1800 Degérando, um dos pioneiros da etnologia moderna:

"Esta glória, a mais doce, a mais verdadeira; ou melhor: a única e verdadeira glória, o espera e já o abrange. Você conhecerá todo o seu brilho no dia de triunfo e alegria no qual, retornando ao nosso país e sendo bem-vindo no nosso meio com deleite, você chegará nos nossos muros carregado com a mais preciosa carga e como portador de felizes notícias de nossos irmãos espalhados nos mais longínquos confins do universo" (Degérando, 1969).

Ou seja: Degérando percebeu bem o momento recompensador da viagem, quando o pesquisador pode voltar e, nesta volta ao seio do seu mundo, trazer com ele a percepção de novas formas de relacionamento social, valores e ideologias, de "nossos irmãos espalhados nos mais longínquos confins do universo".

Em Etnologia, portanto, como nos ritos de passagem, existem planos e pontos de semelhança. Em ambos os casos, conforme sugerimos, estamos diante de uma passagem maior que aquela determinada por um simples deslocar-se no espaço. Pois ela implica, realmente, um exercício que nos faz mudar o ponto de vista e, com isso, alcançar uma nova visão do homem e da sociedade no movimento que nos leva para fora do nosso próprio mundo, mas que acaba por nos trazer mais para dentro dele.

Nesta parte, desejo apresentar alguns aspectos do *plano existencial* da pesquisa de campo, plano que é marcado pelas possíveis lições que podem ser extraídas do relacionamento com os chamados "informantes" no decorrer de um trabalho de investigação antropológica. Como tenho dito repetidamente, essa pesquisa implica outros paradoxos, pois como será possível observar tranquila e friamente (com a roupagem da neutralidade científica) um certo panorama humano, se não nos relacionarmos intensamente com ele? Mas como é possível manter essa neutralidade ideal, que teoricamente nos permitiria "ver" todas as situações de todos os ângulos, se estamos tratando de fatos e de pessoas que acabam por nos envolver nos seus dramas, projetos e fantasias? Ou melhor: como poderei chegar a captar essa realidade social se não me coloco diante dela como um semelhante aos que dela tiram a honradez, a dignidade e o sentido da existência? Ou seja: é preciso pensar em que espaço se move o etnólogo engajado na pesquisa de campo e refletir sobre as ambivalências de um estado existencial onde não se está nem numa sociedade nem na outra, e no entanto está-se enfiado até o pescoço numa e noutra.

Com a finalidade de expor alguns destes problemas, falarei do trabalho de campo com o processo cheio de dilemas e problemas existenciais que não têm sido, acredito, sistematicamente apresentados em nossa disciplina, sobretudo nos manuais. Com isso, espero chamar a atenção do jovem estudioso brasileiro para a problemática difícil, mas fascinante, que decorre do privilégio de viver em outro segmento social ou em outra humanidade.

Na quarta e última parte deste livro, apresentarei outros aspectos ligados ao trabalho antropológico e à pesquisa de campo, focalizando a preparação e os problemas teóricos que devem informar a viagem e o trabalho de pesquisa. Agora, porém, estou interessado em mostrar como é o momento marginal da viagem, quando não estamos nem envolvidos nos labirintos intelectuais levantados pelos problemas teóricos, nem na difícil fase em que somos obrigados a filtrar nossa vivência concreta numa aldeia distante ou bairro próximo, através de um relatório no qual os problemas intelectuais são retomados num outro nível. Numa palavra, desejo aqui descrever e analisar o momento intermediário da pesquisa, fase em que o etnólogo está às voltas consigo mesmo, podendo surgir o que denominei – citando uma sensível colega norte-americana, a Dra. Jean Carter – de *"anthropological blues"*.

Durante anos a Antropologia Social esteve preocupada em estabelecer com precisão cada vez maior suas rotinas de pesquisa ou, como é também chamado o exercício do ofício na sua prática mais imediata, do trabalho de campo. Nos cursos de Antropologia os professores mencionavam sempre a necessidade absoluta da coleta de um bom material, isto é, dados etnográficos que permitissem um diálogo mais intenso e fecundo com as teorias conhecidas, pois daí, certamente, nasceriam novas teorias – de acordo com a velha e saudável dialética do professor Robert Merton.

Desse esforço nasceram alguns livros – na América do Norte e fora dela – ensinando a realizar melhor essas rotinas. Os mais famosos são, sem dúvida, o notório *Notes and Queries in Anthropology*, produzido pelos ingleses e, diga-se de passagem, britanicamente concebido, com zelo missionário e vitoriano; e o não menos famoso *Guia de investigação de dados culturais*, livro inspirado pelo Human Relations Area Files, sob a égide dos estudos "*cross*-culturais" (estudos comparativos horizontais e sem profundidade) do professor George Peter Murdock.

São duas peças impressionantes, como são impressionantes as monografias dos etnólogos, livros que atualizam de modo correto e impecável essas rotinas de "como comecei fazendo um mapa da aldeia, colhendo duramente as genealogias dos nativos, assistindo aos ritos funerários, procurando delimitar o tamanho de cada roça" e "terminei descobrindo um sistema de parentesco do tipo Crow-Omaha etc.". Na realidade, livros que ensinam a fazer pesquisa são velhos na nossa disciplina e, pode-se mesmo dizer – sem medo de incorrer no exagero –, que eles nasceram com a sua fundação, já que foi o próprio Henry Morgan o primeiro a descobrir a utilidade de tais rotinas, quando preparou uma série de questionários de campo que foram enviados aos distantes missionários e agentes diplomáticos norte-americanos para escrever o seu superclássico *Systems of Consanguinity and Affinity of the Human Family* (1871).[10] Tal tradição é obviamente necessária e não é meu propósito aqui tentar denegri-la. Não sou D. Quixote e reconheço muito bem os frutos que dela nasce-

---

[10] Publicado em 1970, Anthropological Publications: Oosterhout N. B. – Holanda. Veja-se, em relação ao que foi mencionado, acima, às p. VIII e IX do Prefácio e o Apêndice à Parte III, p. 515s.

ram e poderão ainda nascer. E, mesmo se estivesse contra ela, o máximo que o bom-senso me permitiria acrescentar é que essas rotinas são como um mal necessário.

Desejo, porém, trazer à luz todo um "outro lado" desta mesma tradição oficial e explicitamente reconhecida pelos antropólogos, qual seja: os aspectos que aparecem nas anedotas e nas reuniões de antropologia, nos coquetéis e nos momentos menos formais. Nas estórias que elaboram de modo tragicômico um mal-entendido entre o pesquisador e o seu melhor informante, de como foi duro chegar até a aldeia, das diarreias, das dificuldades de conseguir comida e muito mais importante – de como foi difícil comer naquela aldeia do Brasil Central.

Esses são os chamados aspectos "românticos" da disciplina, quando o pesquisador se vê obrigado a atuar como médico, cozinheiro, contador de histórias, mediador entre índios e funcionários da Funai, viajante solitário e até palhaço, lançando mão destes vários e insuspeitados papéis para poder bem realizar as rotinas que infalivelmente aprendeu na escola graduada. É curioso e significativo que tais aspectos sejam cunhados de "anedóticos" e, como já disse, de "românticos", desde que se está consciente – e não é preciso ser filósofo para tanto – de que a Antropologia Social é uma disciplina da comutação e da mediação. E com isso quero simplesmente dizer que talvez, mais do que qualquer outra matéria devotada ao estudo do Homem, a Antropologia seja aquela onde necessariamente se estabelece uma ponte entre dois universos (ou subuniversos) de significação, e tal ponte ou mediação é realizada com um mínimo de aparato institucional ou de instrumentos de mediação. Vale dizer, de modo artesanal e paciente, dependendo essencialmente de humores, temperamentos, fobias e todos os outros ingredientes das pessoas e do contato humano.

Se é possível e permitida uma interpretação, não há dúvida de que todo o anedotário referente às pesquisas de campo é um modo muito pouco imaginativo de depositar num lado obscuro do ofício os seus pontos talvez mais importantes e mais significativos. É uma maneira e, quem sabe?, um modo de não assumir o lado humano da disciplina, com um temor infantil de revelar o quanto vai de subjetivo nas pesquisas de campo, temor esse que é tanto maior quanto mais voltado está o etnólogo para uma idealização do rigor nas disciplinas sociais. Numa palavra, é um modo de não assumir o ofício de etnólogo integralmente, é o medo de sentir o que a Dra. Jean Carter denominou, com rara felicidade, numa carta do campo, os *anthropological blues*.

Por *anthropological blues* se quer cobrir e descobrir, de um modo mais sistemático, os aspectos interpretativos do ofício de etnólogo. Trata-se de incorporar no campo mesmo das rotinas oficiais, já legitimadas como parte do treinamento do antropólogo, aqueles aspectos *extraordinários*, sempre prontos a emergir em todo o relacionamento humano. De fato, só se tem Antropologia Social quando se tem de algum modo o exótico, e o exótico depende invariavelmente da distância social, e a distância social tem como componente a marginalidade (relativa ou absoluta), e a marginalidade se alimenta de um sentimento de segregação e a segregação implica estar só, desembocando tudo – para comutar rapidamente essa longa cadeia – na liminaridade e no estranhamento.

De tal modo que vestir a capa de etnólogo é aprender a realizar uma dupla tarefa que pode ser grosseiramente contida nas seguintes fórmulas: (a) *transformar* o *exótico no familiar* e/ou (b) *transformar* o *familiar em exótico*. Em ambos os casos, é necessária a presença dos dois termos (que representam dois universos de significação) e, mais basicamente, uma vivência dos dois domínios por um mesmo sujeito disposto a situá-los e apanhá-los. Numa certa perspectiva, essas duas transformações parecem seguir de perto os momentos críticos da história da própria disciplina. Assim é que a primeira – a transformação do exótico em familiar – corresponde ao movimento original da Antropologia quando os etnólogos conjugaram o seu esforço na busca deliberada dos enigmas sociais situados em universos de significação sabidamente incompreendidos pelos meios sociais do seu tempo. Foi assim que se reduziu e transformou – para citar apenas um caso clássico – o *kula ring* dos melanésios num sistema compreensível de trocas, alimentadas por práticas rituais, políticas, jurídicas, econômicas e religiosas, descoberta que veio, entre outras, permitir a Marcel Mauss a criação da noção basilar de "fato social total", desenvolvida logo após as pesquisas do B. Malinowski.[11]

A segunda transformação parece corresponder ao momento presente, quando a disciplina se volta para a nossa própria sociedade, num movimento semelhante a um autoexorcismo, pois já não se trata mais de depositar no selvagem africano ou melanésio o mundo de práticas primitivas que se deseja objetificar e inventariar, mas de descobri-las em nós, nas nossas instituições, na nossa prática política e religiosa. O problema é, então, o de tirar a capa de membro de uma classe e de um grupo social específico para poder – como etnólogo – estranhar alguma regra social familiar e assim descobrir (ou recolocar, como fazem as crianças quando perguntam os "porquês") o exótico no que está petrificado dentro de nós pela reificação e pelos mecanismos de legitimação.

Essas duas transformações fundamentais do ofício de etnólogo parecem guardar entre si uma estreita relação. A primeira transformação leva ao encontro daquilo que a cultura do pesquisador reveste inicialmente no invólucro do bizarro, de tal maneira que a viagem do etnólogo é como a viagem do herói clássico, partida em três momentos distintos e interdependentes: a saída de sua sociedade, o encontro com o outro nos confins do seu mundo social e, finalmente, o retorno triunfal (como coloca Degérando) a seu próprio grupo, com os seus troféus. De fato, o etnólogo é, na maioria dos casos, o último agente da sociedade colonial já que após a rapina dos bens, da força de

---

[11] Permito-me lembrar ao leitor que Malinowski publicou o seu *Argonauts of the Western Pacific* em 1922 e que a primeira edição francesa do *Essai sur le Don* é de 1925.

trabalho e da terra, segue o pesquisador para completar o inventário canibalístico: ele, portanto, busca as regras, os valores, as ideias – numa palavra, os imponderáveis da vida social que foi colonizada.

Na segunda transformação, a viagem é como a do *xamã*: um movimento drástico em que, paradoxalmente, não se sai do lugar. E, de fato, as viagens xamanísticas são viagens verticais (para dentro ou para cima) muito mais do que horizontais, como acontece na viagem clássica dos heróis homéricos.[12] E não é por outra razão que todos aqueles que realizam tais viagens para dentro e para cima são xamãs, curadores, profetas, santos e loucos; ou seja, os que de algum modo se dispuserem a chegar no fundo do poço de sua própria cultura. Como consequência, a segunda transformação conduz igualmente a um encontro com o outro e ao estranhamento.

As duas transformações estão, pois, intimamente relacionadas e ambas sujeitas a uma série de resíduos, não sendo nunca realmente perfeitas. De fato, o exótico nunca pode passar a ser familiar; e o familiar nunca deixa de ser exótico.

Aqui, é necessário fazer uma pausa para examinar com mais cuidado as noções de exotismo e familiaridade, termos problemáticos e passíveis de múltiplas interpretações, conforme assinalou já por duas vezes Gilberto Velho (cf. Velho, 1978a e 1978b), numa crítica atenciosa de um trabalho anterior em que tais expressões foram usadas. De fato, como chama atenção Velho, será preciso ser mais cuidadoso ao se utilizarem os termos acima indicados, já que ambos implicam a noção de *distância* – uma expressão igualmente complexa – além de conterem muitas camadas de significado.

Quando usei (e ainda estou usando) a noção de exotismo e de familiaridade, busquei exprimir exatamente isso, ou seja, a ideia de que fatos, pessoas, categorias, classes, segmentos,

---

[12] Foi Peter Rivière, da Universidade de Oxford, quem me sugeriu esta ideia da viagem xamanística.

aldeias, grupos sociais etc. poderiam ser parte de meu universo diário; ou não. O exótico, como termo inverso, significaria precisamente o oposto: um elemento situado fora do meu mundo diário, do meu universo social e ideológico dominante. Mas Velho tem razão ao indagar a que tipo de familiaridade estamos nos referindo. Afinal, "o que sempre *vemos e encontramos* pode ser familiar mas não é necessariamente *conhecido*", sendo o oposto igualmente verdadeiro: pois "o que não *vemos e encontramos* pode ser exótico mas, até certo ponto, conhecido" (cf. Velho, 1978a: 39).

Estou inteiramente de acordo com Velho, mas isso somente se fizermos como ele, ou seja: equacionarmos o *familiar* com o *conhecido*, num sentido direto, continuando nossa equação para fazer com que ela também englobe o *íntimo* e o *próximo*. Assim, teríamos: tudo o que é familiar é conhecido, é próximo, é íntimo, o que, sem dúvida, é um exagero e um engano. A equação simétrica inversa, a ligar o exótico com o desconhecido, também seria exagerada, pecando pela mesma abrangência. Minha intenção ao utilizar os termos em pauta, porém, foi no sentido apontado acima. Meu objetivo não foi o de fazer com que eles sugerissem essa ideia do conhecido, do íntimo ou do próximo, conforme chama atenção Gilberto Velho nos citados trabalhos. De fato, o uso que faço dos dois termos é no sentido de evitar esse emprego mecânico das noções de familiaridade e exotismo, muito embora tenha deixado de elaborar melhor as minhas palavras. Se pequei, como talvez tenha ocorrido, pequei por omissão e não por imputar a essas palavras uma extensão desmesurada de significado.

Posso mesmo argumentar que o sentido do familiar e do exótico é complexo, precisamente porque os dois termos não devem ter uma implicação semântica automática. Daí a necessidade de realizar sua transformação para poder fazer emergir a postura antropológica. Conforme indiquei acima, mas não custa elaborar um pouco mais, é preciso transformar o familiar no exótico (ou seja: é necessário questionar, como faz Velho, o que é familiar, para poder situar os eventos, pessoas, categorias e elementos do nosso mundo diário a distância) do mesmo modo que é preciso questionar o exótico (e fazendo isso, conforme sugere igualmente Velho, podemos muito bem ali descobrir o conhecido e o familiar). Mas, devo observar, tais questionamentos não são realizados pelo senso comum, mas pelo investigador munido de um conjunto de problemas que deseja submeter ao escrutínio da razão.

Mas, além disso, existem outros problemas relevantes. O principal deles é a consideração de que em toda sociedade, isto é, em toda totalidade, existem coisas que me são familiares no sentido de serem elementos do sistema de classificação e coisas que são estranhas a este sistema. Tais coisas podem ser vistas de trinta em trinta anos, como os cometas, mas nem assim deixam de ser familiares. Fantasmas e deuses também são familiares para nós, muito embora sejam imateriais, morem no espaço astral ou olímpico e só apareçam para umas poucas pessoas. O mesmo pode ser dito em relação ao sistema de transporte de Niterói, com o qual tenho plena familiaridade e em relação ao sistema político nacional. Com todos esses elementos eu tenho familiaridade, no sentido de que eles fazem parte do meu esquema de classificação, da minha visão de mundo, do meu universo social e ideológico. Nordestinos trabalhando e surfistas queimados de praia também me são familiares, muito mais comuns na minha vida do que nativos das tribos Jê do Brasil Central, cuja aparição, mesmo em Ipanema, provocaria olhares curiosos, indagações e, provavelmente, piadas espirituosas. Mas, notem bem, com todas essas coisas descritas acima, tenho apenas uma relação de familiaridade. E isso não significa em absoluto que: (a) a familiaridade não implique graus e (b) que ela implique um automático conhecimento ou intimidade. Tenho familiaridade com a música de Bach, mas não tenho intimidade com tal música: não sei como ela é feita, não posso repeti-la num sistema de notação musical, não posso dizer como foi que Bach realizou a maioria de suas composições. Tenho também familiaridade com o sistema de transporte de Niterói, mas não sei como esse sistema funciona, quais as suas reais dificuldades, como opera sua política interna, com que tipo de recursos orçamentários pode dispor para o presente exercício. Falo e ouço falar de fantasmas, espíritos e entidades do mundo do além de vários tipos, mas isso não me faz *conhecer* ou ter *proximidade* com tais seres.

Mas esse é precisamente o ponto para o qual quero chamar atenção. Como todas essas coisas são parte do meu sistema de classificação, eu pressuponho que a familiaridade implica o conhecimento e a intimidade. Isso é precisamente o que deve ser superado quando buscamos usar os óculos da antropologia social. Em outras palavras, quando eu estico o sentido social da familiaridade e suponho que *conheço* tudo o que está em minha volta, eu apenas assumo a atitude do senso comum. Ao fazer isso, não realizo antropologia, mas aplico as regras da minha cultura às situações a ela familiares, embora tais situações possam ser raras, acidentais ou periódicas. Mas, notem bem, isso já é uma classificação...

Velho diz, com toda a razão, que o nosso conhecimento dos hábitos, crenças, valores e vidas dos nordestinos que trabalham na construção civil na sua rua, "é altamente diferenciado", e arremata: "Não só o meu grau de familiaridade, nos termos de DaMatta, está longe de ser homogêneo, como o de conhecimento é muito desigual" (cf. Velho, 1978a: 39). Por certo. Mas caberia perguntar, como ele faz comigo, que tipo de diferenciação e desigualdade é essa? Trata-se de diferenciação mental ou ideológica? Física ou educacional? Estética ou ética?

Supor que nordestinos trabalhadores marginais da construção civil sejam *idênticos* a nós é um erro que ninguém mais comete. Mas supor que tais nordestinos são mal pagos porque são ignorantes, porque são migrantes, porque o "mundo é assim mesmo", porque quem chega por último na cidade grande sofre e "eu já passei por isso, já dei duro também", porque o nosso capitalismo é selvagem e o governo é frouxo nesta área etc. é muito mais "natural" e muito mais "lógico". Em outras palavras, do mesmo modo que existem graus e modalidades de familiaridade, como estou buscando situar aqui, há também *graus* e *modos* de *diferenciação*, ou de desigualdade. Quando falo em familiaridade, estou me referindo a essa noção de modo dinâmico, como algo que deve ser *transformado* e assim transcendido para que a perspectiva do trabalho de campo, a postura antropológica possa aparecer. Não estou dizendo que o familiar possa ser estudado *porque* o conhecemos bem. Digo apenas que, para que o familiar possa ser percebido antropologicamente, ele tem que ser de algum modo transformado no exótico. Do mesmo modo que insisto na transformação do exótico em familiar para que possamos ter uma análise verdadeiramente sociológica. É claro que existem dificuldades em cada um desses processos de transformação, mas, quando falo em familiaridade, utilizo a noção como um modo de conduzir a reflexão para a dúvida. No sentido preciso de fazer o leitor se perguntar: mas, Deus meu, tudo o que me é familiar é meu conhecido? Tudo o que me é familiar é íntimo? Tudo o que me é familiar está realmente próximo de mim? Fazendo a si mesmo tais perguntas, encontrará na sua realidade social respostas diversas, mas, fazendo isso, estará praticando de alguma forma a dúvida antropológica, base do trabalho de campo. É evidente – e nisso eu não poderia estar mais de acordo com Velho – que a familiaridade, o exotismo e o acordo final sobre eles é mantido por estruturas que podem ser chamadas de "poder". Mas o ponto é que, e muitas coisas podem ser negociadas e desconhecidas, nem tudo é realmente negociado. Entre os Gaviões do Estado do Pará, em 1961, eu tinha que negociar minha própria presença na aldeia, bem como uma forma de comunicação com os índios. Ora, esse tipo de relacionamento não é negociado entre classes sociais numa sociedade como a nossa. Mas isso, como ficará mais claro adiante, não significa ausência de conflito ou, inversamente, intimidade entre os grupos sociais ou segmentos.

Chegamos agora a um último ponto, cuja importância é fundamental para o entendimento da minha posição no que diz respeito a esse assunto. Trata-se da própria noção de sociedade. Quando eu me refiro a exotismo e familiaridades, parto da ideia de que uma sociedade é um sistema com um mínimo de coerência interna. Devo, entretanto, notar que coerência não significa absolutamente uma supressão ou ausência de conflitos, de contradições ou de posições divergentes e diferenciadas. Muito ao contrário, não creio que possa existir uma coisa chamada "sociedade", sem que nela existam conflitos, divergências e contradições. Isso é parte e parcela da própria constituição social, impresso que está no seu tecido, todo ele feito de grupos, regras, segmentos, categorias e, finalmente, indivíduos que podem ter múltiplos interesses – isso para não falarmos de situações em que o próprio sistema é, no nível mesmo de suas regras, contraditório. Mas, entre termos divergências empiricamente dadas e divergências ideologicamente legitimadas e elaboradas, há um enorme fosso. Por outro lado, existe a questão do diagnóstico destas divergências. Um sociólogo pode assistir a uma disputa mortal entre grupos de uma sociedade e dizer que aquilo é uma guerra causada por fatores econômicos e demográficos; ao passo que os membros da sociedade implicados no conflito podem dizer que a tal "guerra" era apenas um ritual de vingança, destinado a limpar a honra do grupo local ameaçado pelos seus irmãos de uma outra aldeia. A causa final para a sociedade em estudo, nada tendo a ver com um conflito aberto e violento (que nós chamamos de "guerra"), mas com o comportamento dos mortos em relação aos vivos e dos membros de duas comunidades que estavam se juntando. Pergunto: quem tem razão? Se reduzirmos todos os conflitos mortais à categoria de "guerras", então o trabalho de campo e o conhecimento antropológico da diferenciação humana é algo totalmente inútil. Vendo o conflito, já supomos uma familiaridade com ele. Sem transformarmos o familiar em exótico, atribuímos a ele um dado valor, sem nos interessarmos pelos motivos sociais que conduzem os membros daquele sistema. O problema, portanto, é poder situar o nível, o grau e a modalidade das divergências e dos conflitos. A resposta da antropologia social, resposta que chegou sobretudo com o trabalho de campo intensivo, é a de que primeiramente devemos "ouvir" as motivações e as ideologias daqueles que praticam o costume, crença ou ação. É assim fazendo que podemos entender o sistema ideológico em estudo percebendo sua tessitura interna, descobrindo seus pontos contraditórios e como tais conflitos são vivenciados, justificados e percebidos pelos seus membros.

Questionando os membros do sistema, teremos condições de situar o nível e de descobrir o lugar da divergência e do conflito como uma categoria sociológica dentro daquele sistema. Essa é uma consideração absolutamente fundamental, porque sem ela jamais poderemos transcender o empirismo que a antropologia social tem sistematicamente ajudado a superar ao longo dos últimos anos, graças – sobretudo – à prática do trabalho de campo. Pois a percepção do que é uma divergência ou conflito, como procurei mostrar com o exemplo acima, exemplo incidentalmente baseado no sistema social dos índios Tupinambá (cf. Fernandes, 1949), é efetivamente variável. Antes de termos aferido o evento pelo nosso sistema de classificação, é preciso saber como a sociedade em estudo o faz. E o primeiro problema é descobrir se aquilo é, efetivamente, um conflito ou uma disputa. Na nossa sociedade, uma disputa entre marido e mulher é, do ponto de vista masculino, uma "briga", uma "tolice", uma "chateação"; frequentemente decorrente da "natureza estúpida" e "teimosa" da mulher. Não é uma disputa no mesmo sentido atribuído a uma discussão entre homens. Mas nos Estados Unidos contemporâneos essas "tolices" podem ocasionar processos jurídicos, pois o seu peso naquele sistema é muito maior. Tais disputas são simplesmente classificadas de outro modo por lá.

Tudo isso nos leva a considerar que a sociedade (o sistema) é anterior à multiplicidade de referências que existem socialmente no seu meio. Deste modo, não é a discussão fundada num ponto de vista individual que cria o fato divergente, mas é a sociedade com suas ideologias que abre dentro dela tal espaço: seja para o indivíduo e para o espaço individual, seja para a discussão a partir destes espaços, seja ainda para a divergência e seu reconhecimento como algo legítimo. Existem sistemas sociais que toleram e até mesmo tomam o conflito como um alimento social básico para sua própria existência enquanto conjunto saudável e íntegro. Mas existem também sociedades cujo temor ao conflito e à divergência é muito grande, daí certamente a sua dificuldade em reconhecer lutas e oposições que, para muitos, são evidentes. Há sistemas que dão prêmios aos divergentes, que são vistos como criativos e como figuras geniais. E há sociedades que dão prêmios aos pacificadores, ou seja: os que são capazes de buscar um ponto comum na divergência e no conflito. Creio que no Brasil, conforme já procurei demonstrar em outro lugar (cf. DaMatta, 1979), buscamos sempre encorajar esses pacificadores, que tomam a ordem e a totalidade como sagrados.

Um dos erros fundamentais em relação à crítica ao chamado "funcionalismo" foi supor que ele apenas dizia respeito a sistemas coerentes, no sentido normativo que está implícito na noção de "coerência". O outro erro foi supor que a ideia de "funcionalidade" existia apenas na cabeça do antropólogo e que ela não era, na realidade, uma noção difundida onde quer que exista uma sociedade de homens. Assim, há sistemas mais "funcionais" que outros e isso nada tem a ver com os desejos, ideologias e preferências teóricas dos antropólogos. Pois a despeito deles sabemos perfeitamente que sociedades onde o todo tende a predominar sobre as partes (as sociedades tradicionais), o conflito tende a ser pouco tolerado e reconhecido. Nestes sistemas, divergências são vistas e traduzidas no idioma do pecado, da heresia e da loucura e assim expressos de forma totalizante, o que vale por sua negação social. Mas em sistemas onde a parte (o indivíduo) vale mais que o todo, as coisas se passam ao contrário, pois aqui, conflitos, divergências e opiniões são corriqueiros e fazem parte do mundo diário. Conforme falamos no ditado popular: "em cada cabeça, uma sentença". Nestas sociedades onde o indivíduo tem um lugar, conflitos, disputas, divergências e diferenciações são elementos dados. Mas não se pode esquecer que tudo indica serem eles parte integrante do próprio sistema social, das próprias regras que moldam a estrutura da sociedade.

O problema dos graus de divergência e de familiaridade de cada sistema, tal como a questão dos graus de diferenciação, heterogeneidade e divergência interna, para voltarmos aos importantes pontos levantados por Velho, dizem respeito a níveis de análise e de observação que são de fato complexos. Não creio que possamos solucionar todos esses problemas aqui, mas estou convencido de que eles nos ajudam a levantar algumas questões básicas a respeito da concepção de sociedade a partir de uma perspectiva verdadeiraramente sociológica. Se, como estamos dizendo, uma sociedade é um conjunto coerente, um sistema que tem uma autorreferência, um todo que só pode ser adequadamente estudado em relação a si mesmo, então todas as sociedades têm níveis de acordo mais básicos do que zonas de divergência; e zonas de exostimo menos importantes do que suas áreas de familiaridade.

Posso divergir com relação às motivações específicas de nordestinos e surfistas, mas não tenho dúvidas (e, creio, nem eles), quanto ao lugar do "trabalho" e do "lazer", como categorias sociológicas, no nosso mundo social. Também não tenho divergências quanto ao uso do corpo como instrumento de trabalho; ou quanto à venda da energia produzida por este corpo como um produto sujeito às leis do mercado. É claro que nem todos conhecem as *implicações* destas coisas, mas todos estão de acordo que isso é algo familiar, pois todos sabem que aqueles nordestinos estão *trabalhando*; ao passo que os surfistas estão situados num outro mundo. Além disso, diria que as nossas divergências seriam ainda menores caso a nossa conversa com os nordestinos e surfistas fosse orientada no sentido de valores mais profundos, como a honra, o sexo, o machismo, a sorte, o destino, a malandragem, o cumprimento de promessas e das palavras etc. E antes que alguém levante sua voz contra essa assertiva, devo adiantar que o ponto de encaixe numa sociedade não diz respeito somente a opiniões absolutamente iguais, mas – muitas vezes – a opiniões aparentemente contraditórias, mas de fato complementares. Assim, os surfistas apresentariam com toda a certeza (e os trabalhos de Gilberto Velho revelam isso claramente) um discurso entrecortado pela ideologia moderna do individualismo negativo e do hedonismo fundado na visão de quem está por cima: uma espécie de malandragem contemporânea, falada no idioma da psicanálise, do marxismo crasso e do niilismo. Ao passo que os nordestinos exprimiriam um ponto de vista provavelmente oposto, falando do destino (e de destinos), do "lugar de cada um na sociedade", no dever e na "obrigação" de trabalhar, na esperança da sorte grande e da loteria como único modo de mudar de vida e subir rapidamente, tudo isso como modo de situar o outro lado de um universo social onde as pessoas não têm escolhas ou individualidades. Vistas lado a lado, como se o Brasil fosse uma colcha de retalhos ou um conjunto de elementos paralelos, individualizados, tais opiniões revelariam plenas divergências e distâncias irreconciliáveis. Mas será realmente assim? Em outras palavras, não terão esses nordestinos nada a ver com os surfistas queimados pelo mesmo sol? Não serão eles precisamente os dois lados de uma mesma moeda que é esse Brasil hierarquizado e capaz de viver códigos aparentemente opostos simultaneamente? Ou seja: não será porque os nordestinos exprimem uma visão complementar e hierarquizada do mundo (cujos componentes básicos são o dever, a fé, a esperança, a sorte, o respeito pelo próximo e pelo patrão, a honra etc.) que permite o surgimento de uma ideologia aparentemente oposta e divergente, mas no fundo absolutamente complementar: aquela dos surfistas e intelectuais da zona sul, toda ela vazada no individualismo capitalista?

Tendo a supor que sim e que são tais relações que precisamos buscar quando estudamos o nosso próprio sistema. Mas isso, conforme estou acentuando repetidamente, exige tomar o familiar, transformando-o em exótico – *demarche* crítica que permitirá ver o mundo diário como um estranho. Realizando isso, poderemos, conforme ficará mais claro na próxima parte, ligar o código do malandro com o do caxias; o do surfista malandro com o do trabalhador nordestino como parte de uma totalidade dividida internamente em pedaços. Num deles, como já busquei revelar em outro lugar (cf. DaMatta, 1979), operamos com o moderno código da igualdade que vale só para os membros do nosso grupo. No outro, temos os valores da hierarquia e da desigualmente coletiva: código que nos ajuda a viver num mundo profundamente injusto, sem nos apercebermos das dificuldades em transformar efetivamente essa injustiça.

Mas, deixando os paradoxos para os mais bem preparados, essas duas transformações indicam, num caso, um ponto de chegada (de fato, quando o etnólogo consegue se familiarizar com uma cultura diferente da sua, ele adquire competência nesta cultura) e, no outro, o ponto de partida, já que o único modo de estudar um ritual brasileiro é o de tomar tal rito como exótico. Isso significa que a apreensão no primeiro processo é realizada primordialmente por uma via intelectual (a transformação do exótico em familiar é realizada fundamentalmente por meio de apreensões cognitivas) ao passo que, no segundo caso, é necessário um desligamento emocional, já que a familiaridade do costume não foi obtida via intelecto, mas via coerção socializadora e, assim, veio do estômago para a cabeça. Em ambos os casos, porém, a mediação é realizada por um corpo de princípios-guias (as chamadas teorias antropológicas) e conduzida num labirinto de conflitos dramáticos que servem como pano de fundo para as anedotas antropológicas e para acentuar o toque romântico da nossa disciplina. Deste modo, se o meu *insight* está correto, é no processo de transformação mesmo que devemos cuidar de buscar a definição cada vez mais precisa dos *anthropological blues*.

Seria, então, possível iniciar a demarcação da área básica dos *anthropological blues* como aquela do elemento que se insinua na prática etnológica, mas que não estava sendo esperado. Como um *blue*, cuja melodia ganha força pela repetição das suas frases de modo a cada vez mais se tornar perceptível. Da mesma maneira que a tristeza e a saudade (também *blues*) se insinuam no processo do trabalho de campo, causando surpresa ao etnólogo. É quando ele se pergunta, como fez Claude Lévi-Strauss, "que viemos fazer aqui? Com que esperança? Com que fim?" e, a partir deste momento, pode ouvir claramente as intromissões de um rotineiro estudo de Chopin, ficar por ele obsediado e se abrir à terrível descoberta de que a viagem apenas despertava sua própria subjetividade:

> "Por um singular paradoxo", diz Lévi-Strauss, "em lugar de me abrir a um novo universo, minha vida aventurosa antes me restituía o antigo, enquanto aquele que eu pretendera se dissolvia entre os meus dedos. Quanto mais os homens e as paisagens a cuja conquista eu partira perdiam, ao possuí-los, a significação que eu deles esperava, mais essas imagens decepcionantes ainda que presentes eram substituídas por outras, postas em reserva por meu passado e às quais eu não dera nenhum valor quando ainda pertenciam à realidade que me rodeava" (*Tristes trópicos*, São Paulo: Anhembi, 1956: 402ss).

Seria possível dizer que o elemento que se insinua no trabalho de campo é o sentimento e a emoção. Estes seriam, para parafrasear Lévi-Strauss, os hóspedes não convidados da situação etnográfica. E tudo indica que tal intrusão da subjetividade e da carga afetiva que vem com ela, dentro da rotina intelectualizada da pesquisa antropológica, é um dado sistemático da situação. Sua manifestação assume várias formas, indo da anedota infame contada pelo falecido Evans-Pritchard, quando diz que estudando os Nuer pode-se facilmente adquirir sintomas de "Nuerosis"[13], até as reações mais viscerais, como aquelas de

---

[13] Cf. Evans-Pritchard. *Os Nuer*.

Lévi-Strauss, Chagnon e Maybury-Lewis[14] quando se referem à solidão, à falta de privacidade e à sujeira dos índios. Tais relatos parecem sugerir, dentre os muitos temas que elaboram, a fantástica surpresa do antropólogo diante de um verdadeiro assalto de emoções. Assim é que Chagnon descreve sua perplexidade diante da sujeira dos Yanomano e, por isso mesmo, do terrível sentimento de estar penetrando num mundo caótico e sem sentido de que foi acometido nos seus primeiros tempos de trabalho de campo. E Maybury-Lewis guarda para o último parágrafo do seu livro a surpresa de se saber de algum modo envolvido e capaz de envolver seu informante. Assim, no último instante do seu relato é que ficamos sabendo que Apowen – ao se despedir do antropólogo – tinha lágrimas nos olhos. É como se na escola pós-graduada tivessem nos ensinado tudo: espere um sistema matrimonial prescritivo, um sistema político segmentado, um sistema dualista etc., e jamais nos tivessem prevenido de que a situação etnográfica não é realizada num vazio e que, tanto lá quanto aqui, se podem ouvir os *anthropological blues*!

Mas junto a esses momentos cruciais (a chegada e o último dia), há – dentre as inúmeras situações destacáveis – um outro instante que ao menos para mim se configurou como crítico: o momento da descoberta etnográfica. Quando o etnólogo consegue descobrir o funcionamento de uma instituição, compreende finalmente a operação de uma regra antes obscura. No caso da minha pesquisa, no dia em que descobri como operava a regra da amizade formalizada entre os Apinayé, escrevi no meu diário em 18 de setembro de 1970:

"Então ali estava o segredo de uma relação social muito importante (a relação entre amigos formais), dada por acaso,

---

[14] Para Lévi-Strauss, veja o já citado *Tristes trópicos*; para Chagnon e Maybury-Lewis, confira, respectivamente, *Yanomano: The Fierce People*, Nova York: Holt, Rinehart e Winston, 1968, e *The Savage and The Innocent*, Boston: Beacon Press, 1965.

enquanto descobria outras coisas. Ela mostrava de modo iniludível a fragilidade do meu trabalho e da minha capacidade de exercer o meu ofício corretamente. Por outro lado, ela revelava a contingência do ofício de etnólogo, pois os dados, por assim dizer, caem do céu como pingos de chuva. Cabe ao etnólogo não só apará-los, como conduzi-los em enxurrada para o oceano das teorias correntes. De modo muito nítido verifiquei que uma cultura e um informante são como cartolas de mágico: tira-se alguma coisa (uma regra) que faz sentido num dia; no outro, só conseguimos fitas coloridas de baixo valor...

Do mesmo modo que estava preocupado, pois havia mandado dois artigos errados para publicação e tinha que corrigi-los imediatamente, fiquei também eufórico. Mas minha euforia teria que ser guardada para o meu diário, pois não havia ninguém na aldeia que comigo pudesse compartilhar de minha descoberta. Foi assim que escrevi uma carta para um amigo e visitei o encarregado do Posto no auge da euforia. Mas ele não estava absolutamente interessado no meu trabalho. E, mesmo se estivesse, não o entenderia. Num dia, à noite, quando ele perguntou por que, afinal, estava ali estudando índios, eu mesmo duvidei da minha resposta, pois procurava dar sentido prático a uma atividade que, ao menos para mim, tem muito de artesanato, de confusão e é, assim, totalmente desligada de uma realidade instrumental.

E foi assim que tive que guardar o segredo da minha descoberta. E, à noite, depois do jantar na casa do encarregado, quando retornei à minha casa, lá só pude dizer do meu feito a dois meninos Apinayé que vieram para comer comigo algumas bolachas. Foi com eles e com uma lua amarela que subiu muito tarde naquela noite que eu compartilhei a minha solidão e o segredo da minha minúscula vitória."

Esta passagem me parece instrutiva porque ela revela que, no momento mesmo que o intelecto avança – na ocasião da descoberta – as emoções estão igualmente presentes, já que é preciso compartilhar o gosto da vitória e legitimar com os outros uma descoberta. Mas o etnólogo, nesse momento, está só e, deste modo, terá que guardar para si próprio o que foi capaz de desvendar.

E aqui se coloca novamente o paradoxo da situação etnográfica: para descobrir é preciso relacionar-se e, no momento mesmo da descoberta, o etnólogo é remetido para o seu mundo e, deste modo, isola-se novamente. O oposto ocorre com muita frequência: envolvido por um chefe político que deseja seus favores e sua opinião numa disputa, o etnólogo tem que calar e isolar-se. Emocionado pelo pedido de apoio e temeroso por sua participação num conflito, ele se vê obrigado a chamar à razão para neutralizar os seus sentimentos e, assim, continuar de fora. Da minha experiência, guardo com muito cuidado a lembrança de uma destas situações e de outra, muito mais emocionante, quando um indiozinho, que era um misto de secretário, guia e filho adotivo, ofereceu-me um colar. Transcrevo novamente um longo trecho do meu diário de 1970:

"Pengy entrou na minha casa com uma cabacinha presa a uma linha de tucum. Estava na minha mesa remoendo dados e coisas. Olhei para ele com o desdém dos cansados e explorados, pois que diariamente e a todo o momento minha casa se enche de índios com colares para trocas pelas minhas miçangas. Cada uma dessas trocas é um pesadelo para mim. Socializado numa cultura onde a troca sempre implica uma tentativa de tirar o melhor partido do parceiro, eu sempre tenho uma rebeldia contra o abuso das trocas propostas pelos Apinayé: um colar velho e malfeito por um punhado sempre crescente de miçangas. Mas o meu ofício tem desses logros, pois miçangas nada valem para mim e, no entanto, aqui estou zelando pelas minhas pequenas bolas coloridas como se fosse um guarda de um banco. Tenho ciúme delas, estou apegado ao seu valor – que eu mesmo estabeleci...

Os índios chegam, oferecem os colares, sabem que eles são malfeitos, mas sabem que eu vou trocar. E assim fazemos as trocas. São dezenas de colares por milhares de miçangas. Até que elas acabem e a notícia corra por toda a aldeia. E, então, ficarei livre desse incômodo papel de comerciante. Terei os colares e o trabalho cristalizado de quase todas as mulheres Apinayé. E eles terão as miçangas para outros colares.

Pois bem, a chegada de Pengy era sinal de mais uma troca. Mas ele estendeu a mão rapidamente.

– Esse é para o teu *ikrá* (filho), para ele brincar...

E, ato contínuo, saiu de casa sem olhar para trás. O objeto estava nas minhas mãos e a saída rápida do indiozinho não me dava tempo para propor uma recompensa. Só pude pensar no gesto como uma gentileza, mas ainda duvidei de tanta bondade. Pois ela não existe nesta sociedade onde os homens são de mesmo valor."

Que o leitor não deixe de observar o meu último parágrafo. Duvidei de tanta bondade porque tive que racionalizar imediatamente aquela dádiva, caso contrário não estaria mais solitário. Mas será que o etnólogo está realmente sozinho?

Os manuais de pesquisa social quase sempre situam o problema de modo a fazer crer que é precisamente esse o caso. Deste modo, é o pesquisador aquele que deve se orientar para o grupo estudado e tentar se identificar com ele. Não se coloca a contrapartida deste mesmo processo: a identificação dos nativos com o sistema que o pesquisador carrega com ele, um sistema formado entre o etnólogo e aqueles nativos que consegue aliciar – pela simpatia, amizade, dinheiro, presentes e Deus sabe mais como! – para que lhe digam segredos, rompam com lealdade, forneçam-lhe lampejos novos sobre a cultura e a sociedade em estudo.

Afinal, tudo é fundado na alteridade em Antropologia: pois só existe antropólogo quando há um nativo transformado em informante. E só há dados quando há um processo de empatia correndo de lado a lado. É isso que permite ao informante contar mais um mito, elaborar com novos dados uma relação social e discutir os motivos de um líder político de sua aldeia. São justamente esses nativos (transformados em informantes e em etnólogos) que salvam o pesquisador do marasmo do dia a dia: do nascer e pôr do sol, do gado, da mandioca, do milho e das fossas sanitárias.

Tudo isso parece indicar que o etnólogo nunca está só. Realmente, no meio de um sistema de regras ainda exótico e que é seu objetivo tornar familiar, ele está relacionado – e mais do que nunca ligado – à sua própria cultura. E quando o familiar começa a se desenhar na sua consciência, quando o trabalho termina, o antropólogo retorna com aqueles pedaços de imagens e de pessoas que conheceu melhor do que ninguém. Mas situadas fora do alcance imediato do seu próprio mundo, elas apenas instigam e trazem à luz uma ligação nostálgica, a dos *anthropological blues*.

Mas o que se pode deduzir de todas essas observações e de todas essas impressões que formam o processo que denominei de *anthropological blues*?

Uma dedução possível, entre muitas outras, é a de que, em Antropologia, é preciso recuperar esse lado extraordinário e estático das relações entre pesquisador/nativo. Se este é o lado menos rotineiro e o mais difícil de ser apanhado da situação antropológica, é certamente porque ele se constitui no aspecto mais humano da nossa rotina. É o que realmente permite escrever a boa etnografia. Porque sem ele, como coloca Geertz (1978), manipulando habilmente um exemplo do filósofo inglês Ryle, não se distingue um piscar de olhos de uma piscadela marota. E é isso, precisamente, que distingue a "descrição densa" – tipicamente antropológica – da descrição inversa, fotográfica ou mecânica, do viajante ou do missionário. Mas para distinguir o piscar mecânico e fisiológico de uma piscadela sutil e comunicativa, é preciso sentir a marginalidade, a solidão e a saudade. É preciso cruzar os caminhos da empatia e da humildade.

Essa descoberta da Antropologia Social como Matéria interpretativa segue, por outro lado, uma tendência da disciplina. Tendência que modernamente parece marcar sua passagem de uma ciência natural da sociedade, como queriam os empiricistas ingleses e americanos, para uma ciência interpretativa, destinada antes de tudo a confrontar subjetividades e delas tratar. De fato, neste plano não seria exagero afirmar que a Antropologia é um mecanismo dos mais importantes para deslocar nossa própria subjetividade. E o problema, como presume Louis Dumont, entre outros, não parece propriamente ser o de estudar as castas da Índia para conhecê-las integralmente, tarefa impossível e que exigiria muito mais do que o intelecto, mas – isto sim – permitir dialogar com as formas hierárquicas que convivem conosco. É admitir – romantismo e *anthropological blues* à parte – que o homem não se enxerga sozinho. E que ele precisa do outro como seu espelho e seu guia.

EPÍLOGO

História de duas pesquisas

1. A prática da Antropologia: Uma introdução meio biográfica

Após ter situado a Antropologia no quadro das Ciências, apresentado um pouco de sua história e falado sobre seu método mais básico – o trabalho de campo –, chegou o momento de passar para uma exposição da prática do ofício de antropólogo, relatando de modo mais sistemático o trabalho em Antropologia Social. Existem vários caminhos para esse tipo de apresentação e frequentemente tomamos como base um caso paradigmático, de modo a situar todo o relato num plano impessoal, aparentemente livre das conjunções e escolhas concretas que, afinal, foram determinantes e limitadores em cada caso particular. Esse é o modo típico de falar na prática antropológica dos "manuais", onde está destilado o conhecimento da disciplina.

Meu caminho aqui, entretanto, será fundamentalmente diferente. Mesmo correndo o risco de ser incompreendido, seguirei a trilha da experiência concreta e, mais, da experiência pessoal. Certamente que, ao falar do trabalho do antropólogo tomando como base o meu caso, estarei limitando severamente o campo a ser descrito. Mas, por outro lado, creio que todos ganhamos em honestidade e profundidade, pois estamos discutindo uma experiência brasileira, realizada por quem trabalha no Brasil e, ainda, por um profissional que nunca desejou ser outra coisa do que antropólogo. Se tudo isso é limitador, será preciso indicar as fronteiras de tais limites, lembrando sempre o velho ditado de que "mais vale um pássaro na mão do que dois voando", lema de minhas motivações.

Meu objetivo, portanto, será o de apresentar como realizei (e ainda estou realizando) a conjunção dos valores e teorias universais da Antropologia, com uma série de situações histórico-sociais concretas, dadas pela minha sociedade e pelo meu tempo, seja na prática do meu ofício, seja pelas demandas que chegam até ele, vindas da sociedade que o envolve. O resultado disso, caso o leitor concorde comigo, será a descrição de como se pode vir a ser antropólogo neste país e quais os caminhos que certas pessoas percorreram, por escolha pessoal, ou – como é muito mais comum – pelo que lhes foi aberto pelos acontecimentos e oportunidades que decidiram ou não aproveitar.

Em 1958-59 decidi que seria antropólogo social ou cultural. Era estudante de História na Faculdade Fluminense de Filosofia, em Niterói, escrevia freneticamente uma série de contos de péssima qualidade que eram sistematicamente recusados pelas revistas do gênero e fazia um excelente curso universitário, mas não estava satisfeito com o modo pelo qual os problemas humanos eram trabalhados pela "história". Ansiava, como outros colegas, por teorias mais sistemáticas onde os problemas sociais e políticos pudessem ser abordados com mais clareza, e estava certo de que isso seria encontrado no estudo da Etnologia ou Antropologia Cultural. Neste sentido, não deixa de ser importante observar, como passei pelo curso universitário praticamente incólume face a chamada "política universitária". Creio que isso se deve ao isolamento da nossa Faculdade, em Niterói, e também ao fato de pertencer a um estrato da sociedade brasileira de classe média constituído de migrantes e burocratas, gente com muita tolerância política, e sem nenhuma tradição de estudo ou análise de problemas político-sociais e suas possibilidades de modificações. Deste modo, eu era o que hoje se chamaria, com certo desdém, um jovem despolitizado e "alienado", com poucas ambições literárias ou políticas, mas foi precisamente isso que me permitiu abraçar a Antropologia Cultural como um instrumento tão poderoso quanto apaixonante de entendimento do mundo social e dedicar-me a ela com a cabeça aberta e limpa dos preconceitos formais e dogmas políticos.

Na Faculdade, tinha a boa sorte de ser aluno de Luís de Castro Faria e foi por meio dele que acabei ingressando como estagiário na então Divisão de Antropologia do Museu Nacional (da Quinta da Boa Vista), em 1959, que ele chefiava. Lá fiquei sob a orientação de um outro professor que marcou profundamente não só minha carreira, mas também o rumo da Antropologia Cultural brasileira. Estou me referindo a Roberto Cardoso de Oliveira, cujos artigos, livros, atitude diante da vida universitária e ensino inspirador e entusiasmado, fizeram com que um novo espaço fosse aberto dentro das nossas Ciências Sociais.

É muito bom lembrar esse tempo de Faculdade e de Museu, quando éramos poucos e o único livro de Antropologia Cultural que havia lido mesmo, de cabo a rabo, era o manual de Melville Herskovits: *El Hombre y sus Obras*, numa edição espanhola. Curioso também como pude ter gravado na memória muitos dos ensinamentos deste primeiro livro, lido em clima de deslumbramento com uma disciplina que juntava o biológico com o social e o tecnológico, revelando como a sociedade humana era algo singular e uno, simultaneamente. Fiquei um ano como estagiário do Museu sem perceber um tostão de qualquer instituição cultural, pois, àquela época, estávamos longe de ter um sistema nacional de bolsas de estudo para estudantes avançados, em fase de graduação.

Neste estágio, realizei um trabalho interessante. Passava parte do tempo no Museu lendo artigos introdutórios sobre Etnologia Indígena, Antropologia Cultural e do contato entre índios e brancos no Brasil; dedicando uma outra parte do tempo demarcando, em enormes mapas do IBGE, tribos indígenas brasileiras. Passava, então, os dias no Museu como ainda faço até hoje: viajando. Pelos caminhos das suposições teóricas que estão nos trabalhos de Robert Redfield, Leslie White, Julian Steward, Robert Lowie, Alfred Kroeber e tantos outros; ou, pelo que elaboravam no Brasil, Herbert Baldus, Florestan Fernandes, Egon

Schaden, Darcy Ribeiro, Eduardo Galvão, Charles Wagley[15] – e esses foram seguramente os primeiros autores que li neste nível de especialização. O outro caminho que trilhava era o dos mapas, onde enormes pedaços de verde demarcavam as terras e campos que um dia iria percorrer. Nos mapas aprendia geografia do Brasil e, situando grupos tribais num espaço físico, familiarizava-me com seus nomes, filiação linguística, zonas de concentração e dispersão, suas áreas-limites com outros países e com as frentes de nossa sociedade em expansão. Realizava isso tendo como guia o excelente trabalho de Darcy Ribeiro, *Língua e culturas indígenas do Brasil,* onde se fazia um esforço de apresentar os grupos tribais que ainda habitavam nosso território, com suas filiações linguísticas e dados aproximados de população.

Neste período, dominava a Antropologia Cultural do Rio de Janeiro o pensamento de Leslie White, sobretudo no que diz respeito ao esquema evolucionista por ele apresentado em diversas publicações na década de 1940, nos Estados Unidos. Este esquema era dominante tanto na Faculdade de Filosofia, onde Darcy Ribeiro havia ensinado e o adotara, como em outras instituições. As ideias expostas por White exerciam fascínio pela simplicidade e capacidade de apresentar num esquema único, totalizante, toda a aventura humana dentro de um leque evolutivo e linear. De fato, era uma ideia tão articulada que até hoje, quase vinte anos depois de tê-lo lido e ouvido pela primeira vez, creio que posso reproduzi-lo sem cometer muitos enganos. O esquema era o seguinte:

Uma sociedade é uma totalidade feita de subsistemas. No seu livro *The Science of Culture* (de 1949), que tanta influência teve e ainda vem tendo na obra de Ribeiro, Leslie White fala de três subsistemas: o tecnológico, o sociológico e o ideológico. Darcy Ribeiro, que usa White sem modificações, diz o mesmo,

---

[15] Li Gilberto Freyre, Arthur Ramos, Oliveira Vianna, Fernando de Azevedo, Caio Prado Jr. e outros clássicos na Faculdade.

só que chama o primeiro subsistema de "adaptativo" e o segundo de "associativo". Os termos se referem, porém, às mesmas dimensões indicadas por White. Deste modo, Ribeiro confunde o esquema de White com o uso do termo "adaptativo" para designar uma só dimensão da realidade humana, enquanto que – a rigor – ele deveria ser utilizado para todas, já que a ideia de cultura (e sociedade) para Leslie White e outros evolucionistas é a de que ela é uma *resposta adaptativa global* a *desafios* do ambiente. O livro de Ribeiro *O processo civilizatório* (Vozes, 1978) permite acompanhar essa aproximação definitiva com o pensamento de White, inclusive com o uso da ideia de energia para medir os termos do desenvolvimento sociocultural e tecnológico.

O subsistema adaptativo diz respeito às relações dos homens com a natureza, constituindo-se, por isso mesmo, num estrato ou camada mais básica. Realmente, no nível mais fundamental de qualquer processo sociocultural, pois é nele que a sociedade se sustenta para poder se reproduzir enquanto tal. O subsistema associativo (ou sociológico) conduz as relações dos homens entre si. É o nível das instituições sociais, onde surgem as regras de comportamento e as normas legais. Finalmente, o estrato ideológico situa todo o conhecimento mais abstrato, corpos de crenças e valores de uma dada formação social. Tais subsistemas estão em relação complexa entre si, mas podem sofrer modificações qualitativas, sempre mais contundentes quando são iniciadas de baixo (do sistema tecnológico ou adaptativo) para cima (onde estão os sistemas associativo e ideológico). Tais mudanças, conforme indicou Leslie White, entre outros, são as "revoluções". E aqui, o pensamento de White e Ribeiro junta-se ao do arqueólogo inglês V. Gordon Childe. Só que enquanto Gordon Childe (cf. Childe, 1960, 1961, 1966) e Leslie White se contentam com três ou quatro períodos revolucionários, Darcy Ribeiro encontra nada menos de oito revoluções e treze processos civilizatórios gerais na história da humanidade. O problema, porém, é que, para White e Childe, o nível em que estão discutindo as revoluções é o tecnológico, enquanto Ribeiro mistura o nível da tecnologia com o da história, criando assim a possibilidade de encontrar muito mais "revoluções". Se o problema de Childe e White é o esquematismo excessivo, sobretudo diante dos novos achados nos campos da Antropologia Biológica, da Arqueologia e da Etnologia, o de Ribeiro seria o de explicar por que não falar em oitenta ou oitocentas e não somente em oito "revoluções". O que parece ficar bem claro quando se estuda essa tentativa geral de Ribeiro, em contraste com a de White e de Childe, é a sua visão muito mais formalista e, curiosamente, mais vitoriana do que a dos seus mestres estrangeiros.

O terceiro ponto do esquema de White é a sua montagem num quadro evolutivo, onde toda a Humanidade se esboça num leque. Um leque que começa nas chamadas "tribos caçadoras e coletoras", indo até aquilo que foi chamado de "sociedades futuras", quando da "revolução termonuclear". Curiosamente, nenhum deles fala da verdadeira revolução da nossa era: a das comunicações eletrônicas que faz o mundo realmente encolher e nos apresenta diariamente os problemas do planeta como se estivessem ocorrendo nos bairros de nossa cidade.

Mas sabemos que ninguém escreve livros eternos e todos estamos sujeitos ao erro de cálculo, sobretudo quando nos interessamos pelos esquemas gerais. Fica, porém, o fato de que as teorias de White têm um didatismo a toda a prova, embora com o defeito da extrema formalidade. Dizer que sociedades e culturas estão divididas em subsistemas estratificados é o mesmo que afirmar que o corpo humano se divide em cabeça, tronco e membros; ou que a Matemática é feita de números, letras e sinais para um conjunto de operações. E achar, após o exercício, que com isso conhece Matemática ou Anatomia Humana. Mas naquela época em que me iniciava no estudo da Antropologia, tal quadro teórico era francamente dominante e poucos o criticavam (como ainda hoje ocorre) abertamente, o que vem de encontro à exposição anterior (feita no final da Primeira Parte), quando busquei revelar a consistência ideológica dos esquemas e teorias totalizantes e sua popularidade no Brasil, com a ideologia hierarquizada sendo parte dominante na nossa realidade social.

Em 1959-60, quando começava meus estudos, o noviço não tinha nem um sistema de bolsas de estudo, nem muitas escolhas teóricas ou substantivas. De igual maneira eram também reduzidos os locais onde podia receber um treinamento profissional na disciplina. Ou estagiava no Museu Nacional, ou no Museu Paulista, ou seguia para Belém do Pará, a fim de aprender no Museu Goeldi como era possível ser sábio, simpático e despretensioso com o inesquecível Eduardo Galvão. A par desta trilogia de Museus, eram poucas as universidades com um ensino mais avançado na área de Antropologia, conforme acontecia com a Faculdade de Filosofia da Universidade de São Paulo; ou com a Escola de Sociologia e Política.[16]

Esse elenco, relativamente pequeno de instituições, exprimia também um elenco reduzido de assuntos considerados como relevantes para a pesquisa. Para o estudante atento e dotado de espírito crítico, havia algumas áreas privilegiadas para a pesquisa. Elas eram, resumidamente, as seguintes: (a) A dos estudos monográficos de "índios" (na linha funcionalista de Baldus, Fernandes, Wagley & Galvão e, sobretudo, Curt Nimuendaju); "brancos" (na tradição dos estudos de "comunidade" norte-americanos, como surge no trabalho de Emílio Willems, Donald Pierson, Wagley, Galvão, Antônio Cândido e tantos outros) e "negros" (na tradição clássica de Nina Rodrigues, Arthur Ramos e, modernamente, Pierson, Landis e Edson Carneiro). (b) A dos estudos de contato ou de integração de minorias étnicas

---

[16] Darcy Ribeiro criou, no Museu do Índio (por ele fundado), um centro de estudos avançados em Antropologia Cultural, cuja importância foi grande na formação de duas ou três gerações de etnólogos. Mas com sua saída, em 1958, para dirigir a Divisão de Pesquisas Sociais do Ministério da Educação, este núcleo parece ter se enfraquecido bastante.

ou religiosas à sociedade nacional brasileira. No fundo, estávamos no tempo em que toda a Antropologia Cultural se resumia em estudos de "brancos", "índios" e "negros", com muito pouca consciência crítica a respeito da constituição destas categorias como objeto de estudo e com pouco interesse na análise de suas relações concretas em casos específicos.

No Museu Nacional, existia um esforço deliberado para pôr em prática essas duas linhas de pesquisa. Mas já se fermentava ali uma crítica mais séria tanto aos esquemas evolucionistas, quanto à simplicidade tradicional de resumir os estudos de Antropologia em investigações das nossas "raças" ou "matrizes" formadoras em termos de "brancos", "índios" e "negros". De fato, quando lá cheguei em 1959, Roberto Cardoso de Oliveira havia acabado de escrever e publicar o seu estudo dos índios Terena do sul de Mato Grosso – *O processo de assimilação dos Terena* (republicado pela Editora Francisco Alves com o título *De índio a bugre*) – e estava se preparando para uma outra viagem de campo, agora para estudar os Tukuna do Alto Solimões, viagem da qual resultou em 1964 o seu justamente famoso *O índio e o mundo dos brancos* (republicado pela Editora Pioneira).

Foi no âmbito destes trabalhos e das cogitações de criar uma linha de pesquisa que estivesse interessada em estudar o contato sociocultural com a preocupação de acompanhar o destino dos grupos tribais dentro da sociedade brasileira e, ainda, tivesse um espaço para os estudos monográficos, essenciais ao desenvolvimento da Etnologia, que me iniciei no campo da pesquisa etnográfica. Tal iniciação, juntamente com a de outros colegas, gente do calibre de Julio Cezar Melatti, Roque Laraia, Alcida Ramos e Edson Dinis, foi formalizada no curso que Cardoso organizou no ano de 1960, cujo título: Curso de Teoria e Pesquisa em Antropologia Social, provocou, soubemos mais tarde, algumas reações nas gerações mais velhas, pois o nome "antropologia social" indicava uma perceptível mudança de ênfase e de linha teórica. Realmente, se até então a única modalidade de integração teórica dos dados monográficos era na teoria evolucionista de Leslie White na sua variante local, de permeio com a visão igualmente abrangente fornecida pela ideologia das três raças formadoras da nossa sociedade, agora procurava-se abrir uma outra linha integrativa muito mais complicada. Era a linha da Antropologia Social tal como se praticava em outros centros, como a França e a Inglaterra, e não nos Estados Unidos. Deste modo, o curso de Cardoso de Oliveira deu muito mais ênfase às teorias sociológicas gerais, exigindo uma leitura profunda de mestres brasileiros (Florestan Fernandes foi dos primeiros a ser estudado) em pé de igualdade com autores estrangeiros, sobretudo os franceses (Durkheim, Mauss e Lévi-Strauss).

Neste curso, portanto, dava-se ênfase às seguintes linhas de trabalho: (a) ao estilo da pesquisa de campo compreensiva, em oposição ao estágio de campo para produzir relatórios curtos, do tipo: "a situação dos índios Bicudos", tão a gosto da nossa Etnologia tradicional; (b) ao estudo teórico sério de sociologia comparada e de antropologia inglesa em oposição ao estudo dos autores norte-americanos, como era a tradição dos cursos dirigidos por Darcy Ribeiro no Museu do Índio. Assim, estudávamos que a sociedade tinha uma história, mas também possuía mecanismos sociais universais, sendo sua dinâmica feita de relações sociais concretas, não de padrões culturais abstratos; (c) à importância concomitante dos estudos de situações sociais concretas e não a estágios do passado, onde as sociedades tribais surgiam apenas como exemplos num drama social global que, de fato, é o drama da civilização ocidental. Deste modo, esquemas evolucionistas são sempre narrativas da nossa própria sociedade, com todos os outros sistemas ali surgindo apenas como exemplos ou "paradigmas" de modalidades socioculturais pelas quais a nossa humanidade já passou.

Após ter realizado esse curso, estava preparado para minha primeira pesquisa.

2. A pesquisa com grupos tribais

Como quase todo estudante universitário brasileiro da época, versado em Marx e Engels e tendo na cabeça o esquema evolucionista de Leslie White, eu achava que sabia perfeitamente bem o "lugar" das sociedades tribais. Naquele tempo, em 1959-60, não falávamos em nenhum "modo de produção asiático, mas sabíamos utilizar as noções de "sociedade sem classe", com sistemas produtivos baseados na reciprocidade e não na mais-valia, para diferenciar os grupos tribais das sociedades nacionais modernas. Achando, pois, que tais sociedades eram simples, no sentido da tecnologia e, paralelamente, como mandava a teoria, também no sentido do seu sistema associativo e ideológico, foi com surpresa que li pela primeira vez o livro de Curt Nimuendaju, *The Eastern Timbira*, uma monografia que ele escreveu em 1946 sobre os índios Canela do Maranhão. Após a leitura deste livro, começa-se inevitavelmente a pensar em como é possível ter um sistema tecnologicamente tão simples – como é o caso dos Canela, e de todos os grupos de língua Jê em geral – e um sistema social tão complexo. Pois, de fato, tanto os Canela, quanto os Apinayé, os Krahó, os Gaviões, os Xerente, os Xavante, os Krikati e os Bororo (que são incluídos entre os Jê para propósitos de discussão sociológica), têm uma sociedade dividida internamente em associações masculinas, classes de idade, grupos formados por nominação, isso para não mencionar seus complexos rituais e sua organização política, religiosa e familiar. Na organização política, os Timbira apresentavam uma vida coletiva muito mais ordenada e pacífica do que a dos grupos Tupi; no que diz respeito à vida familiar, sua organização parecia ser – pelos relatórios de Nimuendaju – dominada pela linha materna; e no que diz respeito à vida religiosa, havia uma surpreendente ausência de práticas religiosas e mágicas, tão comuns nos relatos deste teor. Mas existia, como uma espécie de contrapartida intrigante, um corpo mitológico muito elaborado que, acasalando-se aos cerimoniais, revelava uma vida ideológica complexa, apesar da ausência de crença em seres sobrenaturais. Lendo-se, pois, Nimuendaju, tinha-se a impressão de que se estava diante de uma prova viva a militar contra os fáceis esquemas totalizantes apresentados pelos evolucionistas. Entre os Jê, tinha-se um sistema tecnologicamente paupérrimo mas – do ponto de vista dos determinismos propostos pelos esquemas vitorianos – paradoxalmente acoplado a uma ordem social, política e ideológica, muito complicada. Tal tipo de contradição foi tão grande que Julian Steward, um conhecido neoevolucionista norte-americano, organizador de uma obra típica da mentalidade ianque, um *Handbook of South American Indians* (publicado em grossos volumes pela Smithsonian Institution em 1948-49), classificou os grupos Jê de "marginais". Para ele, tais sociedades eram "marginais" em relação aos índios da "floresta tropical" já que não possuíam redes, nem cerâmica, nem práticas xamanísticas, nem aldeias dispersas. Esses marginais, portanto, tornavam inúteis as especulações evolucionistas e foi para estudá-los que comecei a ler a obra de Nimuendaju. O resultado foi uma reformulação crítica dos esquemas evolucionistas e a motivação para buscar interpretar o sistema Jê em seus próprios termos e não mais como meros exemplos numa cadeia evolutiva, da qual se conheciam apenas os marcos estabelecidos arbitrariamente pelo pesquisador. Foi assim que vim a conhecer os Gaviões e os Apinayé. Primeiro pelo nome, depois como uma realidade concreta, seja respectivamente no sul do Pará, ou no norte de Goiás.

Mais adiante, falarei de alguns dos problemas teóricos apresentados pelos grupos de língua Jê do Brasil Central. Antes, porém, desejo continuar esboçando alguns problemas práticos do meu trabalho de campo com essas sociedades.

Foi com esses Gaviões na cabeça, com os livros de Nimuendaju e alguns artigos de Robert H. Lowie (etnólogo norte-americano que havia ajudado Nimuendaju) que escrevi meu projeto de pesquisa, apresentado na primeira reunião da Associação Brasileira de Antropologia que frequentei, em Belo Horizonte, em 1961. Mas quais os problemas que ali levantava? A proposta seguia um projeto de Roberto Cardoso de Oliveira – o Projeto de Áreas de Fricção Interétnica – e buscava estudar as modalidades de reação da sociedade Gavião ao seu envolvimento pela sociedade regional, isso numa zona de fronteira muito tensa, já que os índios ocupavam terras ricas em castanhais. Colocava igualmente problemas situados na área da organização social que permitiriam uma compreensão da sociedade pelo lado de dentro, mas isso – conforme fica sabendo todo antropólogo que vai ao campo – é uma tarefa muito mais complicada que um simples projeto de estudos. Acresce a essa dificuldade o fato de estar trabalhando com uma sociedade recém-pacificada pelo então Serviço de Proteção aos Índios. Assim, os Gaviões estiveram em contato permanente com os regionais em 1956-57 e nós os visitamos por quatro meses em 1961: de agosto a novembro. Isso criava dificuldades especiais de comunicação, de relacionamento político, de prática de trabalho de campo que não podia suspeitar no Rio de Janeiro.

Realmente, assim que saí do Rio a caminho de Marabá, juntamente com Júlio Cezar Melatti, Roque Laraia e Marcos Rubinger (membro da equipe que iria estudar, sob a supervisão do próprio Laraia, os índios Suruí, situados na mesma área), verifiquei o porte da minha tarefa e os parcos instrumentos que possuía para realizá-la. O que sabia eu, realmente, de Antropologia Social para ir ao mato em busca de índios? E quem eram, afinal de contas, esses índios que eu conhecia apenas no papel e nos esquemas teóricos e históricos globais, onde eles apareciam como exemplos?

Quando cheguei à aldeia Gavião próxima ao Rio Praia Alta, situada a um dia de viagem a pé de Itupiranga, tive num instante a resposta para todas essas questões. Não sabia nada de nada! E, na aldeia, vendo um número reduzidíssimo de índios, tinha que começar meu trabalho do zero, isto é, nem sabia o que perguntar ou escrever no meu diário de campo. Se achava algo para perguntar – depois do "esquecimento" produzido pelo choque cultural da chegada – verificava *incontinenti* que os índios não podiam me entender. E quando eles se dirigiam a mim, era para demandar algum objeto que possuía (sinais de minha riqueza como branco acumulador), jamais para informar alguma coisa. É claro que tudo isso se constituía em dados sociológicos importantes, mas onde estava minha paciência para realizar esse ato supremo de tolerância? Com 25 anos e muita pressa, pois além de tudo o tempo corria e as verbas para a pesquisa eram mínimas, tinha que falar com os índios de qualquer modo e deles arrancar alguns dados. Mas, quando pretendia realizar isso, não podia deixar de constatar que minhas perguntas eram diretas demais, quadradas demais, grandes demais, estúpidas demais e que, quando provocavam resposta, elas eram dadas mais para divertir o grupo tribal do que para esclarecer o etnólogo. Deste modo, os Gaviões pagavam sabiamente ansiedade com ansiedade. Se de um lado eu não lhes dava tempo para respirar, invadindo a todo o momento sua vida social, eles respondiam seriamente mas com dados falsos, que minhas perguntas acabavam colocando ou provocando. Foi a partir desta experiência que pude entender como a pergunta do pesquisador é tão básica quanto a resposta do informante. Junte-se a tudo isso o fato de que numa pesquisa estamos presentes fisicamente e não podemos nos desligar da situação concreta na qual nos encontramos. Assim, entre os Gaviões, tive que fazer uma casa, inventar uma "mesa" de trabalho, descobrir um método de trabalhar com luz de lamparina a querosene e, ainda, realizar um longo exercício de memória para escrever o que ouvia ou observava depois de um longo dia de trabalho. Além disso, tive que cozinhar, lavar roupa, cuidar de minha rede, aprender a usar o mato como latrina, um penoso exercício, sobretudo para quem – como eu – é um urbanista inveterado. Como um dia me disse Laraia, numa longa carta do campo, a gente logo descobre o que é realmente a chamada "civilização". Não se trata, obviamente, nem de costumes, nem de regras morais superiores, nem de comidas refinadas. Podemos passar muito bem com outras regras e outras comidas: elas estão, afinal, em todos os lugares. Mas a "civilização" é precisamente esse conjunto de hábitos que consideramos "naturais": o banho de chuveiro com água quente, a comida fresca servida numa mesa, a cama macia com lençóis limpos, a camisa passada e a roupa imaculada que podemos trocar todos os dias, o velho e grande espelho de nosso banheiro que permite sustentar gostosamente a nossa autoestima matinal, a cerveja gelada num domingo de calor. Enfim, a própria existência de um tempo que é vivido como uma duração significativa, porque alterna períodos socialmente ativos, com situações onde a atividade ruma para um outro lado – seja o lazer, seja a festa, seja – ainda – a comemoração. Supor, portanto, como muitos fazem, que a "civilização" é algo relacionado apenas a um conjunto de técnicas é desconhecer a natureza da realidade social, toda ela feita de pequenos momentos que em todas as latitudes acabam por criar esses "hábitos", esses gestos que a sociedade vê e reproduz como "naturais".

Numa aldeia indígena, fica-se enterrado até o pescoço num outro sistema. No início ainda existem muitas distâncias e a gente pode facilmente se diferenciar. Mas, depois de alguns meses, o ritmo da vida diária – do "aqui e agora" de lá – acaba tomando conta. É claro, como procurei revelar de um modo mais abstrato na parte anterior, que a gente jamais consegue ser um deles, ninguém vira realmente índio, mas fica-se bem perto. Já se pode tomar água em suas cabaças sem sentir o estômago revoltado; já se come a mesma comida sem nenhum problema, já se pode enfrentar o mato e voltar à aldeia sem medo e os insetos noturnos não chegam a perturbar tanto. Uma canção ouvida pela noite alta já não desperta angústia ou a fantasia de que iremos observar um rito nunca antes visto pelos olhos de um ocidental. A gente já começa a saber que eles cantam todas as noites de verão e que a vida na aldeia é cheia dos mesmos problemas humanos que permeiam nossas cidades: há gente rica e mesquinha, há os simpáticos e os indiferentes, os fortes e os dominados. Ali também existem amor, inveja e ignorância, embora os termos surjam cobertos por outros nomes, em uma gramática às vezes difícil de reconhecer. Na aldeia a gente também faz amigos e tece receios das palavras, dos comentários, de uma "opinião pública" que opera com fuxicos, olhares, segredos. Neste estágio, refletimos verdadeiramente sobre o tempo que estamos ali. Como Hans Castorp, na *Montanha mágica* a sensação é de que ali estamos já há uma eternidade. Em agosto de 1961, quando o Brasil enfrentava a crise provocada pela renúncia de Jânio Quadros, eu estava na aldeia Gavião de Praia Alta, vivendo um outro tempo, um outro sistema de relações sociais e um outro ritmo de vida política. Quando soube da renúncia por um patrão de barracão que passava medroso pela aldeia, pois os Gaviões gostavam de apavorar os usurpadores de suas terras, fiquei subitamente angustiado, lembrando-me que, afinal, pertencia a um outro universo e estava perdendo um acontecimento importante na minha sociedade. Mas o resultado foi apenas uma outra noite sem sono e uma estranha sensação de impotência – uma real distância, física e concreta dos meus, pois mesmo que quisesse voltar ao Rio teria que esperar 48 horas para chegar até Marabá. Estava, pois, literalmente perdido na floresta, buscando ser amigo de pessoas que nunca havia visto antes.

Entre os Apinayé, para onde fui com minha mulher e meus filhos (minha última viagem aos Apinayé foi no ano de 1978 com toda a minha família), sempre pude me sentir em casa, e nunca fiquei realmente distante dos núcleos regionais. Não só porque as aldeias Apinayé são de acesso mais tranquilo da cidade de Tocantinópolis, Goiás, mas também porque ali estava com minha mulher que é uma pesquisadora notavelmente humana e disposta. De qualquer modo, não é fácil sintonizar com problemas teóricos – que nos levaram à aldeia e aos índios – estando ali, implicados física e moralmente. Aprendi a dar injeções com os Gaviões, mediquei crianças Apinayé com gripe e desidratação, fiz petições para terras, defendi índios contra patrões regionais e fiquei ligado a muitos Gaviões e Apinayé por uma real amizade que nasceu no meu aprendizado em suas aldeias.

Mas, a par destes problemas existenciais, como é que se pode realmente desenvolver a prática do trabalho de campo, da pesquisa etnológica?

3. Os aspectos práticos da pesquisa

A primeira tarefa é descobrir como se organiza o material da pesquisa. Anos depois da minha experiência com os Gaviões, quando estudava os Apinayé, aprendi a armazenar bem melhor o material colhido no campo. A gente também descobre que a forma como esse material é colhido e armazenado depende de alguns fatores. O principal é, obviamente, a orientação teórica de cada um de nós. No meu livro sobre os Apinayé, *Um mundo dividido*, eu falo da experiência concreta de pesquisa em suas relações com a teoria antropológica, citando uma velha frase usada pelos cineastas do passado: "diretor, guia o teu olho". Isso para indicar que não é a máquina de filmar que realmente enxerga a realidade, mas o olho do diretor, encarregado de "ver" o mundo como uma unidade em estado de drama permanente. Do mesmo modo, todo etnólogo só poderá "enxergar" aquilo que está preparado para ver. E essa visão para além das rotinas pachorrentas e paulificantes das aldeias indígenas, onde todo dia é sempre igual a todo dia, só pode ser desenvolvida quando se está familiarizado com as teorias antropológicas correntes, adotando-se por meio delas algum ponto de vista. Sobre esses pontos, voltarei a falar mais adiante, quando tratar dos aspectos teóricos de minhas pesquisas. Agora desejo acentuar alguns aspectos práticos, mas espero que o leitor não perca de vista essa perspectiva. Pois de nada vale um conjunto de técnicas muito sofisticadas, se o pesquisador não é um pesquisador, ou seja: não é alguém com preparo para discriminar a realidade, transformando a experiência vivida, em dados sociológicos.

Para registrar os dados e assim obter essa transformação, é conveniente o seguinte:

a) Escrever um "diário de campo", onde o pesquisador deverá anotar tudo o que lhe acontecer no decorrer do dia. Frases soltas, comportamentos curiosos, técnicas de corpo desconhecidas e acontecimentos imprevistos, mesmo sendo ininteligíveis, devem ser criteriosamente escritos no diário. A memória social é uma dessas coisas mais movediças que existem na vida, já que é muito interessada e interesseira. Assim, somente nos lembramos das coisas que nos motivam, empolgam ou que valorizamos. Um dia numa aldeia distante, com um sistema bem diferente do nosso, nos faz igualmente distantes, tornando difícil encontrar o significado das experiências pelas quais passamos. Simplesmente muito do que vivemos numa pesquisa, sobretudo no seu início, não tem sentido social para nós. Daí a necessidade do diário de campo que pode atuar como uma "memória social", gravando aquilo que de outro modo estaríamos fadados a esquecer pelo fato de não ter, naquele momento, nenhum sentido.

b) Uma ótima maneira de fazer amigos, conhecer toda a aldeia e, ao mesmo tempo, realizar uma tarefa básica na pesquisa de campo, é elaborar um mapa e um censo da aldeia nos primeiros dias do trabalho. O mapa obriga a uma familiaridade com o ambiente, sendo muito instrutivo cotejar o mapa que esboçamos com um mês de campo, com aquele outro que se forma na nossa cabeça depois de um ano de trabalho numa aldeia, quando os lugares passam a ser familiares. O censo, por sua vez, permite descobrir padrões de idade, sexo, formas de casamento e de residência, unidades de exogamia (se eles existirem além da família), padrões de adoção, linhas de transmissão de nomes e de herança e, naturalmente, a população da aldeia. Sendo mais complexo que o mapa, é preferível realizar o censo com calma e tolerância, deixando um bom espaço vazio para ser preenchido meses depois, quando o nosso conhecimento da aldeia for bem mais acurado. Até hoje eu tenho um censo-padrão das aldeias Apinayé e posso, sempre que possível, atualizá-lo. Ele me dá todas as composições de cada residência, indicando as ramificações de cada membro de cada grupo doméstico uns com os outros.

Uma das vantagens do censo é que ele permite descobrir se a forma de família é patri ou matrilinear e se a forma de casamento é elementar ou complexa, ou seja: se há casamento entre "primos" ou não, se os casamentos se fazem entre pessoas de grupos sociais (ou zonas da aldeia) determinados ou de aldeias específicas. Em muitas sociedades, certas aldeias recebem esposos (ou esposas) de um outro conjunto de aldeias preestabelecido culturalmente e um censo bem-feito pode revelar isso imediatamente. Entre os Gaviões e os Apinayé, foi fácil descobrir – enquanto fazia o censo da aldeia – que a residência após o casamento era uxorilocal. Pois, naquelas sociedades, era invariável encontrar todos os homens maduros residindo, após o casamento, na casa dos pais de suas mulheres e nunca o contrário. A explicação imediata para um tal costume – ou seja, que "isso é assim mesmo", "sempre fizemos deste jeito", "foi Sol e Lua que ensinou" – nos leva a constatar uma racionalização padronizada, indicativa de algo bem estabelecido, quase que impossível de explanar. Do mesmo modo, o censo me revelava uma forma monogâmica de casamento, com todos os problemas que tal forma de união apresenta e que nós estamos de sobra habituados a discutir e enfrentar.

c) Além do "diário", do mapa e do censo, o etnólogo deve estar munido de uma caderneta de campo, onde deverá anotar palavras, frases ou observar fatos interessantes durante o correr do dia. Se ele, especialmente no início da pesquisa, acorda com seus informantes (e muitas vezes é impossível não fazê-lo) e os segue em suas atividades diárias, a pequena caderneta de campo servirá como um instrumento para anotações e desenhos ou esboços de instrumentos, posturas e mapas. Hoje, pode-se substituir a caderneta por um gravador de bolso, mas mesmo assim eu não me arriscaria a levar comigo apenas um gravador, quando sei que o desenho é um auxiliar importante na pesquisa de campo.

d) Na minha pesquisa entre os Gaviões e na primeira etapa de campo com os Apinayé não levei nenhum aparelho de gravação. Tomava minhas próprias notas à mão, algo extenuante, sobretudo pela ansiedade de saber que nunca se conseguia captar tudo o que o informante estava dizendo.

A partir de 1965, porém, quando visitei os Apinayé pela segunda vez, levei comigo um gravador e comecei a utilizá-lo em entrevistas.

e) Máquinas fotográficas, filmadoras, gravadores muito sofisticados e mesmo máquinas de escrever podem tornar-se facilmente um estorvo e tirar horas de tempo precioso de trabalho, ou mesmo atrapalhar a observação de fatos importantes. Lembro-me que, em 1970, retornei aos Apinayé com tantas dessas bugigangas eletrônicas que acabei decidindo que nunca mais voltaria ao campo como um turista norte-americano visitando o Rio pela primeira vez. De fato, tinha que vigiar e observar tantos detalhes técnicos da filmadora, por exemplo, que acaba-se por não observar bem um ritual. O mesmo pode ocorrer com uma câmera fotográfica, cuja perda ou enguiço conduz sempre a aborrecimentos. Se o pesquisador gosta de fotografia, tudo bem. Mas a gente nunca deve se esquecer que há muito tempo para boas fotos e que as melhores monografias antropológicas foram escritas com imaginação e boas teorias, não com fotografias perfeitas.

O mesmo teria a dizer com relação a armas. Quando fui ao campo pela primeira vez, obtive um porte de arma na estação de polícia e levei uma Winchester .22 e uma carabina .12. Na minha cinta, usava um revólver .38 duplo, e, quem me visse nas aldeias Gavião, haveria de pensar que eu era, no mínimo, um guerrilheiro. Felizmente naquela época não se corria tal risco e então era possível realizar um sonho infantil de andar armado até os dentes. Mas depois que passou o entusiasmo pelas armas e se verificou o fiasco como caçador – atividade realmente extenuante e difícil, sobretudo quando nosso companheiro, guia e professor é um experimentado índio brasileiro –, as carabinas tendem a ficar abandonadas, pegando ferrugem ou mesmo mofo, o que causa profunda preocupação. Entre os Gaviões, logo que os meus amigos viram que tinha abandonado a carabina, eles não cansavam de me tomar a arma emprestada, o que me deixava mais preocupado ainda. Diante de tudo isso e verificando sobretudo minha inépcia como caçador ou mateiro, resolvi que não levaria mais armas para o campo. Nem mesmo para "defesa individual", termo ambíguo e sujeito a interpretações duvidosas quando se está numa sociedade desconhecida.

Munido de seu diário, caderneta de campo, máquinas fotográficas e gravadores, você agora terá que inventar um sistema de trabalho. Claro que não temos receitas e que cada um de nós trabalha como acha melhor e mais confortavelmente. Direi como foi meu trabalho com os Apinayé, depois de ter um bom conhecimento da vida diária da aldeia e, sobretudo, dos seus habitantes.

Num dia regular, acordava com os índios e visitava-os em suas casas. Tendo encontrado um bom informante no assunto que queria investigar, iniciava com ele um diálogo que podia ou não transformar-se numa entrevista. Caso houvesse tempo e disposição, conduzia esse informante para um lugar adequado, onde ele e eu pudéssemos ficar a sós, e ali realizava a entrevista. Muitas vezes esse lugar era a própria casa do informante. Em outras ocasiões, o local mais adequado era o quarto onde morava, visto que nele tínhamos privacidade e podíamos gravar toda a conversa sem interrupções. A seleção dos informantes era sempre feita pelo interesse demonstrado em falar, conhecimento do assunto e, obviamente, pelo tipo de relacionamento que tinha comigo. Informantes simpáticos e que se davam bem comigo rendiam muito mais do que especialistas que se mantinham distantes e desconfiados porque não gostavam do meu trabalho; não o entendiam ou simplesmente não gostavam de analisar o seu próprio sistema, nem ao menos nos termos de descrições superficiais. Informantes Apinayé foram pagos na base do dia de trabalho regional ou de objetos. Informantes Gaviões nunca foram pagos. Tudo isso depende muito da situação de contato do grupo, além de estar ligado ao modo de convivência entre etnólogo e índios. Entre os Gaviões, vivi no meio deles, sem nenhuma privacidade. Com os Apinayé, conforme mencionei em meu livro, podia ali viver durante vinte anos, sem conhecer nada do seu sistema (cf. DaMatta, 1976b: cap. 2). A privacidade pode ser muito importante porque ela implica a remoção da pessoa para um local diverso daquele onde convive diariamente. Isso pode fazer com que se sinta muito mais à vontade para falar de suas relações ou de regras que conhece bem, quando está longe do ambiente diário de sua casa, roça ou aldeia. No caso dos grupos Jê, tais entrevistas foram muito importantes para poder discutir alguns assuntos com a teoria dos feitiços Apinayé, colher dados sobre concepção de crianças e relações sexuais, estudar dramas sociais e, sobretudo, divórcios e conflitos relacionados à família e ao parentesco e para o estudo do sistema social em geral, nos seus planos mais analíticos, quando eu tinha que interessar o informante nos aspectos mais abstratos de sua cultura, na medida em que o meu trabalho se aprofundava.

Nos meus últimos meses de campo com os Apinayé, conduzi todas as entrevistas com ajuda do gravador. Tomava, então, um determinado assunto – digamos, o sistema de presságios – e o esgotava, trabalhando só com ele por dias e dias a fio. Tal método é muito cansativo, pois exige uma tremenda concentração, mas é muito compensador, pois o único modo de usá-lo é ir progressivamente pensando no assunto de modo a obter, em cada dia que passa, uma profundidade maior. Ele também permite que teorias explicativas ou interpretativas possam ser realizadas na medida mesmo em que o material é colhido e isso é muito gratificante e esclarecedor. Quando eu descobri que os Apinayé tinham um sistema de presságios, comecei a estudar todos os ângulos deste sistema e escrevi um ensaio no campo sobre o tema. Tal trabalho foi depois elaborado e publicado num volume de homenagem aos 70 anos de Claude Lévi-Strauss (cf. DaMatta, 1971). O mesmo foi feito em relação ao sistema de precauções alimentares e ao sistema de parentesco.

Após haver gravado a fita, anotava o assunto, indicando – se fosse o caso – a página do diário ou notas correspondentes ao mesmo assunto. Geralmente, o meu sistema de trabalho de campo consistia no seguinte: coleta de dados brutos pela manhã e à tarde. Tais dados podiam ser fatos de observação direta ou fatos verbalizados pelos informantes, como casos, histórias de vida, relatos de conflitos etc. Pela noite, retomava o assunto visto durante o dia e escrevia o meu diário. Se o fato fosse relevante, abria para ele uma pasta, escrevendo em folhas soltas diretamente para ela. Minhas pastas sobre nominação, tabus alimentares, mitologia, parentesco e cosmologia em geral, são cheias de folhas soltas onde fiz anotações sobre aspectos destes sistemas. Essas anotações me foram úteis, especialmente porque foram escritas no campo, contendo muitas vezes valiosas percepções para valores e ideais da realidade social dos Jê. Quando especulava, encontrava sistematicamente novas perguntas que não havia feito. Anotava, então, tais questões numa caderneta de campo, buscando uma resposta para elas no dia seguinte. Com isso, conseguia ter sempre um novo estoque de questões, bem como um novo conjunto de dados em estado de semielaboração no meio de minhas notas.

    A vantagem de possuir um gravador portátil é fantástica e eu usei muito esse aparelho para estudar os mitos. Um velho contador de mitos, meu nominador e amigo, o Velho Estêvão, contava os mitos em Apinayé pela manhã e à tarde. Tais relatos eram gravados. Posteriormente, com um bom informante bilíngue – geralmente um homem chamado Kangrô – traduzia toda a peça para mim com auxílio do gravador, palavra por palavra. Cada frase ambígua ou de tradução complicada, buscava novas explicações. Assim pude colher versões muito precisas dos mitos do Sol e Lua, ciclo mitológico que trata da origem dos costumes Apinayé.

    Uma outra vantagem do gravador é saber – na fase em que se está estudando mais profundamente o material colhido – que tipo de pergunta foi feita pelo investigador e a resposta do informante. Saber a pergunta é, muitas vezes, fundamental para se determinar a natureza da resposta, sobretudo quando se estuda opinião, ou fatos verbalizados pelo informante. A pergunta também configura, em pesquisas com segmentos nacionais e grupos tribais em contato permanente com a sociedade brasileira nacional, relações de poder e dominação, quando o pesquisador pode assumir – a despeito de suas convicções políticas ou ideológicas – o papel indisfarçável de patrão. Assim, pode ocorrer que numa pesquisa com favelados ou operários, por exemplo, muitas respostas sejam dadas simplesmente porque o informante supõe que aquela seja a resposta que o investigador deseja ouvir. Entre os Apinayé, tive essa experiência muitas vezes, cuja única maneira de escapar era formular a pergunta novamente de um outro modo e verificar se as respostas eram semelhantes. Ao omitir opiniões sobre sua sociedade e aldeia, os Apinayé podiam ser aparentemente contraditórios. E o melhor modo de apreciar sociologicamente essas contradições era recorrer aos dramas sociais, aos casos concretos. Deste modo, se a investigação girava em torno do "divórcio", por exemplo, o pesquisador perguntava sobre os modos de divórcio, o termo nativo para essa modalidade de ação social etc., e, logo em seguida, começava a indagar sobre casos concretos que o informante conhecia de divórcios, a partir – é claro – de sua experiência pessoal com o assunto. Tal método aplicado a muitas outras dimensões da sociedade e da cultura Apinayé veio me mostrar que podiam existir grandes distâncias entre o "discurso" (como forma normativa e ideal de comportamento) e a "realidade", ou seja: o procedimento concreto, visível, explícito, historicamente dado das pessoas, categorias de pessoas ou grupos que têm compromissos e investimentos com uma dada situação social.

Do mesmo modo e pela mesma lógica, ouvindo as nossas perguntas descobrimos também aquelas que surtem maior efeito e provocam melhores respostas. Essas são as perguntas certas, que atingem pontos sensíveis do sistema social sob observação.

Um exemplo disso tornará as coisas mais claras. Realizando um inquérito numa cidade do interior do Brasil sobre relações raciais, se eu perguntar: "Existe preconceito racial nesta cidade?", a resposta será infalivelmente negativa, com toda a ordem de discursos racionalizando porque seus habitantes são infensos ao preconceito. Esse discurso é um dado sociológico importante, mas ele não deve excluir uma pergunta, por exemplo, assim: "Quando é que vocês irão eleger uma preta Rainha da Primavera?", que certamente provocará outra ordem de discursos e justificativas...

Os gravadores, porém, ajudam muito pouco na pesquisa de um domínio básico em qualquer sociedade tradicional: o sistema de parentesco ou o sistema de relações. Ao estudar esta área, temos que nos utilizar do velho método genealógico, inventado por Rivers (cf. Rivers, 1969) e, perguntando, parente por parente, em cada uma das posições genealógicas, buscar em seguida o modo pelo qual tais posições são socialmente categorizadas. Para tanto, será preciso saber com precisão não só quem o informante classifica como "pai", como "mãe", como "irmão", "irmã" etc., mas sobretudo quem são os seus "genitores" e quem são os seus "irmãos uterinos" ou "germanos", isto é, os irmãos que estão ligados a ele por força de terem sido gerados pelo mesmo homem e mesma mulher. Se isso não for realizado, corremos o risco de confundir o *genitor* com o *pater* em sociedades onde a distinção pode ter ou não importância social em contextos diferentes dos nossos. Assim, entre os Apinayé, nem sempre se vive com o *genitor*. Aliás, é muito mais comum viver-se – sobretudo no caso das mulheres Apinayé – com a genitora e com um *pater*, ou seja, o homem que a partir de um dado momento passou a viver como marido da mãe. Isso porque, naquela sociedade, as mulheres ficam nas suas casas maternas e a taxa de divórcio é muito alta. Sendo assim, há uma grande possibilidade de as mulheres continuarem ligadas às suas mães pelo resto de suas vidas, enquanto que seus irmãos uterinos e seus genitores mudam para outras casas, onde estão vivendo com suas esposas (ou segundas e terceiras mulheres). Por outro lado, como a paternidade entre os Apinayé só parece operar realmente em contextos fisiológicos, definindo obrigações sociais de modo residual que nada tem a ver com a transmissão de herança, títulos ou direitos a pertencer a grupos sociais importantes, ela não tem o mesmo papel entre eles que pode assumir entre nós. Por causa disso, encontramos muitos Apinayé que não sabem o nome de seus genitores ou têm dificuldades em lembrar seus nomes. O *pater* substitui perfeitamente bem essa figura que, no nosso universo de parentesco, é tão importante.

Tendo isso em mente, será muito importante coletar as genealogias tomando muito cuidado em esclarecer o tipo de relação social que aquela cultura reconhece e legitima como sendo socialmente importante. Isso nos leva a discriminar relações de parentesco universais e também a descobrir outros sistemas de alocação de relações sociais que podem operar paralelamente ao chamado sistema de parentesco. Entre todos os Timbira, por exemplo, o sistema de transmissão de nomes funciona ao lado das relações de parentesco como as duas faces de uma mesma moeda, conforme ficará mais claro na parte seguinte, onde discutirei com mais detalhes os aspectos teóricos de minhas pesquisas. Mas o trabalho em coletar genealogias não é nada fácil, requerendo uma enorme parcela de paciência, sobretudo quando o etnólogo enfrenta um sistema onde os nomes pessoais são tabus e por isso não pronunciáveis.

Após a coleta das genealogias e dos termos de parentesco, começa uma nova etapa do trabalho. Trata-se de descobrir os usos das categorias de parentesco em vários contextos sociais, bem como os modos pelos quais elas são metaforizadas ou estendidas para fora do sistema, as relações de direitos e deveres por elas implicadas e como elas cristalizam trocas regulares de presentes, regalias e títulos entre as pessoas. Buscando realizar isso, pode-se descobrir como o sistema realmente funciona e mais, quais são os sistemas que operam de modo paralelo ao de parentesco, sendo complementares a ele. Isso também ajuda a saber o que significa "parentesco" naquela sociedade, uma tarefa tão difícil quanto a simplicidade com que podemos formulá-la como um problema relevante.

Entre os Apinayé, em cujo meio o parentesco é um ponto básico do sistema social, passei muitas horas realizando genealogias e até mesmo me utilizando de fotografias de pessoas adultas e de meninos de uma aldeia tomada como a mais importante, a fim de investigar esse domínio. O método não foi inventado por mim, pois quem primeiro o usou foi um pesquisador chamado Rose, que buscou estudar os aborígines australianos do modo o mais concreto possível. Para tanto, ele tirou fotografias de todos os membros de uma dada horda e com as fotografias questionou a todos. A pesquisa revelou facetas interessantes do sistema australiano, embora não tenha resolvido os problemas mais básicos desta área de investigações. Mas ficou o método e eu fiz o mesmo com os Apinayé.[17]

Após ter fotografado todas as pessoas de uma aldeia, e dado a cada foto um número, pedia aos informantes que me dissessem como chamavam a pessoa cujo rosto aparecia na fotografia. O resultado era anotado numa ficha individual e com isso eu podia saber como certos membros da aldeia chamavam todos os outros e como eram reciprocamente designados por eles, bem como por que assim faziam. Ou seja: tinha o vocativo, a recíproca do vocativo e a racionalização para o modo de classificação. O sistema todo deu muito trabalho, mas o método me permitiu ver:

1) Que são poucas as pessoas numa aldeia que não são alcançadas pelo sistema de classificação de parentes, ou sistema de parentesco.

2) Que as mulheres são realmente a memória do grupo, pois sabem muito mais do que os homens e como pessoas se relacio-

---

[17] Veja Frederick G. G. Rose, *Classification of Kin, Age Structure and Marriage Amongst the Groote Eylandt Aborigenes*. Akademie-Verlag, Berlim, 1960.

nam umas às outras e podem justificar esses elos de modo claro e preciso.

3) Que os homens que mais se relacionam com todos os outros e podem justificar claramente tais relações são homens com interesse político, prestígio social ou ambições políticas na aldeia. Pessoas indiferentes e sem ambições, são como as crianças, mal podem saber por que classificam um certo conjunto de pessoas por um certo conjunto de termos de parentesco.

4) Que apesar de todos poderem classificar a quase todos como parentes, o sistema permite – como revelei no meu livro sobre os Apinayé (cf. DaMatta, 1976: cap. 14) – estabelecer gradações entre os "parentes", diferenciando e discriminando os chamados "parentes de perto" ou "parentes verdadeiros", dos "parentes de longe" ou de "imitações".

5) Que laços de afinidade, relações de nominação (de transmissão de nomes) e de amizade formalizada (transmissão de protetores sociais), podem como que encobrir ou abafar as relações de parentesco. Assim, se eu posso designar uma dada pessoa por "ikrá" (= "meu filho"), mas se, em virtude da distância social, um dos meus filhos se casa com ela, fato que ocorre frequentemente no sistema Apinayé, sobretudo entre os que são classificados como "parentes de imitação", o laço de afinidade será sempre usado por mim, pois ele como que encobre o outro.

6) O estudo por meio de fotografias permitiu também ver que o sistema de relações, independentemente de suas regras e de seu plano próprio de realidade, é extensivamente manipulado por todos os adultos de uma aldeia. De tal modo que um homem adulto pode mudar seus elos de parentesco, neutralizar tais relações ou clamar por elas quando isso for conveniente ou permitir a obtenção de certas vantagens.

7) Finalmente, o estudo utilizando fotografias apresentou graficamente o modo pelo qual uma dada população de indivíduos estava ordenada em categorias mais inclusivas num dado eixo classificatório, revelador da ideologia e das teorias de

parentesco dos Apinayé. Quero me referir, sobretudo, ao fato de que certos Apinayé podiam ordenar todas as fotografias seguindo um certo esquema, uma dada ordem, esclarecedora do modo pelo qual, as relações entre as pessoas da tribo eram pensadas. Assim, as fotografias dos mais velhos eram sempre situadas do lado "de baixo", com as dos mais novos "crescendo" delas, já que as fotos dos mais jovens eram colocadas "em cima" da dos mais velhos. Isso permitia dialogar e traduzir quase que literalmente certas metáforas utilizadas para explicar o sistema de parentesco, como a do "pé de milho", uma planta que nascia dos mais antigos e, em cima delas, cresciam sem parar as gerações mais novas. Do mesmo modo, eu podia, com esse conjunto de fotografias e com a ajuda de um professor interessado e paciente, reconstruir a história de certos segmentos da aldeia, entendendo assim arranjos e situações aparentemente discrepantes e casamentos anormais em termos de local de residência ou relações de parentesco.

Mas isso não é tudo, pois o estudo de uma sociedade não termina somente com a coleta de dados no campo. Ela realmente lembra a tarefa de tirar água de um poço sem fundo, pois novas camadas são sempre descobertas e novos dados aparecem para complicar e tornar mais flexíveis os esquemas anteriormente propostos. De fato, pode-se mesmo duvidar se existe essa possibilidade "naturalista" de fazer o desenho de um sistema social como se ele fosse – pelo fato de ser tribal – simples. O que vale dizer, na língua trivial do empirismo ocidental aceito sem maiores críticas, algo finito e imutável. Como estou seguro de que tal não se dá, pois mesmo sistemas tribais estão em sistemática transformação, tendo a ver na oportunidade de estudar tais sistemas um estímulo na direção da descoberta de outras soluções para problemas humanos universais. Por causa disso, o estudo de uma sociedade tribal ou comunidade continua pelo resto da vida, pois no trabalho de campo utilizamos uma metodologia viva e envolvente, que implicou não só uma coleta de dados, como também relações humanas qualitativamente avaliadas, que podem e devem perdurar para o resto de nossas vidas.

Mas além de todos os métodos tradicionais, como os que mencionei até agora, podem-se descobrir outros, menos convencionais. Entre os Apinayé eu me utilizei da técnica de pedir aos informantes que esquematizassem para mim aquilo que estavam procurando me transmitir. O resultado foi uma série de diagramas altamente reveladores de um conjunto de aspectos da realidade social Apinayé difíceis de serem de outro modo transmitidos. Com desenhos pude obter muitos esclarecimentos sobre a forma da aldeia, a noção de universo e a posição específica, neste cosmos, dos homens, das mulheres, dos mortos, dos animais e das plantas. Conforme se pode verificar pela leitura do meu livro, *Um mundo dividido*, os desenhos serviram igualmente para estabelecer contrastes sociologicamente relevantes entre a aldeia tal e qual pode aparecer numa fotografia e esta mesma aldeia vista pelos olhos de um informante Apinayé; ou seja: a aldeia vivida e filtrada pelas categorias sociológicas que dão sentido aos espaços como algo socialmente importante entre os membros daquela cultura. O desenho, assim, forneceu na minha pesquisa com os Apinayé um modo muito seguro e engenhoso de penetrar no interior daquela sociedade com maior precisão.

Toda a motivação para a coleta dos dados obtidos por meio destas técnicas foi teórica. E estou muito consciente de que, sem tal orientação, jamais teria ficado o tempo que permaneci no campo, buscando interpretar a vida dos Apinayé. Com isso posto, estamos agora na posição ideal para explicitarmos mais um pouco os aspectos teóricos destas pesquisas, revelando como se juntou, neste caso, a teoria geral apresentada pela Antropologia, com uma prática concreta que acabamos de resumidamente descrever.

A questão, no fundo, é básica. Trata-se de como poder realmente dialogar com os teóricos que, fora do Brasil, produzem um dado tipo de conhecimento sobre a nossa própria realidade tribal, social ou nacional. Será que todo esse conhecimento deverá ser ignorado em favor de uma "antropologia brasileira", termo ambíguo a encobrir com frequência um mero ecletismo conciliador ou uma franca ignorância da produção teórica estrangeira só porque ela não é realizada aqui no Brasil? Ou será que devemos adotá-lo sem receio de cairmos numa atitude de copiadores e reprodutores de ideias e ideais inventados fora do nosso contexto social e, muitas vezes, aqui adotados sem nenhuma crítica construtiva e criadora? Creio que as duas posições podem ser encontradas em inúmeros autores nacionais. Entre essas duas faces da mesma moeda que traduz uma excessiva falta de confiança em nós mesmos e na nossa capacidade teórica e crítica, fico com a posição que busca estabelecer um diálogo entre os elementos que de fato constituem toda e qualquer pesquisa madura no campo das Ciências Sociais. Quero me referir ao fato de que uma pesquisa implica necessariamente as seguintes etapas: (a) uma (ou várias) questões relativas a um problema que se deseja investigar. Em geral essas questões estão contidas em teorias que nada mais são do que conjuntos de ideias sobre um dado fato ou conjunto de fatos com uma certa dose de verificação empírica; (b) a tentativa de testar ou apreciar essas questões com base numa experiência relativamente controlada da realidade social que se deseja estudar. E, finalmente, (c) a crítica das questões iniciais que, rebatidas de encontro aos nossos achados, germinam em novas ideias, questões e abrem caminho a outras indagações.

Ora, se conseguimos conhecer Antropologia Social o suficiente para podermos estabelecer esse tipo de diálogo entre dados e teorias, teorias e dados, não há o que temer nem relativamente ao colonialismo cultural; nem a rejeição irracional de tudo o que nos chega de fora. Realmente, se os riscos existem – e não há como negar essa imitação irritante de tudo o que é estrangeiro como um modismo indesejável – eles existem e são reforçados precisamente porque não chegamos jamais a estabelecer entre nós uma certa maturidade no campo da Antropologia Social. Mas uma vez que tal maturidade seja estabelecida – ou seja: que as teorias sejam realmente conhecidas, estudadas e criticadas sem temores dos "monstros sagrados" que as produziram (seja nos Estados Unidos, França ou mesmo no Brasil) –, então a pesquisa pode adquirir uma nova feição e dela nascer uma autêntica e criativa teoria nacional.

Foi essa dialética que comecei aprendendo no Museu Nacional e tive a oportunidade de ampliar quando estudei como candidato ao Doutoramento (Ph.D.) na Universidade de Harvard, tendo tido a ventura de ser aluno e orientado de David Maybury-Lewis. Pois foi ali que pude compreender a importância do detalhe etnográfico, capaz de modificar todo um argumento verbalmente construído, e de descobrir como é fundamental o estudo consciente de certos problemas antropológicos. Descobri, então, que não bastava somente erudição (o fato de conhecer até a exaustão os autores e seus livros), mas que era preciso, antes de tudo, "saber" a história do problema, como ele foi inventado como objeto de investigação, seus antecedentes e consequentes, o contexto do livro que expôs a teoria e seu autor; enfim, todo o estado teórico de um campo de forças que realmente "faz" uma disciplina. Deste modo, o aprendizado em Harvard ajudou-me a descobrir que existia na Antropologia Social uma história concreta de temas, autores, problemas e que com eles se podia caminhar para trás ou para a frente. Que na Antropologia Social existia uma tradição crítica muito forte. De fato, fazer antropologia era exercer a crítica honesta e construtiva, pois foi assim que a disciplina nasceu e desenvolveu seus principais métodos e questões. E, finalmente, que os grandes "monstros sagrados" podiam e deviam ser criticados, desde que suas teorias fossem testadas de encontro aos nossos próprios achados no campo. Foi exatamente isso que tentei realizar nestas minhas pesquisas e no meu ensino no Museu Nacional. Daí a minha certeza na nossa capacidade criativa e a minha esperança em estar realmente inventando uma perspectiva antropológica genuinamente brasileira, construída a partir de um diário crítico e aberto com a produção antropológica internacional. Desde que tal produção seja filtrada pelas experiências críticas de cada pesquisador com seus objetos de análise de modo detalhado, criterioso e honesto.

Para que este diálogo e esta dialética fiquem claros, apresentarei dois momentos básicos de minhas duas pesquisas com grupos tribais. O primeiro diz respeito à minha investigação na área do contato intercultural ou contato interétnico, quando então estarei discutindo algumas teorias correntes no momento em que iniciei a pesquisa e o tipo de diálogo que com elas julgo ter estabelecido depois de haver colhido o meu material e refletido criticamente sobre ele. Já o segundo, implicará as linhas teóricas principais que nortearam meu trabalho com os Apinayé, na intenção de interpretar sua organização social e sistema político.

Comecemos com as teorias do contato e com o caso dos Gaviões.[18]

4. Os Gaviões e as teorias do contato

Não tenho dúvidas de que a revisão mais crítica das teorias de contato – ou teorias da aculturação – elaboradas no Brasil e fora dele, foi aquela produzida por Roberto Cardoso de Oliveira no seu livro *O índio e o mundo dos brancos* (1964). Ela não será repetida aqui, exceto para indicar como vejo sua tônica inovadora em relação ao que dominava a Etnologia Brasileira nesta época. Quero me referir ao fato de que, até então, a dinâmica do contato era percebida através da dimensão econômica, e somente

---

[18] Para o leitor interessado em ambos os casos de modo mais aprofundado e fora do contexto de seus principais resultados, como ocorre aqui, sugiro que leia *Índios e castanheiros* (escrito com Roque Laraia); e, naturalmente, o já citado *Um mundo dividido: A estrutura social dos índios Apinayé*. Ambos são encontrados na bibliografia.

pelo lado da sociedade nacional brasileira, vista como desmembrada em frentes de expansão. Como se pode facilmente notar, o esquema tinha muitos pontos criticáveis:

a) Primeiro, a sua dimensão *exclusivamente* econômica, com pouca ou nenhuma ênfase na dimensão social e política da situação de contato. Não se levava em conta a ordem social das frentes de expansão do ponto de vista de sua organização interna, como também não se cogitava de introduzir no esquema a variável "cultura tribal" como um meio de estudar os fatores de mudança, resistência ou simplesmente destruição das sociedades tribais diante da sociedade nacional. Igualmente não se cogitava em tal esquema o estudo de como cada uma dessas "fronteiras" se ligava entre si e com os centros dominantes da sociedade brasileira, de modo que toda a proposta acabava permanecendo no nível empírico e intuitivo.

b) A consequência desta postura era a consideração do contato com um fenômeno que, no fundo, dizia respeito somente à sociedade nacional. Trata-se, realmente, de uma supervalorização do poder do dominante, visto aqui como capaz de tudo fazer, sem que os grupos indígenas, dominados, pudessem encontrar alguma saída. Como as situações de contato não eram estudadas em suas especificidades, todo o peso do poder recaía sempre na sociedade brasileira, tornando os sistemas tribais meros apêndices sem vontade de uma sociedade vista como superpoderosa. Tal esquema, como se pode observar, não encontrava uma saída para a situação das sociedades tribais, vistas em termos de um destino que sempre as conduzia ao estômago do sistema dominante. Tudo isso era uma resultante da impossibilidade de utilizar o conhecimento sobre sociedades indígenas brasileiras de um modo mais sistemático. Embora existissem monografias sobre tais grupos, simplesmente não existiam teorias capazes de dar sentido a essas formas de sabedoria que chegavam até o especialista por meio das diversas monografias e relatórios. O único modo de realizar essa síntese continuava a ser o contato sociocultural, de modo que as sociedades indígenas eram sempre vistas através de uma "escala" de contato. Tomava-se, pois, uma situação histórica (o fato de que existiam várias sociedades tribais engajadas em diferentes modalidades de contato com a sociedade brasileira) como se ela fosse uma teoria sociológica.

c) Uma outra atitude teórica nos estudos de contato era o seu objetivo classificatório e descrito. Deste modo, tomando a dimensão econômica como dominante, Ribeiro (cf. Ribeiro, 1957, 1970) construiu um esquema para situações de contato. Embora sua proposta não fosse inteiramente original, pois já havia sido levantada anteriormente, o fato é que Ribeiro a tornou mais flexível, distinguindo grupos tribais em termos de sua situação de contato com a sociedade nacional. Tal classificação tem um claro componente evolucionista, indo de sociedades tribais *isoladas*, até as que estão inteiramente integradas ao sistema econômico regional, ficando como tipos intermediários – a meio trajeto entre o isolamento e a integração – as sociedades com contato intermitente e permanente com as nossas frentes de expansão. Mas sem o estudo em profundidade da variável indígena – isto é, da cultura e sociedade tribal – aonde tal esquema poderia levar? Ora, ele apenas reduzia o contato a um tipo, deixando de lado as considerações básicas que poderiam ser alcançadas com o estudo de como cada cultura tribal poderia reagir a certas formas de pressão e dominação. Seria justamente por um tal caminho que se poderiam analisar e compreender as saídas para a situação indígena, já que ele fatalmente indicaria os casos mais bem-sucedidos. Por outro lado, essa via de estudos das situações de conjunção intercultural colocaria em foco a própria realidade tribal e não somente a sociedade dominante, envolvente.

Pois bem, o modo de escapar de tais formulações foi – como já disse – a proposta de Cardoso de Oliveira, formulada no seu "Projeto de Áreas de Fricção Interétnica" (cf. Cardoso de Oliveira, 1964, 1972). Um dos pontos básicos deste projeto era a consideração da "cultura tribal" (ou sociedade tribal, ou estrutura social tribal) como um ponto crítico das situações de contato. Um outro era a análise da cultura e sociedade das frentes de expansão que entravam em conjunção com as sociedades tribais, cada qual dotada de regras próprias. Descobrir essas dimensões era um dos pontos fundamentais apresentados pelo projeto. Finalmente, o plano pretendia estudar o contato nas suas dimensões políticas e não mais como uma tarefa a terminar após a classificação das variáveis econômicas.

A partir destas formulações, o contato sociocultural deixava de ser um evento a ser visto apenas por um dado ângulo (o da sociedade dominante), para se tornar uma verdadeira *situação*; ou seja: uma realidade sociológica dotada de complexidade, posto que nela se implicam muitas instituições sociais, forças e, consequentemente, interesses. Foi assim, numa palavra, que me utilizei das formulações do "Projeto de Áreas de Fricção Interétnica", para interpretar os dados Gavião e Apinayé. O resultado, acredito, apresenta uma série de questões interessantes para o estudante desse fenômeno, de vital importância para o destino dessas sociedades tribais.

O primeiro problema é abrir a possibilidade de estudar em detalhe a estrutura social das chamadas "frentes de expansão". Afinal, o que são elas? Devo notar que quando tais frentes pioneiras eram mencionadas, pouco se discutia de suas origens e relações com a sociedade brasileira de um modo mais abrangente. Mas é preciso considerar, como mostro no meu estudo dos Apinayé (cf. DaMatta, 1976b) e no meu estudo comparativo dos Gaviões e Apinayé (cf. DaMatta, 1976a, 1976b e 1979a), que as frentes de expansão têm uma lógica econômica própria, de tal modo que elas podem estar em contradição entre si. Tais contradições podem se situar em diferentes planos. Desde o dos relacionados aos seus objetivos explícitos enquanto "frente", até aqueles ligados às oposições mais profundas do próprio sistema capitalista, todo ele fundado, como sabemos, a partir de Marx, em contradições. Neste sentido, cabe lembrar as lutas por terras livres na fronteira norte-americana, no século XIX, como um exemplo importante destas contradições entre frentes de expansão agrícolas (que desejavam ter o controle das terras para plantio e eram formadas pelas famílias de agricultores) e a fronteira pastoril que – ao contrário – queria terras abertas, como pasto para seus rebanhos. No caso do estudo das frentes de expansão no Brasil, é curioso enfatizar que poucos viram tais segmentos da sociedade brasileira em conflito e contradição. O que nos apresenta um problema de amplo alcance: como é possível que um sistema capitalista elimine suas contradições internas na fronteira? É evidente que tal não se dá, acontecendo na fronteira as mesmas oposições e conflitos que dominam o próprio centro da sociedade (cf. Velho, 1976). Ora, no caso da sociedade brasileira, controlada por um Estado autoritário e captador dos recursos econômicos produzidos pela sociedade, tais frentes de expansão estão geralmente ligadas aos próprios projetos e movimentos deste Estado que acaba por se tornar – ele próprio – um campo onde se desenrolam as lutas que movem a totalidade social. Foi o que ocorreu no caso da Transamazônica e de outros projetos articulados e prioritariamente financiados pelo Estado que, num outro plano, era incapaz de deter suas contradições internas, sobretudo as que foram agudamente acirradas nos últimos anos como as do capital com o trabalho. Ou mesmo aquelas entre diferentes instituições federais que atuavam na área, mas tinham objetivos e métodos de atuação diferentes.

Isso nos conduz a um segundo problema muito básico, qual seja: o fato de uma frente de expansão poder ser constituída de muitas *agências*. Acresce a isso um outro fato crucial: numa mesma fronteira em expansão, podemos encontrar agências que estão em franco desacordo entre si. Deste modo, no caso dos Gaviões, atuavam pelo menos três *agências* sociopolíticas dentro daquela fronteira de castanha e criação de gado que dominava a região. Uma delas era formada pela Igreja Católica Romana, através da forte e corajosa ação de um missionário. Foi ele quem primeiro fez um contato pacífico com o grupo que estudei e foi ele quem tomou a defesa intransigente dos interesses tribais, prestes a serem esmagados – conforme falo no meu livro (cf. DaMatta & Laraia, 1979a) – pelos poderosos donos de castanhal. Uma outra agência era aquela formada pelos donos de castanhal, agência dominante em termos locais, mas limitada aos seus canais financeiros e econômicos. Se isso a tornava muito poderosa em termos políticos, tal fato a fazia mais vulnerável na discussão legal e ideológica dos problemas indígenas, pois suas ideias a respeito dos Gaviões se situavam ao nível de um "racismo evolucionista" indefensável em qualquer enfoque mais sério do problema. Era por esse caminho que atuava o missionário, alcançando assim o plano federal. Na área federal, a agência que surgiu foi o então Serviço de Proteção aos Índios (hoje Funai) que, obviamente, tinha como dever a defesa dos interesses tribais. E era pelo uso desta formulação explicitamente colocada na letra da lei que mantinha o próprio órgão, por onde atuavam todos quantos se interessavam pelos Gaviões: missionários e, posteriornente, antropólogos.

Como vê o leitor, uma mesma fronteira de expansão extrativa comporta múltiplas agências sociais e econômicas, cada qual tendo suas próprias linhas de ação e interesses. E, ainda, cada uma delas relacionando-se de modo diferente com a sociedade dominante. No caso dos Gaviões, pelo menos duas: a Igreja e o SPI, ligando-se diretamente a dimensões políticas, respectivamente, internacionais e nacionais; ao passo que os donos de castanhais dominavam muito mais o cenário estadual. Mas, além disso, tínhamos ainda a ação social e política dos Gaviões que, no quadro de forças e como centro convergente destas linhas de força, também atuavam. Assim, eles logo descobriram como tirar partido de sua imagem ambígua, imagem que, como revelo no livro (cf. DaMatta & Laraia, 1979), era composta por projeções contraditórias vindas da própria sociedade dominante. Deste modo, enquanto o missionário (e os antropólogos) sabiam que os índios Gaviões eram seres humanos dotados de dignidade e com direito de posse sobre suas terras e valores sociais, os donos de castanhais ficavam no outro lado. Negavam a humanidade dos índios, o que permitia racionalizar todas as ações que praticavam contra eles e contra a integridade do território tribal. No meio destas visões contraditórias do índio, surgia a imagem ambígua do Serviço de Proteção aos Índios que, como a Funai dos nossos dias, oscilava entre a cruz e a espada, ora situando-se do lado das sociedades tribais, ora do lado dos poderosos interesses nacionais e multinacionais.

Sendo assim, a imagem dos Gaviões desenvolvida pelos donos de castanhais e aceita por todos os sertanejos locais (trabalhadores evidentemente presos por laços de patronagem aos fazendeiros) era a dos índios como "selvagens", "brutos", "animais", verdadeiras aves de rapina (donde, incidentalmente, o seu nome). Sempre preparados para realizar um ato brutal de traição, tudo dentro da melhor tradição brasileira segundo a qual o índio é preguiçoso e, acima de tudo, traiçoeiro. Tal imagem, entretanto, tinha um duplo sentido. Se do lado dos regionais ela permitia o ataque aos índios e a tomada, com vistas a objetivos "civilizatórios" e "cristãos", dos territórios tribais que, alegava-se na área, não eram devidamente aproveitados por um bando de índios "ignorantes" e "brutos"; por outro lado, servia para amedrontar os próprios regionais que, afinal de contas, também acreditavam no estereótipo que haviam criado. E, de fato, como pode uma imagem paradigmática, como um estereótipo, operar efetivamente, se ela não opera para a população que objetiva discriminar e desmoralizar; e também para a população que discrimina e tira partido da desmoralização? No caso em consideração, estava muito nítido para quem visitava a região naquela época que o estereótipo do índio Gavião "brutal" e "selvagem" era uma faca de dois gumes. Pois se isso podia ser usado para tomar as terras dos índios, a imagem negativa era utilizada pelos próprios Gaviões quando ameaçavam atacar e destruir os postos avançados dos regionais, o que – evidentemente – os mantinha a uma certa distância. Quem manipula o preconceito acredita nele (ou o preconceito não pode ser efetivamente instrumentalizado como arma social e ideológica), de modo que, graças a isso, os Gaviões podiam – em 1961 – defender melhor o seu território contra as invasões.

Na prática, essa manipulação se fazia nas aldeias, quando os índios ameaçavam os regionais que por ali transitavam, tomando-lhes as armas. E também nos pequenos núcleos urbanos, quando os Gaviões podiam estabelecer uma espécie de "crédito" fácil, simplesmente "apanhando" objetos em casas comerciais do local. Mantido o equilíbrio destas ações, graças – como estou mostrando – ao "estereótipo negativo", índios e brancos descobriam um *modus vivendi* apesar de suas contradições.

Por outro lado, este exemplo vem mostrar como o "índio" (e a sociedade tribal) pode evidentemente descobrir o jogo de forças do contexto político onde está historicamente inserido, para nele, por assim dizer, cavar o seu lugar social. Isso prova, ainda, que índios não são esses objetos cuja essência é apenas a fragilidade, na visão pequeno-burguesa que se toma a si própria como o cerne da consciência tribal. Como vemos, e eu os estudo extensivamente no meu livro citado, os Gaviões sabiam perfeitamente discernir onde estavam e como podiam lutar por sua sobrevivência, apesar dos regionais, das poderosas forças colocadas contra eles e, ainda, das previsões as mais negativas da própria Etnologia.

Como se observa, não basta somente acentuar que as sociedades tribais têm culturas diferentes e que a sociedade nacional atua junto a elas por meio de faces diferenciadas. É preciso descobrir qual dinâmica dessa conjunção, para que se possa investigar o papel desempenhado pela cultura tribal na situação de contato.

Comparando-se o caso dos Gaviões (que são índios de língua Jê) com o dos Apinayé, que falam a mesma língua e compartilham com eles de uma série de instituições sociais semelhantes, podemos rapidamente localizar a variável cultural como importante em algumas dimensões destas situações de contato.

Realmente, o caso Apinayé – como o Gavião – permite vislumbrar várias agências em atuação, cada qual com sua imagem do índio, imagem determinada socialmente pelos seus interesses sociais e políticos. Nos dois casos, as estruturas econômicas regionais são as mais agressivas, assumindo sempre atitudes discriminatórias contra o índio e nele vendo apenas um "animal meio humano". Assim, a cidade mais próxima das aldeias Apinayé é o centro de irradiação de atitudes contra o índio, atitudes que se tornam mais ambíguas na medida em que caminhamos para os povoados que cercam suas aldeias. Nestes núcleos populacionais, o preconceito casa paradoxalmente com a simpatia, posto que ali índios e sertanejos compartilham de relações sociais e interesses comuns, dividindo a enorme miséria que iguala a todos no vasto sertão brasileiro. Nos povoados, assim, os Apinayé têm efetivamente "amigos" e compadres, pessoas com as quais estabelecem elos sociais permanentes, dentro de uma lógica cultural permeada dos códigos de comportamento locais. Dentro de uma mesma "frente pioneira" portanto que, como no caso dos Gaviões, é também uma "frente extrativa", pois a região Apinayé (norte do Estado de Goiás) é riquíssima em palmeiras de babaçu, podem existir estereótipos diferenciados do índio. Para quem vive nos núcleos urbanos regionais, sobretudo no seu centro, Tocantinópolis, a imagem do índio é marcada por traços negativos: eles são "sujos", "preguiçosos", "amigos do alheio" (isto é, ladrões) e "traiçoeiros". Sua existência, como se pode logo suspeitar, é uma presença incômoda numa área dominada por um núcleo de população com aspirações nitidamente metropolitanas. Assim, há quem negue, em Tocantinópolis, a presença de índios nas suas vizinhanças, como que para exorcizar um traço que faz a cidade parecer "atrasada" e rústica. Mas para quem vive no sertão e compartilha com o índio de zonas de plantio e caça, além de junto com o índio estar sujeito ao poder do crédito e da comercialização sem escolhas que constituem o poder da patronagem local, a imagem é mais complicada e ambígua. Nestas relações podem existir camaradagem, amizade e todos esses ingredientes que marcam populações que, mesmo se sabendo diferentes, estabeleceram, por força da proximidade geográfica e ecológica, relações sociais rotineiras. Deste modo, é importante assinalar como os sertanejos ao falar dos Apinayé indicam uma série de traços negativos mas podem, ao lado disso, mencionar como os índios "sabem dividir suas coisas", "têm a união" (que efetivamente lhes falta) e reconhecem a sua alta solidariedade familiar.

Mas, além da divisão entre as divisões da população regional, encontramos também divisões de motivações e interesses entre as agências nacionais – como a Fundação Nacional do Índio (Funai), a Campanha de Erradicação da Malária, o Incra, ou outros órgãos federais, e as agências locais e internacionais como foi o caso, por um período, da presença de pessoal do Summer Institute of Linguistics. Ao lado destas instituições, o antropólogo acaba se constituindo num outro polo do contato, com ligações nacionais e internacionais, sempre por meio do plano federal. Deste modo, no caso dos Apinayé (como no dos Gaviões), lutas políticas pela posse da terra indígena ou disputas resultantes de múltiplas interpretações de algum tipo de eventos que implicasse conflitos entre índios e brancos tendem a ter uma linha de clivagem demarcada por um plano de agências federais (nacionais), em contraste com o plano das agências estaduais e municipais que, em geral, são contra os interesses tribais. Mas essa dicotomia pode ser, em muitos casos, uma simplificação grosseira, já que no mesmo Ministério, o do Interior, agências com ideologias e motivações "desenvolvimentistas" (como o Incra e a Sudam) podem entrar em conflito direto com a Funai no que diz respeito a uma imagem do índio e à prática social e política a ser realizada junto às populações tribais.

No meio destas forças vivas e que mudam de lugar e posição no curso de um dado tempo, os Apinayé sabiam perfeitamente bem que o seu sucesso em sobreviver enquanto unidade social autossuficiente ideológica e socialmente dependia dos elos (e alianças) que pudessem criar com representantes das agências nacionais, internacionais ou mesmo estaduais, contra interesses locais, sobretudo os da cidade, onde se acham pessoas com recursos objetivamente investidos na área. Neste jogo de forças entre o nível local e o nível federal, típico – quero crer – de sociedades fortemente hierarquizadas e fundadas na patronagem, ficava o representante na Fundação Nacional do Índio, situada que estava entre os dois fogos. Isso para não mencionar os líderes tribais, que também pressionavam o encarregado do posto indígena da Funai, buscando determinar sua ação em certas direções. Um dos resultados de todo esse jogo de forças é, evidentemente, a criação de um espaço social concreto – o *espaço do contato*, dotado de regras próprias e dinâmica especial. Entre as regras desta situação, pode-se citar o seu alto cosmopolitismo – a contrastar às vezes violentamente com o paroquialismo da região. Na sua dinâmica, vale a pena chamar atenção para sua alta capacidade explosiva, já que qualquer ação social pode ter muitas interpretações divergentes. Desta maneira, entre os Apinayé, um divórcio ou adultério, por exemplo, poderia ser interpretado pela ótica indígena, pela moralidade do "posto indígena" da Funai, pelo código missionário (fundamentalista e norte-americano), pelos valores sertanejos dos trabalhadores do "posto indígena" da Funai que conviviam com os índios e, ainda, pela ideologia do antropólogo social, residente na aldeia. Isso posto, poderá o leitor imaginar o número possível de alianças e comentários que uma tal situação pode engendrar do ponto de vista social e político.

Embora sabendo que não cabe aqui nenhuma sugestão política, permito-me dizer que uma das saídas para tais impasses seria estar o grupo tribal representado a nível local, com uma cadeira na Câmara de Vereadores. Pois como é possível "representar" os interesses tribais na comunidade nacional, se o município não toma conhecimento de nenhuma decisão, seja do Ministério do Interior, seja da vontade da própria comunidade tribal que nele e com ele convive? Aliás cabe perguntar quem realmente representa um encarregado do posto indígena: os interesses indígenas junto à sociedade nacional ou, o contrário, os interesses da nossa sociedade junto aos índios?

Creio que agora estou em condições de chamar atenção para as vantagens deste "modelo" da situação do contato, onde as "frentes de expansão" são vistas como segmentos de um todo maior – a sociedade brasileira, mantendo entre si uma dinâmica social bastante complexa e decisiva no estudo das situações de conjunção. Por outro lado, esse modo de situar sociologicamente o contato permite descobrir seu dinamismo e eventualmente localizar o peso da variável "cultura tribal" para o desenvolvimento global da situação.

Mas isso não é tudo, pois que esse modo de estudar o contato situa, como uma perspectiva a ser evitada, a abordagem classificatória, de cunho simplificador e formalista, segundo a qual as populações em conjunção estão numa gradação evolutiva, mais ou menos dentro da sociedade nacional. Porque a visão dinâmica e sociológica do contato intercultural indica que um grupo tribal pode estar economicamente integrado, mas ideologicamente ou sociologicamente isolado da sociedade nacional brasileira. Ou seja, se uma sociedade tem domínios internos, cada um deles pode reagir ao contato de modo diferenciado, de tal sorte que se um desses subsistemas se integra, outro pode manter-se – por causa disso mesmo – isolado. Como certos grupos étnicos vivendo em sociedades nacionais modernas que descobrem e como que inventam uma "essência" social somente depois de terem vivido intensamente a situação de minoria explorada. No caso dos Apinayé, pode-se dizer, sem correr o risco do erro, que a sociedade indígena está monetariamente integrada à economia regional, mas que tem se mantido isolada do ponto de vista da mitologia e da vida ritual, ao passo que seu subsistema social tem com a sociedade regional um "contato", digamos, intermitente. Em outras palavras, sociedades não podem ser vistas como estratos geológicos, numa espécie de perfeita estratigrafia. As coisas são muito mais complexas, pois a integração de um domínio pode conduzir ao reforço de um outro a nível das tradições tribais.

Assim, embora existam trocas sistemáticas entre índios e brancos na região dos Apinayé, tais transações podem muito bem reforçar o sistema interno de reciprocidades, como busquei descrever no meu livro (cf. DaMatta, 1976b). Se um índio, portanto, como foi efetivamente o caso, decide abrir uma "venda" em sua própria casa, concentrando recursos financeiros e econômicos pela compra de todo o babaçu de seus patrícios e pela venda direta aos exportadores na cidade. E, ao lado disso, complementa sua atividade vendendo produtos de primeira necessidade aos membros de sua aldeia (coisas como sal, querosene, açúcar, fósforos, arroz, feijão, enlatados, cartuchos, pólvora etc.), o resultado pode não ser uma simples e direta "acumulação primitiva" com a consequente criação de uma estratificação social interna na aldeia. Mas, ao contrário, na medida em que os negócios deste vendeiro Apinayé progridem, ele é mais e mais solicitado *como parente, como amigo formal, como nominador* – numa palavra, como membro integrante do código cultural Apinayé. Ou seja: na medida em que seus negócios indicavam prosperidade, seus "parentes" o solicitavam e acionavam os elos fundados na reciprocidade que os uniam. De forma que o sucesso no modo de existência capitalista acabou produzindo um resultado inverso: conduziu o índio para dentro (e não para fora) do seu sistema social e código de valores. Logo, obviamente, seu comércio foi fechado, dado que lhe era impossível cobrar, negar crédito, negar mercadorias para seus parentes (que ali viam apenas bens para serem dados e jamais objetos para serem vendidos). Como se observa, o próprio sistema social Apinayé foi reforçado e, deste modo, ele acabou por impedir a individualização do índio comerciante com a consequente exploração dos seus patrícios.

Isso vem mostrar como uma sociedade tribal pode estar economicamente "integrada", sem que isso implique uma automática modificação a níveis sociológicos ou ideológicos. De fato, no caso deste último domínio, o estudo dos chamados movimentos messiânicos revela o ponto central do meu argumento, já que esses impulsos sempre tendem a ter um alto sentido nativístico, nacionalístico, como observaram Crocker e Melatti, respectivamente, entre os Canela e Krahó (cf. Crocker, 1967, e Melatti, 1972). Ou seja: quanto mais o contato com uma sociedade dominante conduz à perda da identidade ou à desmoralização étnica, mais o grupo tribal busca reconstruir essa identidade por meio da instrumentalização social dos domínios que a sociedade envolvente deixou intactos. No caso em consideração, as esferas do mitológico, do mágico e do religioso. A reação chamada de "messiânica", "mágica" ou "religiosa", portanto, não é assim porque grupos tribais sejam rústicos em sua interpretação dos fatores históricos envolventes ou tenham um certo pendor para a confusão e para a explicação infantil. Não. Trata-se de uma reconstrução profundamente ligada aos aspectos essenciais do grupo dominado e, por causa disso mesmo, relacionada aos seus aspectos internos, mais profundos. O movimento nem sempre é messiânico porque implicará um "messias", mas porque trará à luz do sol alguma faceta isolada (e desconhecida) de uma sociedade que os grupos dominantes julgavam já sem moral ou identidade.

Finalmente, meu estudo dos Gaviões (e dos Apinayé), utilizando um outro esquema conceitual, mostrou que a variável básica no caso das situações de conjunção não é a "frente de expansão", conforme indica Ribeiro (cf. 1957, 1970), mas o valor do produto produzido por esta "frente". Deste modo, uma mesma fronteira baseada na extração de castanha (caso dos Gaviões) e coco de babaçu (caso Apinayé) provocou resultados diversos em contato com duas sociedades com um mesmo patrimônio sociocultural. Realmente, a ação da frente extrativa da castanha teve um impacto muito maior junto aos Gaviões, provocando inclusive um quase que irremediável desequilíbrio demográfico; ao passo que a frente do babaçu atuou de modo muito menos destrutivo junto aos Apinayé. Isso serve para demonstrar que é o valor do produto produzido pela frente que realmente é o fiel da balança do contato. Uma frente criadora de gado reagiria provavelmente com a mesma violência, caso o seu gado fosse muito valioso. E a frente agrícola estaria situada no mesmo caso.

O problema, portanto, como mostra o estudo dos Gaviões e dos Apinayé, é a busca de um plano de conhecimento que permita uma atuação política efetiva. E quando falamos de atuação política, falamos essencialmente de interesses, decisões e, sobretudo, de representações desses interesses. Daí a importância de criarmos as condições legais para que lideranças tribais possam ter uma expresão a nível local, municipal e estadual, níveis em que, bem sabemos, os grupos tribais têm sofrido as maiores pressões discriminatórias.

Na pesquisa sobre contato cultural, então, estou convencido de que o importante será: (a) localizar as agências que atuam na situação, seja do ponto de vista histórico, seja do ponto de vista sociológico; (b) estudar a estrutura e a ideologia (interesses e ética social de cada uma, suas razões de atuação e racionalizações sociais) de cada uma delas; (c) verificar como elas estabelecem relações com as populações tribais em contato e como essas relações repercutem junto às lideranças tribais; e (d) analisar o contato como algo vivo, que tem um dinamismo complexo, onde o índio tem um papel fundamental a desempenhar e sabe efetivamente a essência política da sua situação. No meio deste jogo de forças, o grupo tribal logo descobre quais são as alianças mais produtivas e o espaço dentro do qual poderá se reproduzir como Gavião ou Apinayé. Por outro lado, a descoberta deste espaço revelará a atuação das instituições tribais nas situações de conjunção intercultural. No caso dos grupos Jê, gostaria de observar, à guisa de uma hipótese a ser futuramente testada no campo, que a sua organização política, segundo a qual cada aldeia é um todo autossuficiente e integrado, deve ser um dos fatores mais importantes para o desenvolvimento de fortes líderes locais. Com isso, aldeias sem condições de sobrevivência podem desaparecer, enquanto que outros grupos locais, com melhores condições dentro da situação de contato e contando com melhores lideranças, podem sobreviver e assim reproduzir a cultura e a sociedade tribal.

Em sociedades, porém, onde as aldeias estão organicamente ligadas umas às outras, como acontece com grupos Tupi e os grupos Aruak do norte do Amazonas, se uma aldeia é fortemente atingida pela ação de uma dada fronteira de expansão, toda a sociedade tende a sofrer, já que a vida social de cada aldeia depende da vida da outra, todas formando um sistema que troca informações e, sobretudo, mulheres ou agressões. Neste sentido, populações com aldeias política e socialmente autossuficientes, como é o caso das aldeias Jê, talvez tivessem melhores oportunidades de sobrevivência. Passados os primeiros anos do contato, quando os efeitos são globais e atingem o grupo tribal sobretudo no plano biológico, a sociedade dominada tem boas chances de autoperpetuação. Talvez esse traço interno da organização política e social Jê, o fato de que em tais sociedades as aldeias são unidades autocontidas, possa explicar por que os Krahó, Xavante, Xerente, Apinayé, Krikati, Gaviões e Kayapó tenham escapado de tempos históricos tão terríveis quanto foram os primeiros contatos que estabeleceram com a nossa sociedade.

5. Os Apinayé e as teorias sociológicas

Não poderia terminar este livro sem apresentar, como disse, o ambiente teórico dominante no meio do qual realizei meu trabalho com os Apinayé. Esta exposição servirá, espero, para mostrar os principais problemas que orientaram a pesquisa e também como se pode efetivamente relacionar a prática do inquérito etnológico com sua coleta de dados no campo, com o conjunto de ideias abstratas que formam o núcleo de qualquer disciplina científica com o nome de "teorias". É um pouco deste diálogo que desejaria aqui revelar, indicando como certos conceitos podem adquirir "vida" quando são utilizados no intuito de esclarecer situações concretas e não teses ecléticas ou eruditas como é tão comum no caso das Ciências Sociais brasileiras.

Em outras palavras, meu objetivo é indicar quais as ideias mestras a nortear meu trabalho de campo com os índios Apinayé, pois tal perspectiva será capaz de fornecer ao leitor o aparato conceitual utilizado e o modo pelo qual estes instrumentos foram "corrigidos" e modificados no final do trabalho.

Mas comecemos do começo, com a pergunta: qual o significado sociológico do estudo dos Apinayé e das sociedades de língua Jê em geral? Ou, em outras palavras, por que os grupos tribais de língua Jê foram escolhidos para foco de uma pesquisa etnológica?

a) Curt Nimuendaju e a etnologia brasileira

Não se pode falar de sociedades Jê do Brasil Central sem invocar uma figura ímpar da Antropologia brasileira: Curt Unkel Nimuendaju. Nimuendaju foi um alemão de Iena que veio ao Brasil em 1903 e aqui estudou intensamente pelo menos cinco sociedades tribais, tendo visitado e publicado sobre muitas outras: os Guarani do oeste de São Paulo e sul de Mato Grosso, de quem analisou os mitos heroicos e messiânicos, deles recebendo o nome Nimuendaju que adotou para o resto da vida; os Tukuna do Alto Solimões sobre os quais escreveu uma monografia básica sobre a estrutura política e social, lá deixando sua vida, pois Nimuendaju morreu entre esses índios; os Xerente de Goiás, os Canela do Maranhão e os Apinayé de Goiás, três sociedades de fala Jê, com as quais conviveu e produziu certamente suas melhores obras.

Foi, pois, Curt Nimuendaju quem primeiro chamou atenção sobre esses índios de Língua Jê do Brasil Central, revelando em suas monografias uma intrincada organização social. Essa organização social revelava, especialmente no caso dos Jê do

Norte (os Timbira e Kayapó), uma proliferação de grupos cerimoniais masculinos e complicados rituais, onde o dualismo ou o princípio segundo o qual colocar em oposição é ordenar era fundamental. Como já indiquei anteriormente, esses Jê-Timbira colocavam um paradoxo de difícil resolução para qualquer evolucionista, pois como era possível ter-se, no imenso cerrado do Brasil Central, grupos tribais com uma tecnologia tão simples (sem cerâmica, redes, agricultura baseada na mandioca, cultivo do fumo e outros achados "tecnologicamente" básicos), mas com uma ordem social tão complicada?

Foi, pois, graças às monografias de Nimuendaju sobre esses grupos que Robert H. Lowie, um dos grandes etnólogos norte-americanos, também de origem germânica, começou uma especulação crítica sobre as lições a serem extraídas do seu estudo antropológico. Deste modo, Lowie logo verificou alguns problemas etnográficos específicos entre os Timbira, como os tipos de termos de parentesco onde a separação por gerações não era levada em conta. Isso significa que, entre os Timbira, tal como ocorria entre os Hopi e os Crow (tribos que Lowie havia estudado nos Estados Unidos), parentes situados na geração de um dado Ego eram classificados com os seus filhos ou com os seus pais. Este é um tipo de terminologia de parentesco muito complicado que, na literatura especializada, recebeu o nome de Crow-Omaha, justamente por ser encontrada nestas sociedades. Como fica indicado nesta terminologia, parentes da minha própria geração, que, no nosso sistema, seriam classificados como "primos", são linguisticamente identificados seja com os filhos, seja com os pais. Pois bem, tal tipo de equação terminológica era a mesma dos Timbira descritos por Curt Nimuendaju, e Robert Lowie não deixou que tal dado passasse em branco quando escreveu seus primeiros artigos sobre essas sociedades do Brasil Central, utilizando os achados de Nimuendaju. Formular uma explanação sociológica do dualismo Timbira, seu complicado estilo cerimonial e suas formas de família e parentesco, foi uma das preocupações de Nimuendaju e de Lowie, especialmente no final de sua carreira (cf. Lowie & Nimuendaju, 1937, 1939, e Lowie, 1940, 1943, 1959).

No âmbito dos estudos das sociedades Jê-Timbira, os dois grupos mais interessantes e sobre os quais havia duas monografias importantes eram os Apinayé e os Canela (cf. Nimuendaju, 1939, 1946 e 1956). Os Canela possuíam vários pares de "metades", pois todos os membros da sociedade ou ficavam dentro de um grupo social ou de outro, não havendo um terceiro grupo que recebesse associados, daí o nome de "metades" para sociedades assim divididas. Tais pares possuíam diferentes princípios de filiação, surgindo em complicados cerimoniais, sobretudo aqueles ligados à iniciação dos homens. Além disso, os Canela possuíam grupos formados pelo nome pessoal, uma espécie de marca registrada do padrão Timbira, além de uma organização social que Nimuendaju descreve como francamente "matrilinear". Isso significava que as mulheres eram as proprietárias das roças e das casas, existindo, como nos informa Nimuendaju, linhas formadas pelo lado materno. Ora, a existência de "linhagens" ou linhas formadas pelo lado materno era plenamente coerente com a terminologia de parentesco Crow-Omaha, de modo que os Canela podiam ser plenamente explicados pelas teorias vigentes na época da monografia de Nimuendaju.

Mas e os Apinayé?

Aqui, tudo fica muito mais complicado. Em primeiro lugar porque os Apinayé eram descritos como Timbira anômalos: possuíam muitos traços semelhantes aos Canela, mas tinham uma organização matrimonial muito diversa. Esta ordem matrimonial confundia os teóricos. Ela foi descrita por Nimuendaju como um sistema de quatro grupos que casavam entre si, mas cujo modo de incorporação era por meio de uma descendência que Maybury-Lewis chamou de "paralela" (cf. Maybury-Lewis, 1960). Veja bem o leitor: em se tratando de sistemas de descendência, ou seja, de modos pelos quais uma geração se liga organicamente a outra e assim transfere poder ou transmite propriedade, títulos e direitos de pertencer a certos grupos importantes, existem modos limitados de realizar essas operações. Um deles é a transmissão por linha masculina: o pai recebendo do próprio pai esses direitos e transmitindo-os aos filhos. Um outro é a transmissão por meio de linha materna, caso dos Canela descritos por Nimuendaju, em que é a mãe que recebe da própria mãe direitos de propriedade de casas, roças ou grupos sociais e os transmite para seus filhos. Um terceiro modo de descendência dá-se quando as pessoas recebem do lado paterno direitos para pertencer a um clube e, do lado materno, títulos de propriedade da terra. Tal sistema tem sido classificado como dupla descendência, e ele pode admitir variações. Mas o básico em todas essas formas é que os filhos (sejam eles homens ou mulheres) estão sujeitos a uma mesma regra. Assim, em Trobriand, que é uma sociedade matrilinear, tanto a irmã quanto o irmão recebem de sua mãe os direitos de pertencer ao seu clã.

No caso dos Apinayé, entretanto, essa transmissão se fazia de modo fora do comum. Neste grupo, dizia Nimuendaju que os homens herdavam direitos de pertencer ao grupo matrimonial do seu pai e a mulher recebia direitos equivalentes de sua mãe. O sistema, como se observa, era "paralelo", com os sexos sendo separados por meio de linhas de descendência diferentes. Ficavam, pois, diferenciados, o irmão e a irmã, conforme revela mais claramente o diagrama abaixo assinalado:

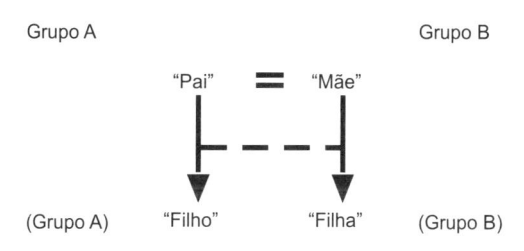

```
      Grupo A                              Grupo B
                  "Pai"  =====  "Mãe"
                    |              |
                    |------- -------|
                    ▼              ▼
   (Grupo A)     "Filho"        "Filha"     (Grupo B)
```

Nota-se que os irmãos ficam separados, de modo que um dos elementos mais básicos de solidariedade social em qualquer sociedade, aquele dado pelo grupo de irmãos e pelo fato de pertencer a uma mesma geração, é inteiramente rompido neste sistema. Mas como isso não bastasse, Nimuendaju descreve a existência entre os Apinayé de um sistema matrimonial dividido em quatro grupos, para o qual essa "descendência paralela" estaria orientada. Isso torna tudo ainda mais complicado, pois neste sistema homens do grupo A casam-se com mulheres do grupo B; homens do grupo B casam-se com mulheres do grupo C; homens do grupo C casam-se com mulheres do grupo D; e, finalmente, fechando o ciclo de casamentos, homens do grupo D casam-se com mulheres de A.

Sem pretender entrar aqui nos detalhes deste complicado sistema matrimonial, devo apenas chamar atenção do leitor de que o sistema, tal como é descrito, separa radicalmente os homens das mulheres do seu próprio grupo (pelo princípio da descendência paralela), tornando difícil a operação destas "sociedades matrimoniais" que, em todo o livro de Nimuendaju, não aparecem desempenhando papel algum. Foram esses, portanto, os pontos que o estudo do material Apinayé permitia levantar. Mas, devo observar, tais revisões do material etnográfico de Nimuendaju foram feitas fora do Brasil, por especialistas estrangeiros, gente como Lowie, Jules Henry e Alfred Kroeber, já que os etnólogos brasileiros, com raras exceções, não estudavam este material.

Dado o seu sistema matrimonial e seu sistema de descendência paralela, os Apinayé ficaram conhecidos na literatura antropológica internacional (no Brasil, até a publicação do meu livro em 1976, ninguém escreveu sobre o seu sistema de organização social) como uma tribo no mínimo anômala. Assim, Murdock equacionou esses grupos matrimoniais, os *kiyé*, a secções de tipo australiano e muitos outros buscaram colocar em perspectiva esse material. Entretanto, foi só nos anos 1960 que David Maybury-Lewis retomou essa problemática e buscou uma interpretação sociológica do sistema Apinayé.

A essas alturas, é indicado fazer uma parada para estudar o que foi visto com calma. Observo que a grande contribuição de Nimuendaju foi ter descrito, com inigualável clareza, dois sistemas sociais altamente complexos – o dos Canela e o dos Apinayé – que colocavam toda a sorte de problemas sociológicos básicos. Destes problemas, destacam-se: (a) a operação do sistema social, fundado num dualismo, mas com um sistema de parentesco que permitia supor a existência de linhagens matrilineares; (b) o sistema de descendência paralela dos Apinayé e o seu sistema matrimonial em quatro grupos que lembrava os sistemas sociais australianos.

Essas características, entretanto, só eram discutidas fora do Brasil, mas eram básicas porque indicavam que os grupos de língua Jê do Brasil Central apresentavam uma cosmologia e uma organização social digna de estudos mais detalhados.

Em outras palavras, de 1940 até 1960, o material Jê colhido e estudado por Curt Nimuendaju e Robert Lowie, entre outros, só foi discutido perifericamente fora do Brasil. Aqui, com poucas exceções, esses dados continuavam a ser vistos como muito complicados e curiosos, expressões da enorme ingenuidade dos "nossos índios". Em 1960, com a inauguração do Curso de Teoria e Pesquisa em Antropologia Social no Museu Nacional, tal situação começou efetivamente a mudar. Foi quando foram encetadas as conversações com David Maybury-Lewis da Universidade de Harvard e iniciado um projeto comparativo conjunto que veio a congregar etnólogos de Harvard e do Museu em bases absolutamente igualitárias. Foi o trabalho deste grupo, sob a orientação de Maybury-Lewis, que provocou o reestudo das sociedades Timbira e, consequentemente, de todo esse material etnográfico coletado por Curt Nimuendaju.[19] Foi, portanto, graças a essas iniciativas e a esse projeto de pesquisa que etnólogos

---

[19] Cf. Maybury-Lewis, 1960a e 1967; Turner, 1966; Melatti, 1972 e 1978; Lave, 1967; DaMatta, 1976; e, ainda, Maybury-Lewis, 1980, que reúne num só volume os principais resultados destas pesquisas. Cf. também, para outras pesquisas com o material Jê: Lux Vidal, 1977; Carneiro da Cunha, 1978; e, naturalmente, Seeger, 1980.

brasileiros puderam lançar novas bases para o estudo da organização social e do parentesco de tribos indígenas do território nacional, um domínio pouco analisado no Brasil. Mas, nesta segunda fase dos estudos Jê, o trabalho não foi mais dominado por um empirismo culturalista que informa a obra de Robert Lowie e de Curt Nimuendaju, mas por teorias da organização social, do parentesco e do casamento muito mais sofisticadas: as de Claude Lévi-Strauss.

Mas que teorias eram essas?

b) Lévi-Strauss e os estudos de parentesco

O leigo imagina que o estudo do parentesco é uma invenção moderna, uma espécie de álgebra destinada a encobrir e complicar o campo da Antropologia Social. Dada a competência requerida para se trabalhar nesta área, que realmente distingue o etnólogo amador do profissional, nada mais fácil do que estigmatizar todo o domínio do parentesco e da organização social como uma espécie de "área maligna" contaminada de um academicismo balofo, impossível de ser entendida como realmente importante. É óbvio que tal visão é falsa e deliberadamente se esquece das lições de um Lewis Henry Morgan, que foi o primeiro antropólogo a realizar estudos de parentesco e de organização social. E se assim o fez, foi porque Morgan foi um dos primeiros a realizar trabalhos de campo com índios norte-americanos e a descobrir a importância do parentesco como um idioma totalizador nestas sociedades tradicionais, onde os laços fundados na família e nos elos substantivos do nascimento e da propiciação são básicos. Deste modo, alienar os estudos de parentesco da Antropologia Social é algo tão perverso como querer ignorar o campo do econômico em formações sociais capitalistas. Em ambos os casos, números e relações sociais complexas irão requerer um enorme trabalho, mas são domínios básicos para uma melhor compreensão da natureza histórica e social das sociedades modernas e tribais.

O campo do parentesco foi, de fato, uma das maiores surpresas dos estudiosos do século XIX quando descobriram que havia sistemas diferenciados de classificação de parentes, sistemas que classificavam as pessoas do círculo dos parentes e afins de um modo totalmente diverso e independente das relações de família. Ou seja: descobriu-se (e essa descoberta se deve sobretudo aos esforços de Morgan) que os modos de classificação de parentes não obedeciam a um código universal, estando fundados numa família de tipo nuclear e podendo variar. Se nós chamamos o nosso genitor de "pai", a nossa genitora de "mãe" e colocamos essas duas posições como distintas de todas as outras, pois os irmãos do genitor são "tios" e da genitora são "tias", isso não ocorre em muitas sociedades. De fato, em muitos sistemas, a posição genealógica marcada pelo genitor, pelo "pai", é equacionada classificatoriamente a outras posições genealógicas, de modo que, por meio de um mesmo termo, cobrem-se as posições genealógicas para "pai" e "irmão do pai". Assim, por exemplo, uma comparação do nosso sistema de classificação de parentes com o dos Apinayé de Goiás:

Posição genealógica: genitor	irmão do genitor	irmã do genitor
Nosso sistema: "pai"	"tio e tia"	
Sistema Apinayé:	"pam"	"tui"

Ou seja, enquanto nós recortamos o quadro das posições genealógicas possíveis separando o genitor de todas as outras posições, mas juntando essas posições numa só categoria, a de "tio", o sistema Apinayé faz exatamente o inverso. Nele, o genitor e seu irmão são classificados pela mesma etiqueta verbal, mas sua irmã é colocada numa etiqueta separada, como "tui", termo que é incidentalmente o mesmo para as "avós maternas e paternas".

Isso revela os dois planos do universo social humano: o *plano do êmico* e do *ético*, termos utilizados por alguns antropólogos em analogia à distinção clássica da Linguística, entre o *fonêmico* e o *fonético*. Nesta perspectiva, que é absolutamente fundamental nos estudos linguísticos e antropológicos – uma coisa é a dimensão fonética dos fenômenos, ou seja, sua dimensão empiricamente dada e analiticamente percebida. Uma língua, como um sistema de parentesco, é feita de sons e cada som, como cada ponto numa genealogia, é algo que uma pessoa de fora (ou um gravador) pode distinguir. O conjunto fonético é o sistema possível de sons de uma língua, do mesmo modo que um conjunto de posições genealógicas é o sistema possível das posições de parentesco reconhecidas numa dimensão absolutamente analítica.

Mas é preciso não esquecer que o sistema *fonético* nada tem a ver com uma outra dimensão crítica nos sistemas humanos: a da *fonêmica*. Pois esse plano fonêmico diz respeito aos sons (ou às posições genealógicas) que são utilizados pela língua (ou pelo sistema de parentesco) como significativos, como fornecedores de sentido. Assim, uma língua poderá ter, digamos, 25 sons diferentes, mas apenas tomar 10 como pontos pelos quais elabora suas áreas de sentido. Em outras palavras, os sons empiricamente diferentes são 25, mas os sons *legitimados* pelo sistema como fornecedores de significado são apenas 10. Do mesmo modo, o estudioso poderá distinguir muitas posições genealógicas num dado sistema, mas uma sociedade concreta apenas adota uma parte deste conjunto para sua classificação de parentes. Há, pois, uma distinção de raiz entre uma dimensão empírica e uma dimensão cultural ou social dentro dos fenômenos humanos. A dimensão empírica é o plano do "natural", daquilo que pode ser percebido como dado, ou fazer parte de um esquema de classificação possível, virtual, que contém todos os pontos possíveis de um dado sistema. A dimensão cultural (social ou ideológica), ao contrário, é um plano pelo qual a virtualidade de um sistema absoluto cede lugar a escolhas concretas, a decisões realizadas, a pontos descontínuos que, por isso mesmo, permitem o estabelecimento do significado.

O campo do parentesco – como o campo da língua – é uma dimensão privilegiada para a demonstração destas separações cruciais, pois ele permite ver claramente a importância destas distinções. Realmente, se eu não posso perceber que, no sistema Apinayé, o termo "pam" cobre a posição genealógica de genitor e também a do seu irmão, eu não conseguirei jamais entender o sistema em seus próprios termos. No passado, quando os sistemas de parentesco começaram a ser estudados, os antropólogos tomavam como referência, não um sistema genealógico de posições possíveis, empiricamente dadas, mas o seu próprio sistema de classificação, como algo absoluto. Deste modo, tomando o meu sistema como absoluto e projetando-o sobre o sistema Apinayé, eu diria que os índios estão errados, pois confundem o genitor (que deve ser o verdadeiro "pai") com o seu irmão (que deve ser um "tio").

Foi essa projeção do familiar num sistema realmente estranho e exótico que levou Morgan a inventar uma explicação errônea para sistemas de parentesco não ocidentais, fazendo com que ele reduzisse o sistema de parentesco a elementos substantivos e ao "sangue" como modo universal de tradução das posições classificatórias. Assim, para Morgan, as posições genealógicas traduziam posições relativas ao "sangue" e a possibilidades de relações sexuais. Ora, um sistema como o Apinayé, onde o genitor é chamado pelo mesmo termo que seu irmão, implica uma situação em que os dois podem ter (a) acesso à mesma mulher e (b) possibilidades de terem engendrado a mesma prole. Daí a ilação de Morgan segundo a qual sistemas com tais equações terminológicas traíam um tempo em que os casamentos eram promíscuos, podendo todos os homens casar-se com todas as mulheres. Sendo assim, todos os homens da geração do "pai" seriam chamados de "pai" e todas as mulheres da geração da "mãe" seriam chamadas de "mãe". A terminologia apenas legitimaria uma prática social onde todos eram potencialmente maridos (e mulheres) de todos.

Nada, como o estudo mais aprofundado iria revelar, poderia estar mais errado. E a fonte básica do erro é, aqui, a confusão de um sistema classificatório específico (o do próprio Morgan, com suas ideologias de substância e de sangue; ou seja: o nosso sistema) como se ele fosse universal. Em outras palavras, o fato de o sangue e a ideologia da herança do sangue serem elementos fundamentais do nosso próprio sistema conduziu Morgan (e muitos outros) a tomarem essa ideologia como uma verdade científica indiscutível, aplicando-a no entendimento de outros sistemas de parentesco de outras sociedades humanas. O resultado foi uma interpretação errônea, já que só se começou a perceber a relatividade dos sistemas de parentesco – como verdadeiras classificações sociais – quando se pôde relativizar o nosso próprio sistema de classificação. E isso foi realizado com a invenção do "método genealógico" de Rivers. Foi quando se concebeu o plano da genealogia como uma dimensão universal do estudo do sistema de parentesco (cf. Rivers, 1969). Com ajuda da distinção entre o plano do empiricamente dado e o plano do culturalmente construído, pode-se entender que, se todo o sistema terá necessariamente duas posições para os genitores (pai e mãe), quatro para os genitores dos genitores (os avós) e dezesseis para os genitores dos genitores dos genitores, essas posições são encapsuladas por uns poucos termos de relações e variam de sistema para sistema. É, pois, fundamental, separar o ético do êmico, o empírico do ideológico e, no caso do parentesco, o genealógico do categórico.

A análise sociológica do parentesco torna visível um plano básico do domínio humano, permitindo saber que (a) as formas da organização da família variavam e nenhuma podia ser tomada como referencial e absoluta, e (b) ficava claro como os sistemas de termos de designação de parentes, embora fossem variados, formavam sistemas coerentes. Desde então, tornou-se um problema descobrir a lógica social de tais sistemas de termos, sobretudo em suas relações com os sistemas externos de comportamento observáveis pelo estudo das normas jurídicas, das relações de propriedade, dos sistemas de controle de disputas e conflitos etc.

De um ponto de vista analítico, uma das maiores fascinações colocadas pelo estudo do parentesco estava na questão crítica das diferenciações entre uma infraestrutura biológica (universal e empiricamente dada, pois para se ter uma família é preciso ter-se um homem e uma mulher, como no mito de Adão e Eva) e uma superestrutura verbal (os termos de parentesco) que, recortando a base, recriam o conjunto no plano social e ideológico. Esse, claro está, é um ponto crucial, já que se sabe que é neste plano que surgem as diferenças entre as sociedades e os sistemas de família. Em outras palavras, embora toda a família seja constituída de marido, mulher e filhos, nem toda organização familiar classifica seus membros do mesmo modo, atribuindo um mesmo conteúdo às suas relações sociais mais básicas.

Mas, além disso, o estudo destes sistemas trouxe algo muito mais sério para a mentalidade ocidental. Quero me referir à descoberta de sistemas de classificação de parentes, segundo a qual se determinavam claramente não só a posição dos pais e dos irmãos, mas também a do cônjuge. Tais sistemas, vigentes na Austrália e conhecidos desde o final do século XIX, colocaram um problema paradoxal, a saber:

Se para nós as relações de família ajudam a localizar e a transmitir todo o tipo de direitos e de bens, inclusive as feições físicas, as atitudes psicológicas, a propriedade, a herança, a filiação a grupos exclusivos, a sucessão a cargos, os direitos a residência e até mesmo a profissão (como ocorre nos sistemas de castas), elas não transmitem o cônjuge. Ou seja, tudo pode estar determinado, menos a mulher (ou o marido).

Pois bem, os sistemas australianos realizam uma determinação que aos nossos olhos parecia absurda e socialmente irredutível. Como era possível que um sistema de família pudesse alocar esposas (e maridos)? Que ele alocasse herança, propriedade, residência, substância comum, filiação a grupos exclusivos (ou inclusivos), tudo bem. Mas o cônjuge... Realmente, numa sociedade onde o casamento se reveste da ideologia do amor romântico e individualista, o matrimônio é institucionalizado socialmente como que para exprimir os fatos da psicologia e das escolhas individuais. Para nós, numa palavra, o casamento é uma função do "amor", esse elemento que justifica ideologicamente a junção teoricamente permanente de dois indivíduos concebidos como separados e independentes. Claro está que o mesmo "amor" justifica igualmente a separação desses indivíduos, sendo uma "essência" dependente e a serviço das vontades pessoais.

Vale dizer que, num universo individualista como o nosso, o parentesco é um operador para a alocação de privilégios de propriedade, titulação social, demarcação de direitos espaciais, e tudo o que se chama de "direitos de classe" ou "privilégios de classe". O casamento só é determinado pelo parentesco quando se trata de um grupo altamente aristocrático, como as famílias reais, mas aqui o "casamento" transforma-se significativamente em "aliança", sendo submetido às regras do Estado e da política. Do mesmo modo, essa falta de escolhas – que caracteriza a ausência do "amor romântico" entre nós – ocorre também nas camadas mais baixas do sistema, entre os pobres que se "unem" porque "não têm escolhas" e realizam, por isso mesmo, "uniões" destinadas ao erro e à falência. Mas nas chamadas "camadas médias", onde o credo individualista é vivido com mais intensidade e coerência, a presença da escolha é básica para a gênese do amor, da relação amorosa, da "boa transa" ou do "bom casamento". No fundo, estamos até hoje repetindo e buscando atualizar em nossas vidas o "mito" de Romeu e Julieta que sempre retorna e é redescoberto com novas roupagens e um novo nome.

Foi por apresentarem esse problema fora do comum relativo à determinação conjugal que os sistemas australianos se tornaram célebres na literatura antropológica. E foi pela mesma razão que eles até hoje ocupam um lugar de destaque no livro que acabou pela primeira vez de reunir numa única lógica os sistemas australianos com os de outras sociedades, antes discutidos de modo singular, como anomalias. Este livro foi *As estruturas elementares do parentesco*, publicado originalmente em francês em 1949 (edição brasileira em 1976).

O texto de *As estruturas elementares do parentesco* diz respeito somente a sistemas "nos quais a nomenclatura permite determinar imediatamente o círculo dos parentes e dos aliados, isto é, sistemas que prescrevem o casamento com um certo tipo de parente" (cf. Lévi-Strauss, 1976: 19). E poder-se-ia acrescentar: sistemas onde a condição de afim ou aliado é transmitida de uma para outra geração. Esse é o ponto básico. Em "sistemas elementares", portanto, eu irei me casar de acordo com uma determinação já imposta pelo casamento de meu pai, o qual – por sua vez – casou-se obedecendo a uma determinação semelhante.

Neste livro clássico, Lévi-Strauss estudou a lógica destes sistemas e fez ainda algo notável. Ele demonstrou como estes sistemas ocupavam uma larga área geográfica, cobrindo, além da Austrália, a região do Sul da Ásia, até a China – domínio etnográfico onde o parentesco se caracterizava pelo que Lévi-Strauss chamou de sistema de "troca generalizada".

Na "troca generalizada", em oposição à "troca restrita" ou "direta" (simétrica), a afinidade se faz dentro de um ciclo matrimonial longo e complexo. Lévi-Strauss pôde perceber isso porque ele estudou o parentesco como um sistema, como um conjunto de relações e não como uma associação de grupos (as famílias nucleadas), independentes entre si. Visto como um sistema, o parentesco permite dizer que a relação de dois indivíduos pelo casamento é algo que só pode ser interpretado do ponto de vista da totalidade, do sistema. Pois é o sistema que se atualiza no casamento das pessoas. Mas, visto como um campo dominado por indivíduos, o casamento é o resultado de necessidades individuais, numa perspectiva antissociológica da sociedade e do parentesco. Deste modo, para Lévi-Strauss, a "unidade mínima do parentesco" não é um grupo composto de pai, mãe e filhos – como no mito de Adão e Eva, mas um conjunto que se prolonga por todo o sistema, nele incluindo relações de casamento (entre o pai e a mãe), relações de filiação (entre os pais e os filhos), relações de irmandade (entre os irmãos), relações de afinidade (entre o pai: que recebe uma mulher e seu cunhado: que doa uma mulher) e, por causa disso, elos avunculares (as relações entre o tio e os sobrinhos).

Para Lévi-Strauss, então, em vez do arquétipo que informava nossa concepção de família e parentesco, ou seja: um grupo onde as pessoas não têm relações de afinidade, sendo indivíduos perfeitos que se juntam para formar uma "sociedade familiar". Existe uma totalidade muito mais complexa. Num diagrama:

Concepção de Família Tradicional,
como no Mito de Adão e Eva

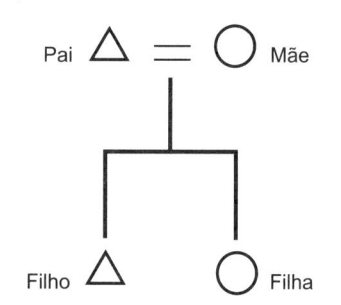

Pai △ = ○ Mãe

Filho △   ○ Filha

Noto que, neste "átomo de parentesco", a família ocupa um lugar básico. E, na família, os indivíduos que não têm relações de afinidade. De fato, no nosso mundo, o casamento implica, num certo nível, a negação dos laços de consanguinidade originais, pois as relações entre os cônjuges devem ser mais importantes do que as suas relações anteriores, com seus pais e irmãos.

O átomo de Parentesco de Lévi-Strauss

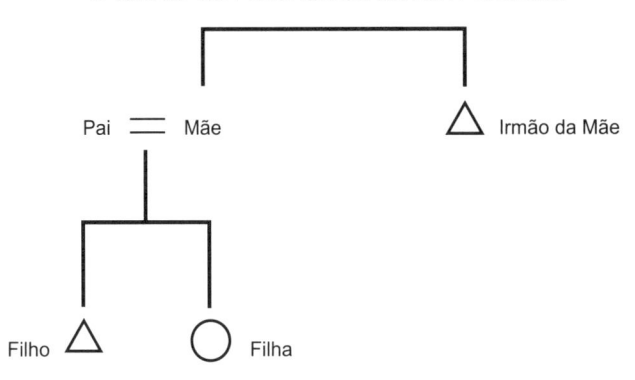

```
         Pai ══ Mãe              △ Irmão da Mãe


    Filho △        ○ Filha
```

No diagrama acima, temos um sistema aberto, no qual as relações de afinidade têm que necessariamente estar presentes (as relações entre o pai e o irmão da mãe, entre "cunhados", ou doador e recebedor de mulher). Do mesmo modo estão presentes as relações submersas ou "oblíquas", entre o "irmão da mãe" e seus sobrinhos. Tais relações, como revela a literatura antropológica sobretudo a partir dos trabalhos de Malinowski, parecem ser complementares. Ou seja, quando as relações entre pai e filhos são definidas por meios diretos e têm um componente jurídico, as relações entre os filhos e o tio materno é alternativa, estando fundada em companheirismo e camaradagem. Quando, ao inverso, é o tio materno quem detém a autoridade jurídica sobre os sobrinhos – como é o caso em sistemas matrilineares, como nas ilhas Trobriand – as relações entre o pai (marido da mãe) e os filhos são amenas, igualitárias e baseadas no companheirismo. Como demonstrou Radcliffe-Brown, num artigo clássico, tudo indica que tais relações sejam complementares, oscilando estruturalmente dentro de um mesmo sistema. Foi a partir destas ideias e das concomitâncias relativas aos elos dados com os laços de descendência e aqueles advindos com o casamento que Lévi-Strauss ampliou muitas das teses desenvolvidas na Antropologia Social britânica, sobretudo por A. R. Radcliffe-Brown, abrindo todo um repensar do parentesco como um domínio fundamental da sociedade humana, conforme já havia descoberto Morgan (não é, pois, por mero acaso que *Estruturas elementares do parentesco* é dedicado à memória de Morgan!).

As teses de Lévi-Strauss estão, pois, centradas na ideia de relações e de configurações – de conjuntos de relacionamentos – tendo como centro a noção de Marcel Mauss de troca e de reciprocidade (cf. Mauss, 1974, vol. II). Sua linha de argumentação é mais ou menos assim:

a) Não é um homem e uma mulher que formam uma "família", mas, ao contrário, são as relações entre um homem e uma mulher que tomam a forma de uma "família" de acordo com concepções vigentes em cada sociedade. Assim, a ideia de família é que vive de fato o casal e não o oposto.

b) Mas são as mulheres que, como bens e em virtude das determinações positivas do incesto, são trocadas na maioria das sociedades. Deste modo, a autoridade político-jurídica está sempre nas mãos dos homens. Nas mãos das mulheres, porém, existem outros tipos de autoridade e poder (de curar, seduzir, unir, intermediar, gerir, entrar em contato com o sobrenatural sobretudo como vítimas etc.).

c) No casamento há um homem que recebe uma mulher e um outro que doa uma mulher (sua filha ou irmã). Cada um desses homens, pela mesma lógica, representa de fato grupos ou segmentos sociais e cada um deles está impedido pelo incesto de ter relações sexuais regulares e para fins de procriação com suas filhas e irmãs.

d) O casamento e a família são instituições totais que implicam a afinidade, a filiação (junção entre as gerações) e as relações de fraternidade. Nas teorias do parentesco tradicionais, os antropólogos apenas tomavam como fatores básicos a descendência e a fraternidade. É claro que isso acontecia porque, no nosso sistema, esses dois elementos são fundamentais como se pode, por exemplo, notar por uma visão mesmo superficial da Bíblia (onde abundam os casos de ódio entre irmãos, incesto e genealogias onde as linhas masculinas são traçadas com muito detalhe na legitimação de herança de títulos e de propriedade) ou do nosso próprio sistema legal. Em outras palavras, havia uma tendência – ideologicamente determinada – para perceber melhor e com mais clareza os elementos indicados. A afinidade não era jamais tomada como um dado estrutural em certos sistemas, já que para nós ela se constitui em algo residual. Ora, nas "estruturas elementares do parentesco", a afinidade não é um dado psicológico ou individual, mas um elemento estrutural, alocado socialmente. No nosso sistema, onde a afinidade se aloca por meio de escolhas, o sistema forma uma "estrutura complexa".

Tomando esses pontos, a teoria prossegue. Se o casamento pode ser interpretado como o "outro lado" do incesto, então as escolhas matrimoniais podem surgir de modo ordenado em sistemas onde a *afinidade é um fator estrutural*. Nestes casos, o casamento poderia ser estudado como um sistema de trocas recíprocas, como uma troca de mulheres. Se isso realmente acontece, deve haver ainda modalidades diferenciadas de troca. Lévi-Strauss distingue duas dessas modalidades. Uma delas é a "troca direta" (ou "troca restrita", ou – como chamam alguns antropólogos ingleses – "troca simétrica"), que acontece quando um homem dá uma mulher para outro, recebendo de volta imediatamente uma outra mulher. Vê-se, pois, aqui, uma relação direta, implicando um dar e receber imediato, uma forma de relação equivalente, simétrica (pois trocam-se mulheres por mulheres). Todos esses fatores restringem o número de parceiros implicados nas relações de troca. Para a existência de tal tipo de troca, é preciso que existam estruturas de comunicação relativamente simples entre os grupos. Não se pode ter um sistema de valores e equivalências complexas, com possibilidades de substituir mulheres por trabalho, bens ou objetos de valor. Aqui, como estamos vendo, tudo tem que ser direto, restrito, simétrico. Esta é uma forma de troca que implica a igualdade dos grupos.

Quando tal modalidade de troca é posta em prática, a forma institucional que assume é a de um sistema dividido em dois grupos exogâmicos que, por trocarem suas mulheres diretamente, são chamados de "metades". Um dos traços das "metades" é que são grupos doadores e, simultaneamente, receptores de mulheres. De um ponto de vista concreto, genealogicamente dado, a forma que tais trocas acabam por assumir é a de casamentos em que irmãos trocam suas irmãs entre si, o que resulta numa aliança entre primos cruzados matri ou patrilaterais. Como se observa graficamente a seguir:

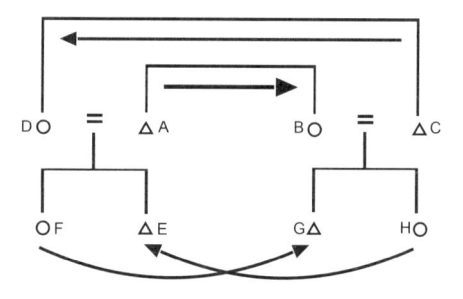

```
        ←─────────────────────────────
              ────────→
   D○ = △A         B○ = △C
   ┌──┴──┐         ┌──┴──┐
   ○F   △E         G△   H○
         ↑           ↑
         └─────╳─────┘
```

No gráfico anterior, A "trocou" sua irmã B, dando-a em casamento para C. Mas como o sistema é de "troca direta", C fez o mesmo, "trocando" sua irmã D, pela irmã de A, a mulher B que havia recebido em casamento. Assim, D, irmã de C, casa-se com A e o sistema de trocas diretas se complementa, fechando o seu ciclo matrimonial. O resultado da institucionalização desta modalidade de troca é que, na geração imediatamente inferior, a geração de F, E, G e H, as mesmas trocas irão se repetir. Observe então o leitor o seguinte: E e sua irmã F são "sobrinhas" de B e C que serão seus "sogro" e "sogra". Do mesmo modo, G e H, que são seus "primos" pela nossa terminologia de parentesco, serão, neste sistema de trocas diretas, seus esposos(as) e cunhados(as). Deste modo, quando um etnólogo encontra um sistema terminológico onde os filhos da irmã do pai e/ou os filhos do irmão da mãe são chamados por um mesmo termo e esse termo é usado para designar a esposa, ele tem fortes razões para supor que está diante de um sistema de trocas diretas.

Num sistema de trocas diretas, os termos de parentesco para sogro e sogra são iguais aos termos para tio materno e tia paterna; do mesmo modo que os termos para esposa se confunde com o termo para prima cruzada matri e patrilateral (filha do irmão da mãe e a filha do irmão do pai, respectivamente).

É importante considerar que tais sistemas obedecem a uma lógica relativamente precisa, embora existam muitas variações na sua prática. Mas o fato básico permanece, qual seja: de que a sua ideologia, a sua moldura cultural é fundada numa lógica de trocas simétricas, trocas que moldam toda a estrutura social. Uma das implicações disto é que, em sistemas assim constituídos, teremos com toda a probabilidade um sistema de "metades", ou um sistema de quatro, oito ou de dezesseis secções, como é o caso das tribos australianas dos sistemas Aranda e Kariera. Uma outra implicação é que a "troca direta" não permite uma integração política muito grande.

Creio que o leitor pode agora verificar a importância dessas teorias para os casos das tribos Jê, sobretudo os Apinayé, do Brasil Central. Realmente, em toda a sua demonstração, Lévi-Strauss lembra sempre essas sociedades que, com um sistema matrimonial complexo, em quatro grupos (como seria o caso dos Apinayé), teriam que ter uma posição privilegiada em termos desta discussão. Mas, antes de voltar ao material Jê, é preciso completar a apresentação dos argumentos de Lévi-Strauss.

O outro modo de "trocar mulheres" seria pelo estabelecimento de uma *troca generalizada*, quando o casamento se faria apenas com a prima pelo lado materno (filha do irmão da mãe, ou prima matrilateral), havendo a proibição de casar com a pessoa ocupante da posição simétrica inversa, isto é, a filha da irmã do pai. Tal tipo de casamento é para Lévi-Strauss (e outros) apenas um outro caso de "troca restrita" (cf. Lévi-Strauss, 1976: cap. XXVII).

Num sistema assim determinado, os casamentos têm que necessariamente circular numa só direção, havendo um ciclo de trocas bem definido, pois o grupo A dá mulheres para o grupo B, B para C, C para D, D para n... e n... de volta para A, quando o circuito fica novamente fechado. Uma das consequências disto é que se precisa de no mínimo três unidades para que possa existir um sistema de "troca generalizada". Uma outra é que aqui temos uma espécie de "divisão de trocas": pois ou se é doador de mulheres (e receptor de bens e serviços) ou se é um receptor de mulheres e um doador de bens e serviços. Como no diagrama a seguir:

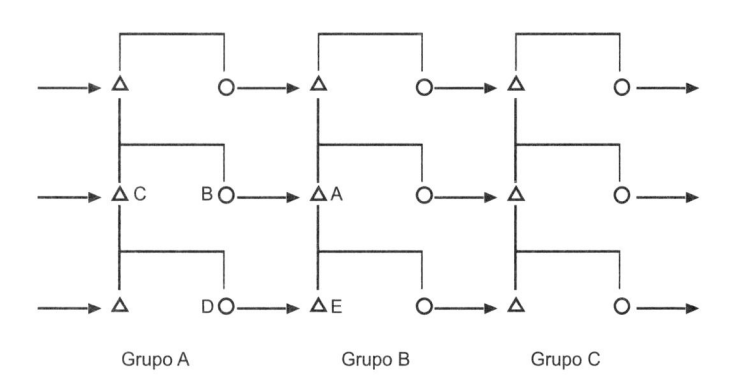

```
   →△    ○→△    ○→△    ○→
   →△C  B○→△A  ○→△    ○→
   →△    D○→△E  ○→△    ○→
   Grupo A    Grupo B    Grupo C
```

Observo que no caso dos grupos acima, representados como modelos de linhagens patrilineares exogâmicas que têm entre si um sistema de "troca generalizada", as mulheres circulam sempre numa só direção (a das flechas). Na direção contrária, pode-se supor uma circulação de bens e serviços equivalente, feita pelos grupos "receptores" aos grupos "doadores". Deste modo, quando o grupo A dá uma mulher para o grupo B, ele recebe de volta deste grupo bens e/ou serviços. O mesmo ocorre com relação a todos os grupos implicados no ciclo matrimonial. Notamos igualmente uma espécie de hiato entre o momento em que A entrega uma mulher para B e o tempo em que virá a receber uma outra mulher de C, com o fechamento do circuito. Esse hiato e essa "espera" exigem uma espécie de crédito de confiança de um grupo no outro para que o sistema de "troca generalizada" possa operar convenientemente. É essa necessidade lógica de uma "espera" que faz com que o sistema venha a requerer uma maior integração política. Por outro lado, esse sistema não está isento de mazelas sociais. Suponha o leitor que o grupo A receba bens valiosos por suas mulheres. O resultado é que ele pode acumular bens e serviços, ficando num plano hierarquicamente superior aos outros. Poderia, então, ocorrer uma complicação: todas as mulheres passariam da direita para a esquerda e todos os bens na direção contrária, indo se acumular no grupo A. Foi esse tipo de discussão que tornou a obra de E. R. Leach sobre os Kachin fundamental como uma abalizada crítica ao trabalho de Lévi-Strauss. Pois Leach, estudando um sistema deste tipo, pôde discutir a operação do poder político em conjunção com as trocas assimétricas, revelando sua complicada operação num caso concreto (cf. Leach, 1954, 1974: cap. 3, e também DaMatta, 1979b).

Vale observar, portanto, que o estudo dos sistemas de parentesco como sistemas, como idiomas de poder e prestígio entre grupos humanos, nada tem de descarnado. Ao contrário, trata-se de um instrumento indispensável ao real entendimento de estruturas políticas vigentes em sistemas sociais tradicionais, onde a totalidade se expressa por meio de uma linguagem fundada em relações substantivas.

6. As teorias e os grupos Jê do Brasil Central

Não será preciso, creio, insistir com o leitor na importância destas especulações de Lévi-Strauss para o caso dos Jê do Brasil. E nem foi preciso que tal relacionamento dos dados de Nimuendaju com as teorias de Lévi-Strauss fosse realizado, para que o próprio Lévi-Strauss buscasse em dois trabalhos publicados no livro *Antropologia estrutural* (de 1958, edição brasileira de 1973) o material etnográfico disponível sobre os Timbira, para situá-lo diante de suas teorias sociológicas. Assim, em "As Estruturas Sociais no Brasil Central e Oriental" e em "As Organizações Dualistas Existem?", Claude Lévi-Strauss procura dar sentido à organização social dos Canela, dos Apinayé e dos Bororo, enquadrando tais estruturas nas suas teorias sobre trocas matrimoniais. O resultado do trabalho foi a indicação das enormes possibilidades teóricas deste material, como demonstrou o livro pioneiro de David Maybury-Lewis sobre os Xavante (cf. Maybury-Lewis, 1967); bem como a frustração dos dados por serem insuficientes para um voo mais definitivo. Nestes dois trabalhos, portanto, ficou apenas a sugestão inspiradora de Lévi-Strauss de que os Jê, tendo um sistema de metades, deveriam ter também um sistema implícito (escondido, oculto) de trocas matrimoniais generalizadas. Assim, em nome de um dualismo simétrico aparente, os Jê e sobretudo os Bororo e os Apinayé escondiam, de si mesmos e dos olhos dos observadores, um sistema hierarquizado, constituído de práticas matrimoniais que implicavam casamentos de superiores com superiores, médios com médios e inferiores com inferiores. O caso dos Bororo, pela primeira vez colocado numa discussão sociológica precisa e inteligente, parecia resolver esse problema para Lévi-Strauss.

Pois bem, a situação estava neste nível de especulação quando Maybury-Lewis e Cardoso de Oliveira se associaram para iniciar o "projeto Jê". No âmbito do projeto, meu trabalho com os Apinayé objetivava o teste destas ideias, a saber:

1. Desejava primeiramente descobrir como de fato operava o sistema social dos Apinayé. Afinal era uma sociedade fundada na operação dos quatro grupos matrimoniais, como havia descrito Nimuendaju, ou era um sistema sem tais grupos? Por outro lado, era imperioso descobrir como tais grupos podiam realmente funcionar no mundo cotidiano se eles, como havia

demonstrado Maybury-Lewis, eram residuais e o estudo estatístico e sociológico dos Apinayé (fundado na monografia de Curt Nimuendaju) tornava sua operação improvável.

2. Um outro ponto problemático no sistema Apinayé, tal como ele o descreveu, era a sua diferença dos outros grupos Timbira. Assim, era preciso saber como os Apinayé se constituíam (ou não) num grupo Timbira desviante. Havia indicações da semelhança entre os Kayapó e Apinayé numa série de instituições, indicações que foram mais tarde confirmadas pela comparação do trabalho de Terence Turner com os meus dados. Por tudo isso, tornava-se imperioso situar o sistema de parentesco Apinayé nos termos de uma visão mais ampla e comparativa dos Jê. Volto a insistir que o trabalho realizado por Melatti entre os Krahó, por Turner com os Kayapó, por Bamberger entre os Kayapó, por Lave entre os Krikati, por Crocker entre os Bororo e por Crocker entre os Canela, foi básico para revelar um ponto de vista verdadeiramente antropológico.

3. Um terceiro ponto igualmente problemático, mas obviamente vinculado aos outros dois, era como se podia relacionar os dados da organização social e do parentesco com os outros aspectos da cultura e sociedade Apinayé. Sabíamos pela monografia de Nimuendaju que os Apinayé tinham uma mitologia parecida com a dos outros Timbira, que seu conjunto institucional fundado em "metades", grupos cerimoniais, estrutura política e ritos de iniciação masculinos, eram semelhantes. Mas onde terminava a semelhança e começava a diferença?

Com tais problemas na cabeça, iniciei meu trabalho com os Apinayé. E logo constatei como as teorias de Lévi-Strauss não podiam ser aplicadas ao caso desses índios ou ao dos outros Timbira (ou Kayapó) do Brasil Central, exceto de um modo muito formalista.

Mas como, afinal de contas, operava o sistema Apinayé?

Eu escrevi um livro sobre esse sistema. Mas vale lembrar que as lições que tirei do caso Apinayé ilustram com clareza isso que estou chamando de apresentação "viva" da teoria geral. Daí a minha apresentação dos principais resultados destas pesquisas. Meu objetivo não é, obviamente, chegar a uma visão acabada dos dados sobre os Jê, mas de revelar ao leitor como se desenvolve uma pesquisa com um grupo indígena brasileiro. Uma sociedade, ademais, com uma certa celebridade negativa na literatura antropológica, o que tornava o meu trabalho difícil. Pois se tinha que descrever a sociedade Apinayé, tinha igualmente que dirimir dúvidas e resolver problemas teóricos difíceis, enfrentando reputações como as de Curt Nimuendaju, Robert Lowie e Claude Lévi-Strauss.

Os principais resultados desta pesquisa, que – acredito – posso estender aos outros Jê do Norte, foram os seguintes:

a) O dualismo dos Apinayé era uma "verdade etnográfica" fundamental. Isto é, o modo de ordenar por oposição, colocando tudo em relação de contrariedade, era básico e visível na organização do mundo dessa sociedade. De fato, o dualismo é tão importante que atinge o seu limite, tornando-se um "dualismo absoluto", "diametral", verdadeiramente complementar e maniqueísta, quando o universo desde o seu começo já requer a presença de dois elementos. Para os Apinayé, portanto, o mundo social é constituído pelas ações de Sol e Lua, os seus dois heróis mitológicos mais importantes que, por sua vez, só podem ser corretamente interpretados como seres em absoluta simetria e complementaridade em termos de ação. Pois o que Sol realiza, está referido ao que Lua deixa de fazer. E o que Lua faz, tem uma relação direta com o que Sol fez ou não fez. Tal conjunto de ações opostas e complementares forma um quadro fascinante que, como busquei revelar no meu livro sobre os Apinayé, segue um quadro de tese, antítese e síntese, num movimento tipicamente hegeliano.

b) Mas se o dualismo é um princípio social básico no mundo social Apinayé, ele não é uma expressão de instituições sociais esperadas e sugeridas pelas teorias sociológicas tradicionais. Nós vimos que as organizações dualistas estão geralmente acopladas a sistemas de trocas matrimoniais diretas e restritas, com a consequente transação matrimonial entre primos cruzados matri e patrilaterais. Mas nada disso ocorre no sistema Apinayé (ou Timbira em geral). Ao contrário, o sistema matrimonial Apinayé não é elementar, havendo escolhas individuais de maridos e de mulheres. Por outro lado, a terminologia de parentesco indica uma estrutura onde as gerações são unidas, de modo que os primos matrilaterais são classificados como "filhos", o que torna o casamento por troca direta impossível.

c) Assim, embora os Apinayé e os Timbira tenham uma divisão em "metades", essas metades não regulam matrimônio, como se supôs desde as monografias de Curt Nimuendaju e os trabalhos de Lévi-Strauss e Maybury-Lewis. Elas são grupos cerimoniais básicos e a vida ritual dos Jê e dos Apinayé é um elemento importante, embora em desuso, para a ordenação de sua vida social. O dualismo dos Apinayé era, assim, um princípio que não tinha lugar na sua prática matrimonial.

d) Por outro lado, a descoberta de uma estrutura complexa na sociedade Apinayé fazia cair por terra a descrição de Nimuendaju, segundo a qual os Apinayé teriam uma estrutura matrimonial composta em quatro grupos. Na minha pesquisa não achei nenhum traço desses grupos, como não encontrei nenhum tipo de descendência, sobretudo de uma descendência paralela.

e) Como, então, operava o sistema social dos Apinayé e dos outros Timbira? Bem, o dualismo dos Jê não estava fundado sobre a operação de grupos que trocavam mulheres, mas sobre os modos de conceber a natureza de sua sociedade. Suas raízes, assim, se encontram na divisão entre relações substantivas, aquelas dadas com o sangue, com o suor, com a convivência íntima numa mesma casa, cama e fogo; e as relações que chegam com a nominação, elos que têm um caráter cerimonial e são assim definidos pelos próprios índios. Os Apinayé, portanto, como ocorre com os outros Timbira, têm uma leitura física ou substantiva de sua realidade social e também uma visão cerimonial ou social de sua realidade. No primeiro tipo de leitura, lançam mão de relações formadas e implicadas na reprodução que, no seu sistema, são também as relações de produção econômica. No segundo, falam do modo pelo qual os nomes pessoais são passados de uma para outra geração, o que significa traçar o mapa das relações de produção e reprodução mas num nível puramente social e ideológico. É dentro destas coordenadas formadas pelas relações dadas pela família, pela residência e pelos nomes e rituais que se desenrola a vida social dos Apinayé e dos Jê do Norte.

O resultado encontrado entre os Apinayé (e nos outros Jê) tem permitido indicar como as teorias sociológicas podem ser reformuladas e ampliadas no sentido de permitir a integração de novos dados. No caso em pauta, de sociedades internamente divididas entre substância e princípios puramente sociais, como os nomes. Num caso alcançam-se a unidade física e a gradação social; no outro, temos a classificação social complementar (dada com os nomes) e a negação da unidade substantiva. Deste modo, na minha casa eu sou um com a minha família e meus parentes mais próximos. Mas no meu grupo de nomes – uma "metade cerimonial" – eu sou um com meus companheiros de aldeia, não ligados a mim por laços de sangue.

A combinação, o jogo e a dinâmica destes dois princípios de organização humana é que permitem descobrir a singularidade dos Jê do Norte e a sua lição para a humanidade que, quero crer, a nossa antropologia permitiu descobrir.

Pode ver o leitor que a história de uma pesquisa é, na realidade, a narrativa de teorias, conceitos e esquemas classificatórios sobre o mundo real. Seria impossível descobrir a singularidade do mundo social Apinayé, caso eu não estivesse preparado para o seu estudo por meio de familiaridade com as teorias que situaram esta sociedade dentro de um quadro mais amplo. Foi isso que permitiu dar sentido aos meus dados, aos dados de Nimuendaju e, ainda, permitiu a correção de certas teorias correntes. A crítica, portanto, só pode ser feita a nível adulto quando ela implica um conhecimento teórico competente. Do mesmo modo, a pesquisa com os Gaviões obrigou na reformulação de vários esquemas teóricos e colocou novos problemas a serem ampliados e discutidos com novas pesquisas. O ponto básico de ambos os casos é que em nenhum momento o estudo foi conduzido debaixo de uma linha amadorística, sem ter por guia uma visão do mundo social, ainda que tal visão pudesse ser ingênua, como ocorreu no caso da pesquisa com os Gaviões.

Pois bem, foi esse modo de proceder a relacionamentos e relativizações que me permitiu desenvolver a visão da Antropologia Social que estou expondo neste livro. E foi ela que, alguns anos depois, conduziu-me irresistivelmente ao estudo de minha própria sociedade, trabalho no qual estou hoje totalmente engajado. Neste estudo, como nos outros, busco relativizar para relacionar e relacionar para relativizar. O jogo é complicado e fascinante. E meu trabalho com as ideologias e valores da sociedade brasileira tem, creio, confirmado isso. Gostaria de terminar expondo aqui esses resultados – ou melhor, esse começo de pesquisa –, mas meu trabalho com os carnavais, com os malandros e com os heróis é algo que iria requerer um outro livro. É, como diria Kipling, uma outra história...

BIBLIOGRAFIA

Arendt, Hannah
1976 – *Imperialismo:* A expansão do poder. Rio de Janeiro: Ed. Documentário.

Boxer, C. R.
1969 – *O império colonial português*. Textos de cultura portuguesa. Lisboa: Edições 70.

Cardoso de Oliveira, Roberto
1960 – *O processo de assimilação dos Terena*. Rio de Janeiro, Museu Nacional. 2ª edição com o nome de *Do índio ao bugre*. Rio de Janeiro: Liv. Francisco Alves.
1964 – *O índio e o mundo dos brancos*. São Paulo: Difusão Europeia do Livro.
1972 – *A sociologia do Brasil indígena*. Rio de Janeiro: Tempo Brasileiro.

Carneiro da Cunha, Manuela
1978 – *Os mortos e os outros*. São Paulo: Hucitec.

Childe, Gordon V.
1960 – *O que aconteceu na história*. Rio de Janeiro: Zahar.
1961 – *Evolução social*. Rio de Janeiro: Zahar.
1966 – *A evolução cultural do homem*. Rio de Janeiro: Zahar.

Collingwood, R. G.
s. d. – *A ideia de história*. Lisboa: Editorial Presença.

Crocker, William
1967 – "The Canela Messianic Movement: an Introduction". *Atas do simpósio sobre a biota amazônica*. Vol. 2 (Antropologia). Rio de Janeiro: Conselho Nacional de Pesquisas.

DaMatta, Roberto & Laraia, Roque
1967 – *Índios e castanheiros:* A empresa extrativa e o índio no Médio Tocantins. São Paulo: DIFEL (esgotado). 2ª edição, 1979: Paz e Terra.

DaMatta, Roberto
1970 – "Mito e antimito entre os Timbira", in *Mito e linguagem social*. Rio de Janeiro: Tempo Brasileiro.
1971 – "Les Pressages Apinayé", in *Mélanges Claude Lévi-Strauss*. Pouillon & Maranda (Editores). La Haye: Mouton.
1976a – "Quanto custa ser índio no Brasil?", in *DADOS*, n. 13.
1976b – *Um mundo dividido:* A estrutura social dos índios Apinayé. Petrópolis: Vozes (Coleção Antropologia, n. 10).
1979 – *Carnavais, malandros e heróis:* Para uma sociologia do dilema brasileiro. Rio de Janeiro: Zahar.
1979a – "Prefácio" à 2ª edição de *Índios e castanheiros*. Rio de Janeiro: Paz e Terra.
1979b – *Repensando E. R. Leach*. Introdução ao Volume E. R. Leach. São Paulo: Ática (Coleção Grandes Cientistas Sociais).

Degérando, Joseph-Marie
1969 (1800) – *The Observation of Savage Peoples*. Berkeley e Los Angeles: University of California Press.

Degler, Carl
1971 – *Nem preto nem branco:* Escravidão e relações raciais no Brasil e nos Estados Unidos. Rio de Janeiro: Editorial Labor do Brasil.

Douglas, Mary
1976 (1966) – *Pureza e perigo*. São Paulo: Ed. Perspectiva.

Dumont, Louis
1965 – "The Modern Conception of the Individual", in *Contributions to Indian Sociology*. Vol. VIII.
1970a – *Homo Hierarchicus:* The Caste System and its Implications. Chicago: The Univ. of Chicago Press.
1970b – *Religion, Politics and History in India*. Mouton & Cia.
1974 – "Casta, racismo e 'estratificação'", in *Hierarquias em classes*. Organizado por Neuma Aguiar. Rio de Janeiro: Zahar.

Durkheim, Émile
1960 (1895) – *As regras do método sociológico*. São Paulo: Companhia Editora Nacional.

Evans-Pritchard, E. E.
1978 – *Os Nuer:* Uma descrição do modo de substância e das instituições políticas de um povo Nilota. São Paulo: Perspectiva.
1978b – *Antropologia social da religião*. Rio de Janeiro: Ed. Campus.

Faoro, Raymundo

1975 – *Os donos do poder:* Formação do patronato político brasileiro. Porto Alegre: Globo; São Paulo: Cia. Editora Nacional.

Freyre, Gilberto

1962 – *Ordem & progresso.* Rio de Janeiro: José Olympio.

Geertz, Clifford

1978 – *A interpretação das culturas.* Rio de Janeiro: Zahar.

Gobineau, Conde de

1856 – *The Moral and Intellectual Diversity of Races.* Philadelphia: J. B. Lippincot and Co.

Godinho, Vitorino Magalhães

1971 – *Estrutura da antiga sociedade portuguesa.* Lisboa: Arcádia.

Graham, Richard

1979 – *Escravidão, reforma e imperialismo.* São Paulo: Perspectiva.

Lave, Jean Carter

1967 – *Social Taxonomy among the Krikati (Jê) of Central Brazil.* Tese de Ph.D. não publicada, Harvard University.

Leach, E. R. (Sir)

1970 – *Claude Lévi-Strauss.* New York: The Viking Press. Publicado no Brasil como *As ideias de Lévi-Strauss.* São Paulo: Cultrix, em 1977.

1974 (1961) – *Repensando a antropologia.* São Paulo: Perspectiva.

1978 – *Cultura e comunicação:* A lógica pela qual os símbolos estão ligados. Rio de Janeiro: Zahar.

Lévi-Strauss, Claude

1956 – *Tristes trópicos.* São Paulo: Anhembi.

1970 (1962) – *O pensamento selvagem.* São Paulo: Cia. Ed. Nacional e Ed. da USP.

1973 (1958) – *Antropologia estrutural.* Rio de Janeiro: Tempo Brasileiro.

1975 (1962a) – *Totemismo hoje.* Petrópolis: Vozes.

1976 (1949) – *As estruturas elementares do parentesco.* Petrópolis: Vozes (Coleção Antropologia, n. 9).

Levy Jr., Marion

1952 – *The Structure of Society.* Princeton: Princeton University Press.

Lowie, Robert H.

1940 – "American Culture History", in *American Anthropologist.* Vol. 42: 409-428.

1943 – "A Note on the Social Life of the Northern Kayapó", in *American Anthropologist.* Vol. 45: 633-635.
1959 – *Robert H. Lowie Ethnologist:* A Personal Record. Berkeley & Los Angeles: Univ. of California Press.

Lowie, Robert H. & Nimuendaju, Curt
1937 – "The Dual Organization of the Ramkókamakra (Canella) of Northern Brazil", in *American Anthropologist.* Vol. 39: 565-582.
1939 – "The Associations of the Šerente", in *American Anthropologist.* Vol. 41: 408-415.

Malinowski, Bronislaw
1976 – *Argonautas do Pacífico ocidental:* Um relato do empreendimento e da aventura dos nativos nos arquipélagos da Nova Guiné Melanésia. São Paulo: Abril. Vol. XLIII.

Martins, Wilson
1976 – *História da inteligência brasileira.* Vol. I (1550-1794). São Paulo: Cultrix.

Marx, Karl
1974 – "O 18 brumário de Luís Bonaparte", in *Os Pensadores.* Vol. XXXV. São Paulo: Abril.

Mauss, Marcel
1974 – "Ensaio sobre a dádiva: Forma e razão da troca nas sociedades arcaicas", in *Sociologia e Antropologia.* São Paulo: Abril.

Maybury-Lewis, David
1960 – "Parallel Descent and the Apinayé Anomaly", in *Southwestern Journal of Anthropology.* Vol. 16: 2.
1960a – "The Analysis of Dual Organizations: A Methodological Critique", in *Brijdragen,* 116.
1967 – *Akwe-Shavante Society.* Oxford: Clarendon Press.
1980 – *Dialetical Societies.* Harvard Univ. Press.

McLennan, John F.
1970 (1865) – *Primitive Marriage.* An Inquire into the Origins of the Form of Capture in Marriage Ceremonies. Editado com uma Introdução por Peter Rivière. Chicago: The University of Chicago Press.

Melatti, Júlio Cezar
1972 – *O messianismo Krahó.* São Paulo: Herder.
1978 – *Ritos de uma tribo Timbira.* São Paulo: Ática.

Myrdal, Gunnar
1962 (1944) – *An American Dilemma:* The Negro Problem and Modern Democracy. Nova York: Pantheon Books.

Nimuendaju, Curt
1939 – *The Apinayé.* Washington D.C.: Catholic University of America, Anthropological Series, n. 8. Publicado em Português, com revisão do Autor, como *Os Apinayé.* Boletim do Museu Paraense Emílio Goeldi, Tomo XII. Belém do Pará, 1956.

1946 – *The Eastern Timbira.* University of California Publications in American Archaeology and Ethnology. Vol. 41.

Nogueira, Oracy
1954 – "Preconceito racial de marca e preconceito racial de origem", in *Anais do XXXI Congresso Internacional de Americanistas.* São Paulo.

Polanyi, Karl
1967 – *The Great Tmansformation:* The political and economic origins of our time. Boston: Beacon Press.

Popper, Karl (Sir)
1974 – *A sociedade aberta e seus inimigos.* 2 vols. Editora da Univ. de São Paulo e Editora Itatiaia. Belo Horizonte.

Radcliffe-Brown
1973 – *Estrutura e função na sociedade primitiva.* Petrópolis: Vozes.

1979 – *Radcliffe-Brown.* Volume organizado por Júlio Cezar Melatti. São Paulo: Ática (Coleção Grandes Cientistas Sociais).

Ribeiro, Darcy
1957 – "Línguas e culturas indígenas do Brasil", in *Educação e Ciências Sociais,* n. 6. Rio de Janeiro. Centro Brasileiro de Pesquisas Educacionais.

1970 – *Os índios e a civilização.* Rio de Janeiro: Civilização Brasileira.

1972 – *Teoria do Brasil.* Rio de Janeiro: Paz e Terra.

1978 – *O processo civilizatório:* Estudos de antropologia da civilização. Petrópolis: Vozes.

Rivers, W. H. R.
1969 (1910) – "O método genealógico de pesquisa antropológica", in *Organização social.* Organizado por Roque Laraia. Rio de Janeiro: Zahar.

Schwartz, Stuart B.
1979 – *Burocracia e sociedade no Brasil colonial.* São Paulo: Perspectiva.

Seeger, Anthony
1980 – *Os índios e nós:* Estudos sobre sociedades tribais brasileiras. Rio de Janeiro: Editora Campus Ltda.
s. d. – *People of the Circular Villages:* The Cosmology and Social Organization of the Suya Indians of Central Brazil. Harvard University Press.

Skidmore, Thomas
1976 – *Preto no branco:* Raça e nacionalidade no pensamento brasileiro. Rio de Janeiro: Paz e Terra.

Tambiah, S. J.
1973 – "Form and Meaning of Magical Acts: A Point of View", in *Modes of Thought*. Finnegan & Horton (Editores). Londres: Faber & Faber.

Thomas Mann
s. d. – *Montanha mágica*. Lisboa: Ed. Livros do Brasil.

Topalov, Christian
1978 – *Estruturas agrárias brasileiras*. Rio de Janeiro: Liv. Francisco Alves.

Turner, Terence S.
1966 – *Social Structure and Political Organization among the Northern Cayapó*. Tese de Ph.D. não publicada, Harvard University.

Turner, Victor
1967 – *The Forest of Symbols:* Aspects of Ndembu Ritual. Nova York: Cornell University Press.
1974 – *Dramas, Fields and Metaphors:* Symbolic Action in Human Society. Ithaca & Londres: Cornell University Press.

Tylor, E. B.
1871 – *Primitive Culture*. Londres.

Van Gennep, Arnold
1978 – *Os ritos de passagem*. Com uma apresentação de Roberto DaMatta. Petrópolis: Vozes.

Velho, Gilberto
1978a – "Observando o familiar", in *A aventura sociológica*. Edson Nunes (organizador). Rio de Janeiro: Zahar.

Velho, Gilberto & Viveiros de Castro, Eduardo
1978b – "O conceito de cultura e o estudo de sociedades complexas", in *Artefato*. Ano 1, n. 1.

Velho, Otávio Guilherme
1976 – *Capitalismo autoritário e campesinato:* Um estudo comparativo a partir da fronteira em movimento. São Paulo: Difel.

Vidal, Lux
1977 – *Morte e vida de uma sociedade indígena brasileira.* São Paulo: Hucitec/Ed. USP.

Viveiros de Castro, Eduardo & Benzaquen de Araújo, Ricardo
1977 – "Romeu e Julieta e a origem do Estado", in *Arte e sociedade:* Ensaios de sociologia da arte. Gilberto Velho (organizador). Rio de Janeiro: Zahar.

Weber, Max
1967 – *A ética protestante e o espírito do capitalismo*. São Paulo: Pioneira.

White, Leslie
1949 – *The Science of Culture:* A Study of Man and Civilization. Nova York: Grove Press.

Impressão e Acabamento:
EDITORA JPA LTDA.